VERVLOGEN DROMEN

Cindy Martinusen

Vervlogen dromen

redrose ROMAN

Voor Amanda
Voor je vriendschap die groeide in een tijd van tranen

© Kok Omniboek – Kampen 2008
Postbus 5018, 8260 GA Kampen
www.kok.nl

Oorspronkelijk verschenen onder de titel *The Salt Garden*
bij Thomas Nelson, Nashville, Tennessee
© 2007 Cindy Martinusen

Vertaling: Roelof Posthuma
Omslagontwerp: Julie Bergen
Omslagillustratie: Arcangel/Imagestore
Grafische verzorging: Rem Polanski

ISBN 978 90 5977 306 6
NUR 302

U-bochten

Ik schrijf als een pelgrim,
slechts bevoegd door mijn hunkering naar genade.

Philip Yancey

Sophia Fleming

Er zijn domeinen in onszelf die we niet vaak delen
en soms zelf niet zo goed kennen.

❦

Een flits zonlicht, versterkt door het water, treft mijn oog wanneer
ik langs de getijdenpoelen loop. Rechthoekige voorwerpen horen
niet thuis tussen de afgeronde en verweerde vormen van de zee,
en dus weet ik dat het iets is wat door mensenhanden werd gemaakt. Een kleine metalen doos misschien, of een stuk hout waarop reflecterend materiaal werd bevestigd.

Terwijl ik kijk hoe ik de vondst door het water en over de rotsen het makkelijkst kan bereiken, word ik plotseling door een
dromerig gevoel overvallen. Er zijn tal van dromen waarvan ik
heb gewenst dat ze zouden uitkomen, of waarvan ik, nog vaker,
de werkelijke beleving in plaats van de droom heb verlangd. Misschien voel ik daarom die drang om woorden op papier te zetten,
om te proberen die momenten te vangen die me in de werkelijkheid ontgaan – momenten van verrukking of liefde of verzoe-
ning.

Dit zou zo'n moment moeten zijn, met achtergrondmuziek,
misschien de filmmuziek uit *Casablanca*. De geur van de zee en de
streling van de wind op mijn gezicht geven me een uitstraling van
onsterfelijkheid en – durf ik te dromen – van schoonheid, zelfs op
mijn leeftijd. Misschien reageer ik een beetje melodramatisch,
maar het gebeurt niet zo vaak dat ik tijdens mijn wandeling langs
de zee een schat vind.

Ik wacht even voordat ik mijn hand in het water steek. Tjonge, wat is het koud, en de getijdenpoel is dieper dan hij leek. Een
vrouw van mijn leeftijd moet voorzichtig zijn op deze natte rotsen; ik ben niet meer zo jong als ik was, en op sommige dagen
heb ik het gevoel altijd al oud te zijn geweest. Het ijskoude zoute
water verkilt mijn vingers en arm tot aan mijn opgestroopte
mouw. De in- en uitgaande golven doordrenken mijn wandel-

schoenen. Net op het moment dat ik mijn hand wil terugtrekken, raken mijn vingers het weerspiegelende object dat vastzit tussen het zeewier en de rotsen. Een kleine zeester observeert mijn zoektocht op een paar centimeter afstand. De wind suizelt in mijn haar, maar er is geen filmmuziek die de ruimte vult.

De schat – want alle strandrommel is een schat, zelfs de oude laars die ik tientallen jaren geleden vond en die nu dienst doet als geraniumbak – is bijna meer zee dan beschavingsproduct. Wanneer ik het voorwerp omdraai, zie ik dat het een soort boek is, met een aangetaste en ingedeukte metalen plaat op de omslag. Het slot is dichtgeroest.

Met mijn wandelstok weer in mijn rechterhand en de schat als een gloeiend kooltje in de zak van mijn regenjas kort ik mijn gebruikelijke route in en loop ik zo snel ik kan naar het huisje.

Het vergt tijd het omslag te ontdoen van zeewier en het slijk uit de diepten. Ik wrijf me in mijn handen en heb het gevoel de heilige graal zelf te hebben gevonden. Met een vleesmes probeer ik een paar keer het slot te forceren, totdat het met een klik openspringt. Wanneer ik het omslag een fractie optil, zie ik tot een solide massa samengeklonterde bladzijden. Ik ben bang dat ze bij de minste aanraking zullen verpulveren. Het is een wonder dat papier al dat zout heeft kunnen overleven, maar op grond van mijn herinneringen van beelden van andere scheepswrakken weet ik dat het mogelijk is.

Dit komt ongetwijfeld van de *Josephine*. De teloorgang van dat schip in een stormachtige nacht in 1905 heeft van Orion Point een historische plek gemaakt.

Welke reis heeft dit boek gemaakt voordat het bij de schipbreuk op de bodem van de zee belandde? Wiens handen hebben ooit de bladzijden omgeslagen? Heeft de boodschap in het boek de schepselen van de diepzee geïnspireerd? Ik weet dat het dwaas is, maar ik geniet van zulke fantasierijke gedachten.

Al meer dan vijftig jaar woon ik hier op Orion Point. Soms doorkruisen mensen het bos om te zien of de ooit min of meer beroemde schrijfster er nog steeds is. Meestal laten ze me met rust. Mijn eens zo wijde wereld is geslonken tot dit dertig hectare grote en met dennen begroeide bosgebied aan de westkust, met één hond en één buurman als gezelschap.

Maar na deze ontdekking zal Orion Point misschien nooit meer hetzelfde zijn. Ik moet nadenken en bidden. Ik heb een gevoel alsof het boek dat ik gevonden heb, levens kan veranderen. Ik weet dat het Gods duwtje in de rug is, dat ik nu al een poosje heb geprobeerd te negeren. Hij heeft een deur geopend. In mijn meer dan zeventig jaar heb ik alle seizoenen meegemaakt, die mij hebben veranderd met hun komen en gaan. Dit voelt als de eerste kille wind van een monumentale storm. Misschien is het allemaal alleen maar mijn verbeelding.

Maar op een of andere manier denk ik – vrees ik – dat het geen verbeelding is, maar waarheid.

❧

Mijn oude hond gaapt aan mijn voeten terwijl we ons warmen bij het vuur. Gevonden artefacten moeten eigenlijk naar een museum of een archeologische dienst worden gestuurd om onderzocht te worden. De afgelopen week is een team van wetenschappers aan het duiken en zoeken geweest op de plek van de schipbreuk; zij zouden deze relikwie uit de zee graag willen hebben. Misschien is het zelfs door hun gewoel tot mij gekomen.

Ik weet het allemaal, maar nu het boek vanavond in een vergiet op mijn aanrecht staat, en ik voor het vuur de kou uit mijn oude botten verdrijf, kan ik het niet helpen dat ik het wil houden.

Ik heb ergens een heel oud krantenartikel dat mijn moeder al bewaarde, over gevonden voorwerpen die uit de vergane *Josephine* afkomstig waren. Het was een liefhebberij van haar zulke knipsels te verzamelen – nu ik eraan terugdenk, was het meer een obsessie. Als jong meisje woonde ze in het nieuwe stenen huis op de Point, en zij was erbij geweest in die nacht van huilende storm en kolkend water. Ze trotseerde de storm toen ze met een petroleumlamp achter haar ouders aan liep, die dekens meezeulden en naar overlevenden zochten. Op latere leeftijd herinnerde zij zich de trage ochtendschemering die de wilde golven vol wrakhout aan het licht bracht, en de bleke, verwrongen lichamen die op het strand waren aangespoeld.

De verhalen uit mijn kindertijd komen nu terug, verhalen over het vergaan van het schip voor de rotsachtige kust die mijn speelplaats werd. Met mijn hoofd vol avontuur en gevaar creëerde ik mijn eigen fantasieverhaal over wat er gebeurd was.

Hier, in deze oude schommelstoel, kan ik die voorbije dagen bijna aanraken. Ik hoor Phillip en Helen die een begroeting schreeuwen terwijl ze naar de Point komen om te spelen. We zouden onvermijdelijk de weg kunnen vinden naar dat rotsachtige stukje kustlijn met zicht op de plaats waar de schoener verging.

'Laten we Ben gaan halen', zei Phillip telkens wanneer hij boven op een rots stond waar de zilte wind op zijn wangen prikte en zijn bruine haar opfladderde alsof het hem zou wegvagen. In die dagen begon ik van hem te houden, omdat ik de essentie van het leven zag die hem vervulde en op ons allemaal afstraalde. Phillip nam mensen altijd voor zich in, van zijn kindertijd tot aan zijn dood. Er was iets onsterfelijks, iets eeuwigs aan hem, geloof ik – iets wat mensen deed denken aan zaken die het moment te boven gingen. Mensen voelden zich daardoor tot hem aangetrokken. Maar er waren er maar weinig die het zo sterk voelden als wij: zijn zus Helen, Ben en ik.

'Laten we Ben van zijn vader gaan redden', zei Phillip dan.

Onze voeten snelden langs het pad naar de vuurtoren. Ben kreeg altijd te veel taken opgelegd, en zijn strenge vader staarde ons aan alsof we indringers van een vijandige invasiemacht waren. Binnen een uur hadden we de netten schoongemaakt, de stallen uitgemest, het brandhout opgestapeld en de ramen van de vuurtoren gewassen totdat ze glommen in het zonlicht – en zo alle excuses tenietgedaan die hij kon bedenken om Ben een beetje plezier te ontzeggen. Nadat alle klussen gedaan waren, gingen we naar de bospaden buiten het blikveld vanaf de vuurtoren. Ben was van ons.

'We waren piraten die op de rotsen vechten terwijl de *Josephine* zinkt', schreeuwde Phillip, meer tegen de zee dan tegen ons.

Ben had een paar minuten nodig om de last van zijn vaders ti-rannie af te schudden. Maar plotseling hief hij dan een stuk drijf-hout als een zwaard omhoog en zei: 'We ontvoeren de meisjes en nemen ze mee naar de Zuidzee.'

'Niets daarvan.' Helen plantte haar handen ferm in haar zij. 'Meisjes kunnen ook piraten zijn.'

Hun stemmen blijven me bij, vanavond. Ik vraag me af of Ben ze zich ook herinnert, terwijl hij voor zijn vuur zit in diezelfde vuurtoren, vierhonderd meter verderop. Herinnert hij zich wat wij kwijtraakten en verlangt hij terug naar de dagen van onze jeugd?

Hoe konden er zo veel jaar voorbijgaan? Ieder jaar verbaas ik mij er meer over, maar niettemin doemt het gevoel van het einde van een reis als een uiteindelijke bestemming op uit de nevelen van de toekomst.

Een teken van de *Josephine* kwam vandaag als een boodschap uit het verleden tot mij. Ik heb het tientallen keren opgepakt en me voorgesteld welke woorden er in het boek zouden kunnen staan. Stel je voor dat het toebehoord heeft aan die ene vrouw, de-gene naar wie het schip was genoemd, degene die mijn moeder zich herinnerde toen ze haar op die ijskoude morgen vonden, nauwelijks nog in leven.

Wanneer Ben langskomt, zal ik hem het boek laten zien. Be-spiegelingen over wat er op de bladzijden in verscholen ligt, her-inneren me aan vervlogen dagen, maar de herinneringen troosten me zonder de gebruikelijke pijn te veroorzaken. Het is een troost die deze oude botten goed doet. De wetenschappers die het wrak onderzoeken, zouden het vast graag willen zien.

Maar voorlopig is het van mij.

GETIJDENPOST
Streekkrant van Harper's Bay sedert 1882

WEGAFSLUITING
GEDURENDE DE WINTERMAANDEN

Voorziene vertragingen bij de reconstructie van Wilson Bridge laten het project tot in de gevreesde wintermaanden doorlopen. De eerstkomende maanden zal de oude snelweg 7 afgesloten zijn.

Harper's Bay zal daardoor voor de bewoners van Orion Point via de weg onbereikbaar zijn. Ben Wilson, beheerder van de vuurtoren en bewoner van de Point, reageerde met een hartelijke lach toen hem om een reactie werd gevraagd. 'Ik kom toch altijd al per boot naar de stad.'

De teruggetrokken levende schrijfster Sophia T. Fleming, de andere bewoonster van Orion Point, was niet bereikbaar voor commentaar.

Claire O'Rourke

❧

Ik ben gestrand.

De laatste tien minuten heb ik geprobeerd deze waarheid voor mijzelf te ontkennen door mijn mobiele telefoon onder alle hoeken te proberen. Ik ben zelfs de weg afgelopen in de hoop ook maar één blokje te zien verschijnen als bewijs van een minimale verbinding. De weg is afgezet. 'Gestremd' staat er op de afzetting, en ik herinner me een stel oranje borden die een paar kilometers terug waarschijnlijk zoiets aankondigden.

Ik sta vast langs een kustweg, terwijl de dichte bossen om me heen donker worden en er vanavond niemand deze kant op zal komen.

'Lieverd, je kunt je geboorteplaats niet in de steek laten.' Dat waren de woorden die mijn moeder een paar uur geleden uitsprak alsof ze op een of andere manier de hand had in dit alles. Ik probeer mijn geboorteplaats niet in de steek te laten; ik wil alleen wat afstand tussen de stad en mij.

Iedere keer wanneer ik van Harper's Bay terugrijdt naar San Francisco, denk ik aan Carrie. Ik paste altijd op haar zoontje, en daarna gingen we theedrinken en gaf ze me advies over het jongste probleem waarmee ik op dat moment rondliep. Carrie is drie jaar geleden overleden, en toch denk ik nog altijd aan haar wanneer ik de stad via deze weg verlaat. Jaren lang moedigde ze me aan mijn studie af te maken, de wereld te verkennen, mijn dromen na te jagen. Ze vertelde me over haar lievelingsschilderijen, en verschillende keren bezocht ik *De Gebroken Kruik* van Bouguereau, waarna ik buiten het museum lunchte met uitzicht op de heldere bogen van de Golden Gate-brug.

En toen verraste Carrie me de laatste keer dat ik haar bezocht. Ze zei dat alles waarvan zij ooit overtuigd was geweest, nu in de meeste opzichten zo onduidelijk was. Dat het leven in wezen alleen draaide om geloof en liefde en het vinden van een kust die ons ware thuis was, waar al ons streven vervuld zou worden, ondanks de pijn van dit leven.

Nog steeds weet ik niet precies wat ze bedoelde, en dus moet ik iedere keer wanneer ik mijn kleine geboorteplaats aan de kust verlaat, weer aan haar woorden denken.

Ik denk na over de vierentwintig kilometer naar de stad, de toenemende duisternis en de dreigende wolkenluchten. Hemelsbreed is Orion Point het dichtstbijzijnde bewoonde gebied, maar de hemel strekt zich uit over het dichte, diepe bos en over de omweg via de brug die de wegenbouwers hebben afgesloten. Maar zelfs voor een voetganger biedt Orion Point het meest nabije bewoonde huis, hoewel de oprijlaan lang is en moeilijk te vinden in haar bijna volledig overwoekerde staat. (Althans, de laan was overgroeid toen ik die voor het laatst zag, op de middelbare school; zij kan inmiddels wel volledig verzwolgen zijn door het bos.) Bovendien ben ik nooit echt bij het huis van de schrijfster S.T. Fleming geweest.

Vrijwel alle inwoners van Harper's Bay zijn nieuwsgierig naar haar. Ieder jaar houden dappere middelbare scholieren een speurtocht naar de Point waaraan onheilsverhalen kleven over de redenen waarom de schrijfster zich daar van de wereld afsluit. Verhalen over buitenaardse wezens en UFO's doen de ronde – en natuurlijk over geesten. Niemand komt ooit in de buurt van het huis. Mevrouw Fleming weet hoe ze het hoge, ijzeren veiligheidshek moet afsluiten.

In de vuurtoren op het uiterste puntje van Orion Point woont Ben Wilson, maar de weg naar de vuurtoren ken ik ook niet echt. Ik weet alleen dat het voorbij het huis van Fleming is.

Het is vreemd hier te staan terwijl ik nu over snelweg 101 zou moeten rijden, blij met de zuinige en weinig gebruikte auto die ik voor een mooi prijsje heb kunnen kopen en luisterend naar een boek op cd-rom (*Great Expectations* van Charles Dickens, omdat het al zo lang geleden is dat ik het boek las). Vreemd ook dat ik, toen ik een halfuur geleden vertrok, dacht: *Misschien moet ik niet langs deze weg de stad uit rijden.* Die gedachteflits werd later gevolgd door het nemen van een bocht, waarna ik plotseling werd geconfronteerd met betonnen versperringen op de weg. Ik remde abrupt, waarop er onder de motorkap vandaan plotseling gerommel en een luide knal te horen waren. Dat was dat. Gestrand.

Ik gooi mijn mobieltje op de autostoel en probeer me een plek langs de bergachtige oude snelweg 7 te herinneren waar ik wel verbinding kan krijgen, zonder dat ik er kilometers voor hoef te lopen. De kou komt vanaf zee over het land en ik hoor de golven die half verborgen zijn achter de dichte begroeiing en in het opkomende duister van de nacht.

Onder de motorkap probeer ik in het doolhof van slangen en glimmende metalen onderdelen enige gelijkenis te ontdekken met de motor van de Willys Jeep die ik mijn vader hielp onderhouden toen ik in de eerste klas van de middelbare school zat. Maar er ligt een wereld van verschil onder de motorkappen van een Willys Jeep uit 1947 en een Honda uit 1998 – het is zoiets als het vergelijken van het inwendige van een oude wandklok met dat van een computer.

Een groot met mos bedekt rotsblok langs de kant van de weg biedt een harde zitplaats vanwaar ik naar mijn vastgelopen, voor mij nog onwennig nieuwe auto kijk – van het soort waarop geen garantie wordt gegeven. De gedachte komt weer op, en weer veeg ik haar weg als de regendruppel die op de mouw van mijn jas valt: *Misschien is het de bedoeling dat ik hier blijf.*

Mijn moeder vertelde me vandaag over een geweldige baan bij de plaatselijke krant. Haar definitie van een geweldige baan houdt voornamelijk in dat de werkplek zich binnen een cirkel van veertig kilometer rondom het ouderlijk huis bevindt. Mijn afgeronde studie journalistiek zou mij absoluut bovenaan op de stapel sollicitaties doen belanden; daar twijfelde ze niet aan. Ik zou de bungalow achter op het land kunnen betrekken – mijn vaders uitvindersstudio die mislukte, en die nu schandelijk genoeg als opslagplaats dient. Je zou er zo'n leuk klein appartement van kunnen maken.

Daarnet was ik op weg om de stad te verlaten. Met de weg voor mij ontsnapte ik aan de kleine verleidingen van mijn geboorteplaats – het wonderlijke leven dat doet denken aan de beroemde wooncommune Walden, mijn ouders dicht in de buurt (wat ik werkelijk prettig zou vinden), het slapen hier (o, hoe kan ik hier slapen met het geluid van de zee om me heen ...) –, maar nu beginnen die verleidingen een soort verlangen op te wekken dat ik snel onderdruk. Wanneer ik eenmaal weer thuis ben in San Francisco, veeg ik opgelucht het zweet van mijn voorhoofd omdat ik weer ben ontsnapt. Zoals altijd.

San Francisco herinnert me aan alles wat ik moet bereiken. Ik ben gek op die stad van gezellige mist en kraakheldere dagen met blauwe luchten. Ik heb vrijdag een belangrijke vergadering gemist omdat ik hierheen moest om mijn auto op te halen. Een vriendin op doorreis naar Seattle zou me afzetten, en zij kon alleen op vrijdag. Mijn leidinggevende bij de *San Francisco News & Review* zei dat het geen probleem was als ik die dag niet aanwezig kon zijn, maar er deden verhalen de ronde over veranderingen, bezuinigingen, nieuwe functies, promoties. En dan is er morgen nog een vergadering van de kerk – de studie- en carrièregroep bereidt een reis naar Mexico voor, een gelegenheid waarbij ik misschien contact kan leggen met een paar andere alleenstaanden. Met zo veel mensen in de groep en mijn drukke leven vol dromen die gerealiseerd moeten worden, heb ik er maar weinig leren kennen.

Alleen naast mijn auto zittend besef ik dat ik maar weinig contact heb gemaakt sinds ik na mijn studie naar de stad ben verhuisd. Ik heb een lange lijst van kennissen, maar slechts enkelen van hen zijn echt vrienden geworden.

'Ga je nog met iemand om?', had mijn moeder gevraagd – alsof ze dat nooit vroeg tijdens onze wekelijkse telefoongesprekken. Misschien denkt ze dat ik plotseling een geheime liefde zal opbiechten als we elkaar persoonlijk spreken.

'Nee, mam, niemand'

Vroeger vroeg ze altijd of ik met een iemand in het bijzonder omging; tegenwoordig vraagt ze alleen nog of ik überhaupt wel met iemand omga. Haar twee hartsvriendinnen zijn al een poosje oma, en iedere keer wanneer ik op bezoek kom, vertelt ze me dat zij elkaar foto's van de kleinkinderen laten zien en leuke verhalen uitwisselen, terwijl zij die niet heeft.

'Is er echt helemaal niemand?'

Ik zou haar kunnen herinneren aan de verhalen over de drie mannen met wie ik het afgelopen jaar uit ben geweest. In plaats daarvan probeer ik haar af te leiden. 'Mam, het leven is te druk om tijd te spenderen aan een zoektocht naar een of ander schimmige man.'

'Je zou er een klein beetje moeite voor kunnen doen.'

'En als het nu niet mijn levensroeping is te trouwen en kinderen te krijgen?' Ik denk dat niet echt, maar ik heb tal van andere interesses in mijn leven.

'Ik weet dat het mijn roeping is grootmoeder te worden, en de vervulling daarvan ligt in jouw handen.'

'Nee toch, hè? En mijn broer?'

'Die heb ik al opgegeven. Die wordt waarschijnlijk beroeps-woudloper voordat ik hem in de buurt van een altaar zie.'

'Mam, volgens mij is hij al beroepswoudloper. Maar een woudloper zou ook een woudloopster kunnen ontmoeten.'

'Volgens mij is hij al met een boom getrouwd.'

Daar heeft ze een punt. Mijn broer Conner groeide op met boeken als *Tom Sawyer, Huckleberry Finn, Overleven in de wildernis* en *Mijn kant van de berg*. Hij had er grote moeite mee de volwassen-heid te scheiden van de kinderlijke ontdekkingstochten door de bossen van onze jeugd. Op een keer stond hij met Kerstmis bij mijn ouders voor de deur als een soort wildeman – ik herkende hem nauwelijks voordat hij gedoucht had, zijn baard had afge-schoren en zijn lange haar in een paardenstaart had getrokken. We bleven tot drie uur in de nacht op om elkaar verhalen te vertellen – ik over mijn leven in San Francisco, hij over zijn avonturen op de natuurpaden langs de kust van de Stille Oceaan, waar hij aller-lei baantjes had, van verkoper tot assistent-bioloog. Als Conner ooit ergens vast zou gaan wonen, op kantooruren zou gaan wer-ken, een das zou gaan dragen en in een minibusje zou gaan rijden, zou ik al mijn geloof in de wereld van de individualiteit verliezen.

De regen die als een wedstrijdje verspugen begon, hamert me nu terug in mijn auto.

Ik sla het portier dicht, zit in de kleine ruimte en besef plot-seling dat ik hier zal moeten overnachten. Vanavond waagt nie-mand zich nog op deze weg. Ik moet ophouden te denken aan seriemoordenaars, weerwolven en beren. *Moordenaars, weerwolven en beren, nee toch!*

Dit had een simpel tochtje moeten worden om een auto te kopen. De voormalige baas van mijn moeder had de Honda voor een habbekrats te koop staan, en mijn vader had de motor nage-keken voordat ik vertrok. Het was de moeite waard er apart voor naar huis te gaan, ook al was het over een paar weken al Thanks-giving. Tenminste, dat dacht ik.

Een goede houding is een keuze. Woorden van mijn vader, die ik op dit moment niet wil horen. Ik weet dat God hier is, zelfs midden in mijn moeilijkheden – juist in mijn moeilijkheden. En ik heb een beetje voorraad. Voordat ik van huis vertrok, kwam mijn moeder met een nieuwe, warme en superzachte deken naar buiten. Mijn vader had mijn rode thermosfles met koffie gevuld – de speciale vakantiekoffie. En ten slotte had ik de ingeving gehad in de stad nog even bij de bakker langs te gaan.

Deken, koffie, eten. Ik zou dagen lang gestrand kunnen blijven zonder het loodje te leggen. Verdringen, die gedachte.

Met een blik op het dichte woud van varens, struiken en dennen waarin zich vrijwel alles zou kunnen schuilhouden, duik ik weer de regen in, open snel de kofferbak en haal de goederen eruit die ik nog niet zo lang geleden als extraatjes en traktaties beschouwde. De zoete koffiebroodjes en de kruik met pure H_2O uit Harper's Bay zijn nu 'voorraden'. De kilte wordt nu al snel echt kou, en ijzige vingers kruipen langs de kraag van mijn jas en de randen van mijn oren. Ik maak mijn koffer open en pak extra sokken voor mijn handen en voeten, truien om over mijn spijkerbroek te trekken en extra T-shirts voor het geval mijn jas en deken niet genoeg zijn.

Beelden van leeuwen, tijgers en beren – of moordenaars en weerwolven – beginnen aan mijn onvervaarde doortastendheid te knagen. Mijn geloof is de laatste tijd ook in die staat, een beetje rafelig aan de randen, hoewel ik dat alleen opmerk op momenten van gedwongen reflectie. God is bij me, en ik zou naar Hem moeten luisteren, maar soms is zijn stem moeilijk te horen tussen alle afleiding van het leven.

Mijn moeders opmerking over die baan komt weer boven. De *Getijdenpost,* de plaatselijke krant die eens per week verschijnt, heeft een oplage van een paar duizend en behelst lokaal nieuws, met bij hoge uitzondering eens een opmerking over een nieuwsfeit van over de grens van Del Norte County. Sinds ik voor *San Fran News & Review* begon te werken, ben ik de humor van de lokale krantenkoppen gaan inzien. In de stad lees je geen koppen als:

Gemeenteraad worstelt met jaarlijkse barbecue
Viswedstrijd in het water gevallen
Kippenboeren pikken graantje mee

Of de mogelijke kop van volgende week:

Gestrand meisje overnacht in auto: door niemand gemist

En het is waar, niemand zal me vannacht missen. Of morgen. Of zelfs nog de dag daarop, hoewel ik maandag op mijn werk moet zijn. Hoelang zal het duren voordat iemand zich iets gaat afvragen?
Het gaat een lange nacht worden.

Memoires van Josephine Vanderook

❦

Oktober 1933

Ik zou hem naar het eind van de wereld zijn gevolgd, en sommigen zeggen dat ik dat ook heb gedaan.

Maar één nacht op zee na zo veel andere op het water, één nacht van wind en regen, één nacht verwoestte ons leven, en ik was degene die alleen naar Boston zou terugkeren.

Het is een nacht die al mijn dagen overschaduwd heeft.

Ondanks de jaren tussen dat leven en het leven dat ik zonder hem heb doorgebracht, zijn de woorden die wij gewisseld hebben, mij altijd bijgebleven. Ik vertrouwde hem mijn leven toe, gaf hem mijn hele wezen. Dat ik hem had en daarna verloor, heeft in mij een gat geslagen dat ik nog steeds moet vullen. Hij was niet mijn begin, noch mijn eind; niettemin was het uitgesproken essentieel.

Het verhaal dat hier volgt, is mijn verhaal. Ik schrijf het op verzoek van de Historische Vereniging Harper's Bay als overlevende van een schipbreuk en vrouw van deze jonge eeuw. Deze pagina's zullen verslag doen van de herinneringen en de gedachten die ik in de loop der jaren heb verzameld. Maar ik schrijf ze allereerst voor Eduard, die me verliet in dat eenzame land van de westelijke zeeën en die me iets gaf wat ik als louter en alleen van mij blijf opeisen. Ik schrijf ook voor mijn kinderen, ter waarschuwing of als een gids, hoewel ik nog moet ontdekken hoe mijn verhaal levens zou kunnen veranderen. En ik schrijf voor een beter begrip van een generatie. Misschien zal het opnieuw vertellen van de gebeurtenissen eindelijk het verlies in mij stillen, zodat ik ook vrij zal zijn en Gods bedoelingen beter zal begrijpen, zelfs na al die jaren.

Hoe dan ook, ik begin. Ik begin met Eduard.

Ik zag je voor het eerst in de bibliotheek van mijn vader, omringd door boeken. Het was 18 april. Mijn vader had een aantal gemeenteleden uitgenodigd, en ik zag jou toen je binnenkwam. We spraken elkaar, en jij vroeg mijn naam, maar ik geloofde niet dat jij mij echt zag, want je vroeg ook namen van anderen die je in de kamer ontmoette. Ik verwachtte ook zeker niet dat je mij zou herkennen. Ik kon niet weten dat je mijn leven zo ingrijpend zou veranderen.

Maar dat zou iets later gebeuren …

Claire

Het onvermijdelijke. Hoewel comfort niet te koop is, heb ik het nu in elk geval warm onder mijn stapel jassen en kleding, waarmee ieder denkbaar tochtgaatje is afgedicht. Dan gebeurt het. Ik moet naar het damestoilet, of liever naar de damesboom. Hoe krachtig ik het ook probeer te negeren, in dergelijke gevallen gehoorzaamt het lichaam niet aan de geest.

Mijn vader drong erop aan dat ik nog een zaklamp zou kopen voordat ik de stad uit reed. Hij herinnerde me er zelfs tweemaal aan. En dit is dus mijn verdiende loon, rondstrompelen in het donker en de kou omdat ik niet gehoorzaamde. Mijn vader maakt zich altijd zorgen om mij en tracht die bezorgdheid te verlichten door mijn olie na te kijken, de bandenspanning te controleren en de oude noodpijlen te vervangen in de noodhulpkit die hij voor me kocht. Hij zal zeker boos zijn wanneer hij van mijn pech hoort, en ook nog eens zonder zaklamp.

Ik baan me een weg om de motorkap, terwijl de regen regelmatig op mijn zwarte paraplu klettert. Ik haast me naar de kant van de weg, van plan zo snel mogelijk in mijn auto terug te keren. Worstelend met de paraplu in mijn linkerhand, terwijl mijn rechter op zoek is naar het grote rotsblok dat hier ergens moet zijn, hoor ik iets boven de regen uit.

Een auto. In de verte duiken koplampen op boven de weg. De lichtbundels glijden over de bomen en de grillige rotskam. Er is hulp onderweg. Ik zou staan juichen als mijn kleding niet in de war was geraakt. Ik probeer zo snel mogelijk naar de weg te komen, wanneer plotseling de koplampen doven. De auto stopt echter niet. Een onwillekeurige reflex maakt dat ik wegduik en naar de bomen sluip. De paraplu raakt verward in de klimop en de struiken; ik weet hem net op tijd dicht te klappen en me op een natte, maar min of meer afgesloten plek terug te trekken wanneer de auto achter de mijne stopt. De motor is stil, maar een vage weerschijn tekent beide auto's af tegen het donker.

Portieren gaan open; interieurverlichting gaat aan en uit.

'Ziet er verlaten uit', zegt de chauffeur hard fluisterend.

'Dat is maar te hopen ook.'

'En als er iemand is?'

'Houd je mond!'

Lichtbundels van zaklampen vliegen als zoeklichten over mijn auto en de grond eromheen. Portieren slaan dicht – een, twee.

'Kun je nog wat harder?', vraagt een grove vrouwenstem.

'Ja, dat kan ik', schreeuwt de man terug. De echo stuitert tegen de rotsen. 'Er is helemaal niemand hier. De motorkap is koud. Misschien kreeg een van de wegenbouwers pech – van binnen is het een rampgebied. Jij bent paranoïde.'

'Laten we nu maar opschieten en hier wegwezen.'

Verlamd van angst, doodsbang om te bewegen en mezelf te verraden, blijf ik me verschuilen. Er gaat een rilling over mijn rug. Mijn tanden klapperen totdat ik mijn wangen met mijn handen vastpak. De voetstappen en lichtbundels lopen verder over de weg naar de bouwplaats van de brug. Een paar seconden later zijn ze uit het zicht. Misschien hebben ze de sleutels in het contact laten zitten. Zal ik ernaartoe rennen en proberen te ontsnappen? Of moet ik hier blijven, of om hulp schreeuwen?

Alle spannende scènes, inclusief die waarvan ik niet wist ze ooit te hebben gezien, komen me in een flits voor de geest. De regen dringt door mijn spijkerjasje. Dan hoor ik ze terugkomen.

'Nu rijd ik', zegt de vrouwelijke stem.

'Wat mankeert er aan mijn rijden?'

'Jij doet je lichten uit en knalt bijna op die auto hier ... en dan moet je dat nog vragen?'

Nadat de portieren open en dicht zijn gegaan, komt de motor brullend tot leven. Ik probeer de kentekenplaat te lezen, maar de wagen gaat er te snel vandoor.

Ik wacht totdat het geluid van de auto is weggestorven. De felle kou drijft me terug naar mijn eigen wagen. Terwijl mijn tanden nog steeds klapperen, en ik het akelige gevoel niet van me af kan zetten, tuur ik in de duisternis die de weg opslokte, en de bezoekers, die wellicht zouden kunnen terugkomen.

Weer alleen.

Op een of andere manier is het de tweede keer erger.

Er moeten uren zijn voorbijgegaan. De temperatuur is draaglijk, maar de pijntjes spelen me zo langzamerhand parten. Uiteindelijk draai ik de sleutel om en zet ik de radio aan. Ik verlang enorm naar de muziek die ik vergat mee te nemen op mijn reis naar het noorden. De radio gooit geknetter in de cabine terwijl ik op zoek ben naar een zender.

Ik zet het volume laag omdat ik alle geluiden van buiten wil kunnen horen – de nachtelijke bezoekers hebben mijn ongerustheid aanzienlijk verhoogd. Wat deden ze daar? Was ik echt in gevaar of was het mijn verbeelding? Misschien was het gewoon een ingenieur of een architect die de brug kwam controleren. Ik had nu koffie kunnen zitten drinken bij mijn ouders, of in mijn oude bed kunnen liggen. Misschien groeit mijn overactieve verbeelding me boven het hoofd.

Eindelijk geluid, zo te horen een hardrockzender. Ik zoek ook de rest van de AM- en FM-band af, maar alleen de jammerende gitaren van een of andere langharige groep dringen tot hier door.

Maar stilte is nog erger. En zo kruipen de seconden en minuten voorbij met de kreten en uithalen van Amerikaanse hardrockers. Ik begin te lachen wanneer er plotseling een halfzacht liefdesliedje met elektrische gitaar weerklinkt.

Ik ben gestrand op de oude snelweg 7, ingepakt in dekens en kleding, en luister naar het nummer *Love Bleeds*.

Liefde haat, liefde bloedt
Liefde eindigt, liegt en bedriegt
Maar liefde is mijn hoogste goed.

Mijn leven is vervuld van daadkracht, doelen bereiken, dingen tot stand brengen en iets betekenen voor anderen. Ik ken liefde in mijn leven, zeker. Maar iets ontbreekt er aan die liefde, iets waar ik niet helemaal de vinger op kan leggen. Dat besef ik plotseling wanneer de diskjockey mijn dromen onderbreekt, een stem uit het donker die zich niet bewust is van een gestrand meisje op een eenzame weg.

Wat zou eraan kunnen ontbreken?

Memoires van Josephine Vanderook

❧

Hij heeft het schip naar mij genoemd.

De herinnering aan die dag grijpt me nog steeds aan. Wat was mijn man trots toen hij op de scheepswerf de blinddoek voor mijn ogen weg- trok. Daar stond mijn naam in frisse rode letters op de glanzende houten romp. Tot dat moment had ik gehoopt dat het nieuwste avontuur van Eduard en zijn broers, de uitbreiding van hun scheepswerf naar het gebied van de Stille Oceaan, zou verdampen en dat we in de stad zouden blij- ven waarvan ik zo hield.

'De Josephine zal ons naar het grote Noordwesten brengen', zei hij met een geestdrift die mijn hoop definitief de bodem insloeg. Maanden lang had hij het voor mij geheimgehouden. Tijdens diezelfde maanden deed ik aan zijn gedachten en plannen mee alsof het vluchtige hersen- spinsels betrof.

Eduard legde het vernieuwende ontwerp uit dat zijn vader jaren eer- der al had getekend en dat hij ten slotte had gerealiseerd. We liepen langs de romp, terwijl mijn man een hand langs de gladde planken liet glijden en woorden gebruikte als 'onvergelijkelijke snelheid en laadcapaciteit'. Hij beweerde dat we binnen vijf jaar over een vloot van gelijksoortige schepen zouden beschikken die ons niet alleen geduchte concurrenten zou maken van de grote Nieuw-Engelse scheepsbouwers, maar ook van de grootste bouwers ter wereld. Zijn geestdrift was aandoenlijk. Zelfs nog vóór ons huwelijk was in onze kringen algemeen bekend dat de oorlog scheepswerf Vanderook op de rand van het faillissement had gebracht. De Josephine hielde de belofte van redding in.

Toen onthuld werd dat er een schip naar mij was genoemd, vervulde dat mijn schoonzuster Karen Vanderook van een jaloerse woede zoals ik die sinds mijn huwelijk met Eduard niet meer had aanschouwd – want ik bevond mij slechts bij onontkoombare noodzaak in haar gezelschap. Karen had een streng gezicht, zelfs wanneer ze glimlachte, en afkeuring tekende zich al snel af in haar blik. Deze duistere woede evenwel wierp een zo zwarte schaduw van afstotelijkheid over haar gezicht dat ik er bijna bang van werd. Eduard en John hadden vier kleinere schepen ge-

bouwd, en niet één daarvan doorkliefde de wateren met haar naam op de boeg.

'Het brengt ongeluk te varen op een schip dat je eigen naam draagt', hield Karen me voor op de dag dat we op reis gingen. Het waren venijnige, jaloerse woorden. En bij ons vertrek had zij overduidelijk een blik van genoegdoening op haar gezicht. Haar woorden zetten zich diep in mijn gedachten vast ... als een soort vloek. Ik zag mijn geliefde Boston kleiner en kleiner worden en had een voorgevoel dat alle moed en enthousiasme voor de komende reis tenietdeed. Ik bracht die eerste nacht in onze hut door met mijn gezicht naar de wand; Eduard dacht dat de zeeziekte haar tol al begon te eisen.

God moge het me vergeven, maar in die tijd hield dat soort bijgeloof mijn overtuiging en logische denkvermogen in een wurggreep. Het waren woorden die Karen later zou herhalen, alsof ze genoot van het lot dat haar zwager en de liefde tussen ons had getroffen — een liefde zoals zij in haar eigen leven nooit zou kennen. Wat heb ik niet geworsteld met de haat jegens die wrede vrouw.

De jaren hebben het bijgeloof weggevaagd, en mijn geloof heeft niet alleen steun, maar ook zekerheid, schoonheid en waarheid gevonden. Maar in de tijd dat de teloorgang van ons oude leven begon, echoden Karens woorden nog keer op keer als kwade fluisteringen door mijn ziel.

GETIJDENPOST

Weersverwachting
Zaterdag: maximaal 7°, mininmaal -2°

ONDERZOEKSTEAM VECHT TEGEN KOUDE WEER

Door de lage avondtemperaturen hebben de onderzoekers van het *Geschiedeniskanaal* zich genoodzaakt gezien hun werkzaamheden te beperken. Zij zoeken bewijzen voor hun documentaire over wat er is gebeurd op de noodlottige avond dat de *Josephine* zonk. De meesten geloven dat de storm het schip op de rotsen van Orion Point deed lopen, maar een overlevende van de bemanning beweert dat er die avond moeilijkheden waren in het stuurhuis. Een ander bemanningslid, James T. Roan, is inmiddels overleden en heeft zijn wetenschap meegenomen in zijn graf, aangezien hij nooit heeft willen getuigen.

Claire

❧

Koffie. Ik ben misselijk van alle zoetigheid en zou vijftig dollar overhebben voor nog een kop koffie. Misschien wel meer. Op een bepaald moment midden in de nacht heb ik de laatste druppel uit mijn thermoskan geschonken, op een van die afschuwelijke momenten dat je beseft dat je had moeten rantsoeneren. Ik vraag me af of de pioniers dat ooit ook beleefden met hun water bij het oversteken van de woestijn. Dit is natuurlijk niet helemaal hetzelfde, maar het voelt wel ongeveer zo.

De kou heeft eindelijk de weg gevonden door de verschillende lagen kleding, jassen en dekens. De morgen lekt als een blauwe inktvlek de donkere oostelijke nachthemel binnen. Ik staar naar de lucht boven de slapende bergen en kijk naar de langzame verkleuring die een nieuwe dag zal brengen. Dan strijk ik de wilde haarlokken uit mijn ogen en probeer ik de stijve plekken in mijn nek zonder al te veel beweging los te rekken; met iedere beweging dringt de kou dieper door in mijn nest van kleding. Kon ik de verwarming maar een paar minuten aanzetten, maar de motor wil niet aanslaan, ondanks mijn herhaalde pogingen. *Misschien deze keer. Misschien was hij eerst verzopen. Alsjeblieft, wagentje, toe dan.*

Het koudste uur gaat onmiddellijk aan de dageraad vooraf; het is een cliché, een waarheid als een koe, zowel letterlijk als figuurlijk. Als het geen zondag was, zou ik hopen op bouwvakkers, mijn helden in oranje, die in busjes zouden arriveren met hun lunchtrommels bij zich en veiligheidshelmen op. Maar helaas, deze dame in nood moet haar eigen redster spelen, zoals gewoonlijk.

Een angstig doorwaakte nacht in mijn auto heeft alle voorbehoud ten aanzien van de benadering van het huis van S.T. Fleming weggenomen, afgesloten poort of niet. Angst vergroot de realiteitszin en laat ondergeschikte zorgen vervagen. In mijn verbeelding kan ik proberen me voor te stellen hoe het is alleen in mijn auto te overnachten in volkomen duisternis, met een lichte storm (maar toch een storm) die aan de ruiten, portieren en motorkap rammelt en rukt. Maar de werkelijkheid is veel erger.

De tijd die me dagelijks door de vingers glijdt, en waarvan ik nooit genoeg heb, staat stil. Mijn bezorgdheid drukt op me als een zware wollen mantel, jeukerig en verstikkend, maar houdt me niettemin uit de slaap. De stoel die tijdens de proefrit zo comfortabel leek, begint al snel vanaf de nek tot het staartbot knopen in mijn ruggengraat te leggen, zelfs in neergeklapte positie. Niets helpt. Hoofdsteun uitgetrokken, stoel achterovergeklapt tot op de achterbank, foetuspositie; hoofd tegen het stuur, lichaam uitgestrekt over de voorstoelen; achterbank uitgeprobeerd met benen in alle mogelijke posities. Deze auto werd niet gemaakt voor langdurige bewoning.

Wie had ooit gedacht dat de kleinere autostoel ooit een ereplaats in het museum voor martelwerktuigen zou krijgen?

Zou ik nu bang zijn om naar het huis van S.T. Fleming te gaan? Ha! De afgelopen nacht heeft mij onvermurwbaar doen besluiten terug te keren naar mijn ouders voor een warme douche en een verblijf in mijn comfortabele, oude bed. De auto wordt met een takelwagen opgehaald, en ik kom op een of andere manier wel weer in San Francisco.

Misschien hebben Ben Wilson of S.T. Fleming koffie.

Ik schop de jassen en kleding die als een cocon om me heen sluiten, weg, doe het portier open, en krijg prompt een klap in mijn gezicht van de bijtende kou. Maar ik ben eruit, doe het portier achter mij op slot en klim over de barricade die de weg naar de bedding van de stroom en over een tijdelijke brug afsluit – een brug die binnen niet al te lange tijd onder water zou kunnen staan als de stortbuien zo blijven doorgaan. Deze weg zal me naar huis brengen.

Orion Point, ik kom eraan.

Sophia

Ik herinner me de eerste keer dat we elkaar ontmoetten,
hoewel jij het misschien niet meer weet.

❦

Er zijn tussen ons dingen onuitgesproken gebleven. We noemen
ze niet, maar voelen hun aanwezigheid en weten hoe diep ze zijn.

Ze hangen in de lucht terwijl we onze thee met melk en suiker drinken uit sierlijke kopjes, en ik bedenk, zoals altijd, hoe
klein en breekbaar het oortje lijkt in de greep van zijn grote, eeltige vingers.

Hij houdt van me.

Al meer dan dertig jaar komt hij bij mij aan de deur met
boodschappen uit de stad en soms zijn eigen verse vis, verpakt in
een papieren zak met een touw eromheen. Ik bedank hem en
biedt hem een kopje thee aan. Bij koud weer zitten we bij het
warme vuur, en in de mildere maanden op de patio, waar onze
blikken langs de bloemrijke kronkelwegen naar de zee glijden. We
praten over het weer, de vissen in zijn netten, onze oude honden,
mijn ontdekkingen langs het strand – ooit heb ik een portemon-
nee gevonden die van een vermiste visser was geweest, en hij
plaagt mij nog steeds met de oude laars.

Wanneer de zon over zijn hoogste punt is en naar de greep van
de zee neigt, staat hij met krakende knieën op uit zijn stoel, strekt
zijn rug, pakt zijn hoed en roept zijn hond. Ik geef hem bloemen
mee, op steel en van struiken, bloemen die bijna het hele jaar
bloeien. Hij ruikt eraan en glimlacht. Het is een paar keer voorge-
komen – maar dat is nu al jaren geleden – dat hij een bloem nam
en er, tot mijn ongemak, blaadje voor blaadje afplukte terwijl hij
me bleef aankijken: 'Ze houdt niet van me. Ze houdt van me.' Als
het met *niet* eindigde, hield hij de steel omhoog en verkondigde
met een glimlach: 'Ze houdt van me.' Dan gaf ik hem een klap op
zijn schouder en duwde hem met zachte drang de deur uit.

Het was ons grapje, maar het was niet echt leuk.

'Mijn zoon wil dat ik de boot verkoop en op het land ga wonen', zegt Ben, die nu in de stoel achteroverleunt.

Ik grinnik om hoe slecht zijn zoon hem kent. Ben zou de zee nooit kunnen verlaten. 'Was hij teleurgesteld over je antwoord?'

'Ik heb hem geen antwoord gegeven.'

Mijn theekop trilt in mijn hand alsof mijn arm de Sint-Andreasbreuklijn is. 'Waarom niet?'

'Ik ben oud.' Zijn ogen letten op mijn reactie.

Ik kan het niet ontkennen; we zijn beiden oud en al jaren voorbij de tijd dat we het trachtten te ontkennen. De stilte tussen ons is niets ongewoons of onwelkoms, maar nu roeren zich de on-uitgesproken woorden in mij: *Je kunt niet weggaan. Wat moet ik zon-der jou beginnen?*

'Zou je de vuurtoren kunnen verlaten, de boot, de Point?' Wat ik eigenlijk vraag, is of hij mij zal verlaten, maar ik weet niet zeker of hij dat begrijpt. Ik ben er nooit helemaal van overtuigd dat hij dergelijke nuances in onze gesprekken aanvoelt. Misschien doe ik hem daarmee tekort. Misschien heb ik hem in dit opzicht altijd al tekortgedaan. Wij delen onze herinneringen al sinds onze kinder-tijd en zouden alles van elkaar moeten begrijpen. We zijn decen-nia lang buren geweest. Ben hield van mijn Phillip met een in-nigheid die zelfs ik niet kon delen – zoals alleen jongens kunnen die samen zijn opgegroeid en samen in vreemde landen schutters-putjes aan het front hebben gedeeld. Onze gezamenlijke rouw om Phillip, en later om Helen, liet zijn affectie tot diepere gevoelens uitgroeien.

'Het zou niet makkelijk zijn. Dat zeg ik niet. Maar ik moet er toch over nadenken. Dat lichaam van mij raakt zienderogen in verval.' Hij probeert er luchtig over te doen, glimlacht een beetje, laat zijn blauwe ogen twinkelen. Mij houdt hij niet voor de gek.

'Ik moet je iets laten zien', zeg ik. Hij aarzelt even, is misschien een moment geprikkeld, maar dan verdwijnt het. Wil hij dat ik hem bepraat, dat ik hem smeek te blijven? Zou het iets verande-ren? Zou hij blijven als ik het vroeg?

Ik vraag het niet, maar sta in plaats daarvan op uit mijn stoel, op die moeizame manier die ouderdom en botontkalking met zich meebrengen. 'Ik heb gistermorgen tijdens mijn wandeling langs het strand iets gevonden.'

'Is het iets echts of zomaar iets?'

Het maakt me aan het lachen, want Ben weet hoe opgewonden ik raak van iedere unieke vondst die ik tijdens mijn wandelingen langs het strand doe. Alles, van een schelp of een stuk drijfhout tot de vondst van een door mensenhanden gemaakt voorwerp, wordt voer voor verhalen om Ben te vermaken. Aan de hand van de bewuste laars vertel ik het dappere avontuur van een zeeman die tijdens een storm – nee, een moesson – overboord sprong om zijn geliefde te redden die hem met een klein motorbootje had proberen te bereiken nadat haar vader hun huwelijk had verboden.

'Of', reageerde Ben na dat verhaal, 'misschien liet een visser zijn laarzen op het dek staan en stootte hij er per ongeluk een overboord.'

Ik moet niets hebben van dat soort nuchterheid. Orion Point trekt alleen schatten aan die een verhaal te vertellen hebben.

Gisteravond heb ik het boek in het vergiet gelegd, waar het nog steeds ligt en heel langzaam droogt.

'Kom maar mee', zeg ik, benieuwd naar zijn reactie. 'Dit is een echte schat.'

'Laat me eens raden: flessenpost?'

'Warm.'

Alsof ik een goochelaarsassistente ben, trek ik een verschoten theedoek van het roestvrijstalen vergiet. 'Ta-da!', zeg ik, en kijk naar de grond wanneer onze gezichten dicht bij elkaar komen.

Het boek ziet er zeker niet uit als een museumstuk. Het metaal op het omslag is volkomen door roest aangetast, en aan de rand prijkt een zeepok.

'Het ziet er in ieder geval interessanter uit dan die oude visserslaars.'

Bens enthousiasme stuwt mijn eigen opwinding tot nog grotere hoogte op.

'Een boek. Ongelooflijk toch? Ongetwijfeld van de *Josephine*, denk je niet?'

'Dat is waar ik het eerst aan dacht. Misschien het logboek van het schip, of een dagboek.'

Ik til het metalen omslag voorzichtig op met een pincet en onthul opgezwollen bladzijden die bobbelig en rafelig zijn als de rand van een keukengordijn.

'Waarschijnlijk moet je niet op die manier aan een archeologische vondst als deze rommelen', zegt Ben met enig vermaak in zijn stem.

'Dat betekent dat jij de pincet in handen wilt krijgen. Weinig kans. Maar kijk hier eens. Ik denk dat er een naam in het metalen omslag is gegraveerd.' We kijken nauwkeurig, maar de roest, de jaren en onze versleten hoornvliezen maken het onmogelijk de letters te ontcijferen.

Onze gezichten komen dicht bij elkaar, en Bens brein werkt op volle kracht. 'Waar heb je dit precies gevonden?'

'Bij de getijdenpoelen aan de noordkant van de Point.'

'Dat wrak ligt maar een paar honderd meter uit de kust, en recht voor die plek. Het zou van de *Josephine* kunnen zijn. Het zou kunnen. Een soort boek, hè? Dat onderzoeksteam was vandaag weer aan het duiken.' Zijn dikke vinger tikt op het metalen omslag en tilt het een fractie op.

Ik glimlach en zeg: 'Ik maak me zorgen om de bladzijden wanneer ze eenmaal helemaal droog zijn. Denk je dat ze uit elkaar zullen vallen?'

'Misschien. We moeten dit inleveren bij die wetenschappers ...'

Plotseling springt mijn hond op van zijn plek naast de houtkachel. De haren in zijn nek staan recht overeind, en zijn neus wijst onwrikbaar in de richting van de deur.

'Hallo?', horen we iemand buiten roepen.

In vijf decennia op de Point heb ik maar weinig welkome bezoekers gehad. Gedurende de zomermaanden krijg ik soms nieuwsgierige toeristen die door het bos sluipen of per motorboot langskomen nadat ze het verhaal over de teruggetrokken schrijfster hebben gehoord, alsof ik een soort bezienswaardigheid van het bos ben. In de loop van de jaren is het minder en minder geworden. Een hek voor de oprijlaan heeft geholpen, ook al is het beveiligingssysteem defect, en kun je zo naar binnen. Maar mijn vijfendertig kilo zware goudgele labrador die naar de naam Holiday luistert, heeft mij geholpen mijn privacy te bewaken. Wie zou dit kunnen zijn?'

'Is daar iemand?', roept de stem weer.

Ben en ik lopen om mijn meubels heen naar het voorraam. Ik zie een jongedame bij de poort van het hek staan. Haar ogen zoeken de tuin en het erf af.

'Ik ga wel', zegt Ben, zoals altijd beschermend en begrijpend. 'Dank je.'

Ik kijk toe vanaf mijn afgeschermde plek achter het gordijn. Ben zegt gedag, en de voordeur slaat dicht; voorzichtig loopt hij de trap van de veranda af. Het meisje, een knap kind, ziet er een beetje verfomfaaid uit. Ze haalt haar handen door haar lichte haar en wijst naar mijn oprit en in de richting van de weg. Vreemd haar hier te zien – ze is hier niet op haar plek, als een aangespoeld boek. Ze heeft een grote tas aan haar schouder hangen. Haar lange haar lijkt verward, en haar spijkerbroek en bruine jas vertonen vlekken. Haar bruine laarzen zitten onder de modder. Tientallen verhaallijnen spelen door mijn hoofd wanneer ik haar zie.

Binnen een paar minuten loopt Ben terug naar de voordeur en komt binnen. Ik zie hoe de jongedame hem nakijkt en dan nieuwsgierig het huis opneemt. Haar ogen blijven even op het raam rusten. Het is alsof we elkaar aankijken, hoewel ik weet dat ze mij niet kan zien.

'Ze staat met pech op de oude snelweg 7 en heeft de nacht in haar auto doorgebracht.' Ben grinnikt een beetje.

'Het was koud vannacht', zeg ik, en ik huiver bij de gedachte.

'Een ijverig grietje. Dochter van Mary Lou en Bill O'Rourke. Goede mensen.' Ben kijkt naar de deur. 'Ze heet Claire en ze was op weg terug naar de stad.'

'Jij bent heel wat te weten gekomen in dat korte gesprekje.'

'Ik denk dat ze heel blij was iemand te zien na de nacht die ze heeft doorgemaakt. Ik neem haar wel mee naar de stad in de Evinrude.'

'Moet ik haar binnen laten komen en thee zetten?', vraag ik, terwijl de angst me om het hart slaat. Onwillekeurig klem ik de stof van het gordijn vast in mijn vuist. Ben is de enige gast die sinds het overlijden van mijn ouders, lang geleden, in mijn huis is geweest. Maar wat laf eigenlijk dat meisje niet binnen te nodigen. Ik probeer de gedachte aan de barmhartige Samaritaan uit mijn hoofd te bannen.

'Ik geef haar wel iets te drinken in de vuurtoren voordat we oversteken. Haar familie maakt zich misschien zorgen.' Hij knikt ten afscheid en pakt zijn hoed op van de stoel.

'Ben. Dank je.' Hij weet wat een enorme last een bezoeker voor mij zou betekenen.

'Ik probeer later nog te komen vanwege dat boek dat je gevonden hebt. En misschien is er dan een stukje zelfgebakken kruimeltaart voor een arme oude man als ik.'

'Misschien wel, als die arme oude man geluk heeft.'

'*Oud* is hier zeker op zijn plaats.' Er komt een andere gedachte op, die hij verwoordt wanneer hij de deur al opendoet. 'Misschien is het voor jou leuk te weten dat de Historische Vereniging de memoires heeft gekregen van Josephine Vanderook, de vrouw van de scheepsbouwer. Zij overleefde de schipbreuk, maar haar man kwam erbij om. Ze hopen dat het een helderder antwoord geeft op de vraag wat er die nacht precies gebeurd is.'

De mededeling roept een hele reeks vragen op.

'Maar ik kan nu beter die kleine dame gaan redden. Tot ziens, Sophia.'

'Tot ziens, Ben.'

GETIJDENPOST

SCHEEPSWRAK ONDERWERP VAN DOCUMENTAIRE

Er is een eeuw overheen gegaan, maar nog altijd zijn de vragen niet beantwoord. De schipbreuk van de *Josephine* op 17 november 1905 kostte 62 mensen het leven. Slechts 23 opvarenden overleefden de ramp. Degenen die bereid waren over het drama te praten, leverden verschillende verhalen over wat er in die nacht gebeurd is.

Deze week heeft een team van het *Geschiedeniskanaal* de zeebodem rondom de plaats van de schipbreuk afgezocht naar aanwijzingen voor de feitelijke toedracht. Duikers en een miniatuurduikboot maken deel uit van middelen die worden ingezet. Het kabelstation wil binnen een paar maanden een documentaire van een uur aan de schipbreuk wijden.

Claire

❧

Ik voel me alsof ik negen ben en te lang in het winterse bos heb gespeeld, totdat mijn handen stijf waren door bevriezing (omdat ze zo veel pijn doen en steken, moet het wel bevriezing zijn); mijn neus loopt, en mijn sokken en schoenen zijn doornat van de kleine, tijdelijke kreek die op de achterste akker is ontstaan. Ik houd van die plotselinge overgang van plezier naar intense kou, en daarna de onvoorstelbare warmte van een bad, warme chocola en het gezellige knetteren van het haardvuur.

Thuis.

Pyjama aan, het schone haar drooggeblazen totdat het zijdezacht over mijn rug valt, en slippers die als kleine masseuses zijn voor de blaren en pijnlijke plekken op mijn voeten. Het huis heeft een vertrouwde geur, een vage combinatie van zeelucht, de omringende bossen, het antiek, de vanillekaarsen van mijn moeder, nieuwe tapijten en de schone kanten gordijnen. Is het een geur of een alomvattend gevoel, wat die troostende warmte oproept?

'Wil je thee op z'n Engels?', vraagt mijn moeder terwijl de theeketel begint te fluiten in de keuken. Sinds ze ooit thee heeft gedronken bij een Engelse dame thuis, neemt ze alleen nog maar PG Tips-thee (de Lipton uit Engeland, werd haar verteld) met melk en suiker – oftewel *witte* thee, zoals het genoemd wordt. Ik ben er bijna evenveel van gaan houden als van koffie.

'Graag, mam.' Plotseling voel ik een allesoverheersende nervositeit. Ik voel me als de verleide kikker in de kookpan. Eerst spring ik erin, met het idee dat ik het paradijs heb gevonden: het water is lekker warm als in een kuuroord. Maar voordat ik eruit kan springen, lig ik als delicatesse op iemands bord.

Het water om me heen stijgt in temperatuur, en ik begin mezelf voor te houden waarom ik niet zou moeten springen. Misschien is dit de plek waar ik zou moeten zijn.

Nadat we bij de vuurtoren waren gestopt om te tanken en een thermosfles koffie te halen, gaf Ben Wilson me vanaf de uiterste punt van Orion Point een lift – beter: een rondvaart – door de sikkelvormige Orion Bay. Hij wees op de rotspunten die bij hoogwater verborgen blijven en die de oorzaak waren van de schipbreuk van zo lang geleden. Bij de rotsen lag een grote vissersboot voor anker. Ben legde uit dat een team van wetenschappers de plek onderzoekt om er een documentaire over te maken. We zwaaiden naar de mannen aan boord, die nonchalant terugzwaaiden.

Ben was een rijke informatiebron. Hij wees verschillende boomsoorten aan, behandelde de geschiedenis van de vuurtoren en somde de namen op van de stranden. Toen we Harper's Bay naderden, wees hij naar het huis van mijn ouders in de heuvels boven de stad. Als ik niet de nacht in mijn auto had doorgebracht, met hooguit een uurtje slaap, zou het een van de interessantste excursies zijn geweest die ik ooit gemaakt heb. Het is wonderlijk de plek waar je het grootste deel van je leven hebt doorgebracht, vanuit een volkomen ander perspectief te zien. Harper's Bay vanuit zee was even uniek als wanneer ik hem vanuit de lucht had kunnen zien.

Mijn ouders stonden thuis op het punt naar de kerk te gaan toen ze mijn telefoontje uit de vuurtoren kregen. Mijn moeder was overstuur van de gedachte dat haar dochter ergens was gestrand zonder dat iemand het wist. 'Ik lag lekker te slapen in mijn warme bed, terwijl mijn meisje daar koud en eenzaam zat', hoorde ik haar op de achtergrond zeggen toen mijn vader de telefoon overnam. Ze stonden op de kade te wachten toen ik met Ben aankwam.

Mijn auto staat nu bij Kenny's Cars. Ik heb geslapen en een lange, warme, heilzame douche genomen en moet nu bedenken wat ik zal doen – ik word geacht morgenochtend op mijn werk te zijn.

'Ik was zo bezorgd.' Er verschenen rimpels op mijn moeders voorhoofd terwijl ze heet water in kopjes goot voor een kopje thee in de late namiddag.

'We hebben ons helemaal geen zorgen gemaakt totdat het alweer goed was met Claire', houdt mijn vader haar voor. Hij schuift een stoel dichterbij en laat zijn werklaarzen op de grond vallen.

'Dat is een nog veel akeliger idee. Onze enige dochter die vastzit en alleen de nacht moet doorbrengen in de kou – wie weet wie er op die donkere, verlaten weg langs had kunnen komen ... het lijkt wel een griezelfilm van Dean Koontz!'

'Of boek', zeg ik enigszins ironisch, want Koontz is nu eenmaal een schrijver, geen regisseur.

'Precies.'

'Mary Lou', zegt mijn vader zacht, waarmee hij in werkelijkheid bedoelt: *Niet zo melodramatisch doen. Jouw meiske is een volwassen vrouw met een eigen leven.*

Waarop mijn moeder reageert met een geërgerd 'hmpf', omdat ze de waarheid ervan inziet. Daarop trekt mijn vader weer een wenkbrauw op. Hij is op een keukenstoel gaan zitten om zijn laarzen aan te trekken. Ik kan een grijns niet bedwingen.

'Ik kan er nog steeds niet bij dat je geen zaklantaarn bij je had', zegt mijn vader. 'Ik haal er een voor je in de stad.'

Op dit moment besluit ik hun niet te vertellen over de myste- rieuze mensen in de auto. Soms wekken gebeurtenissen nader- hand meér trauma's dan op het moment dat ze daadwerkelijk plaatsvinden. Het overlevingsinstinct, ontkenning, gebed – die helpen op het moment zelf, maar de steljevoor's komen later als een hoempapaband in ritmische pas voorbij om te laten voelen hoe makkelijk mijn comfortabele wereldje op z'n kop gezet had kunnen worden.

'En hoe zag het er nu uit?', vraagt mijn moeder terwijl ze de suiker door haar thee roert.

Ik glimlach en weet dat mijn ervaring ook een opwindende kant heeft. Ik heb het huis van S.T. Fleming gezien.

'*Apart* is het juiste woord. Leuk, goed onderhouden, een beetje als een Ierse cottage. Het doet me denken aan een plaatje dat je op een kalender van het oude land zou zetten – met de oceaan nau- welijks zichtbaar op de achtergrond.' Ik probeer me alle details weer te binnen te brengen. 'Het huis is gebouwd van die ronde stenen. Er groeit wilde wingerd tegen de zijmuren, met roodgekleurde herfstbladeren. Het heeft een stenen omheining met een poortboog met daaronder een witte poort. Nu zou ik willen dat ik meer tijd had gehad om het allemaal te bekijken en me in te prenten.'

'Maar je hebt haar niet gezien?'

'Ik dacht dat ik de gordijnen zag bewegen, alsof ze keek.'

'Het is een vreemd portret, dat oude mens.'

'Zo vreemd is ze niet', zegt mijn vader, die de veters van zijn laarzen vastknoopt.

'Natuurlijk wel. Ze verschuilt zich al tientallen jaren en spreekt bijna nooit iemand.'

Mijn vader slaat zijn armen over elkaar zoals hij altijd doet. 'Nou ja, toen ik haar sprak, was ze heel vriendelijk.'

'Jij hebt haar gesproken?', vragen mam en ik tegelijk.

'Jazeker. Ik heb haar een paar keer geholpen de boodschappen in de boot te laden bij de kade. Dat was nadat Ben vorig jaar die schouderoperatie moest ondergaan. Het is een heel aardige dame.'

'Wat ... wanneer ... waarom heb je mij daar nooit iets van ver- teld?', sputtert mam.

'Omdat het dwaasheid is zoals de mensen over haar praten. Zij houdt van haar eenzaamheid. Dat is toch geen misdaad? En verder stelde het niets voor. Ik droeg alleen wat boodschappen voor haar en Ben. We spraken over het weer en over een boot die was binnengelopen nadat hij een reis om de wereld had gemaakt. Je weet wel, van die Graham die met Carrie's zoon Eddie bevriend is geraakt na haar dood. We spraken gewoon wat over van die dingen. Aardige vrouw.'

'Niet te geloven', zegt mijn moeder, op haar hoofd krabbend.

'En nu ga ik maar even bij die bungalow op het achterterrein kijken.' Hij knipoogt naar mij alsof hij een geheime boodschap doorgeeft.

'Waarom?' Ik kijk hem aan, en daarna mijn moeder.

'Je moeder heeft plotseling bedacht dat dit een prima moment is om daar eens grote schoonmaak te houden.'

'Het is al jaren een puinhoop', zegt ze schouderophalend. 'En je weet maar nooit. Misschien gaan we hem wel verhuren voor wat extra inkomen. Het kan een heel leuke studio worden. Het is zonde dat die bungalow staat te verkommeren terwijl er zulke leuke mogelijkheden zijn.'

Ik doe mijn mond open, maar zeg uiteindelijk niets. Dat mijn vader me op dit moment Carrie noemt, geeft me het gevoel dat er iets van goddelijke leiding zichtbaar wordt, maar hoe en wat? Als ik nu maar wist wat zij bedoelde toen ik haar voor het laatst sprak. En wat mijn moeder betreft, waarom zou ik boos en geprikkeld raken, alleen maar omdat ze mij mist en graag thuis zou willen hebben. Dat bedenk ik, maar een ander deel van mij denkt: *Vlucht!*

❦

De dag vliegt in een oogwenk om terwijl ik in de herstelstand door het huis schuifel en mijn kleding was die als deken dienst heeft gedaan. Er komt niet veel uit mijn handen. Hoe vaak ren ik niet naast de tijd mee, alsof we een wedstrijd houden. Maar de tijd heeft geen behoefte aan rust, en dus blijf ik alleen en hijgend langs de kant staan.

Mijn auto zou de volgende morgen weer gerepareerd, althans helemaal nagekeken moeten zijn. Mijn vader ging de voortgang controleren, en Kenny vond het probleem met de carburateur dat bij de inspectie voor aanvang van mijn noodlottige trip over het hoofd was gezien. Ik zal in ieder geval morgen vrij moeten nemen. Geen probleem, ik moet toch nog een paar verlofdagen opnemen voor het eind van het jaar.

Pap en mam hebben zich in de woonkamer geïnstalleerd voor hun favoriete herhalingen. Ik hoor het hoge stemmetje van een komieke figuur uit een serie, en het gegrinnik van mijn vader dringt ook tot de keuken door, waar ik met hun ouderwetse draaischijftoestel telefoneer. Ik word er niet goed van. Ik heb het mijn ouders al heel vaak gezegd: als ze alle tijd die in een jaar nodig is om de nummers te draaien, bij elkaar zouden optellen, zou het voldoende zijn om een boek te lezen, een sprei in elkaar te zetten of een kuur tegen verkoudheid te ontwikkelen.

Mijn kamergenote Susan is omstreeks deze tijd meestal thuis. Het is haar avond om te wassen, om de rest van de week schone kleren te hebben. Ik wacht af of ze de telefoon opneemt en wil al bijna ophangen wanneer het antwoordapparaat inschakelt. Ik hoor plotseling een nieuw bericht. In het hele jaar dat we het appartement delen, heeft ze nog nooit een nieuwe boodschap ingesproken.

'Hallo, dit is het huis van Claire O'Rourke, maar ik ben niet Claire. Ik ben haar ex-kamergenote, die zaterdagavond naar Reno vertrekt, maar niet om te gokken ... hoewel sommigen het misschien zo zouden noemen. Ik ga naar Reno voor de tweede populaire bezigheid aldaar: trouwen! Dus vaarwel vrijgezellenleven, hallo huwelijkse zegeningen! En ... eh ... Claire, als jij misschien nog belt voordat je mijn briefje ziet, excuus voor de schok. Ik kom over een week mijn spullen halen. Dit is dus eigenlijk mijn opzegging. Je kunt me maandag op mijn mobiele toestel bellen. Tot die tijd staat hij uit ... je kunt waarschijnlijk wel raden waarom. O ja, en iedereen die Claire niet is: spreek een boodschap in en zij belt je terug, want zij is verantwoordelijk en ...'

Er klinkt een piep, en ik blijf met de hoorn tegen mijn oor zitten en laat een boodschap van verbluft zwijgen op ons antwoordapparaat achter. Er moet iets aan mijn oren mankeren. Ik kies het nummer nogmaals en luister weer naar de boodschap die ik de eerste keer niet helemaal kon bevatten.

Susans stem is vervuld van het soort energie dat prijswinnaars in de lotto vertonen. Is ze niet krankzinnig? Ik heb me dat wel duizend keer afgevraagd, en nu weet ik dat het waar is. Waar, waar en nog eens waar. Susans vriend – nu waarschijnlijk echtgenoot – is zo'n jongen die een geweldige prof op het veld zou zijn geworden als hij het talent had gehad, en die nu een triest soort potverteerder van zijn ouders rijkdom is (die zijn huur, gas en licht betalen), met kritiek op alles wat de echte profs fout doen. Ik had verwacht dat het niet meer was dan een voorbijgaande fase in Susans zoektocht naar haar plek in het leven.

Als ik niet zo dringend een kamergenote nodig had gehad toen de vorige ging trouwen, zou Susan nooit mijn keuze zijn geweest. Ze houdt me tot laat uit bed, betaalt me om boodschappen te doen voor ons beiden, denkt dat ik haar therapeute ben (hoewel ze alle adviezen die ze krijgt, in de wind slaat), en beweert dat ik haar vertrouwelinge ben, hoewel ik haar ooit haar diepste hartsgeheimen hoorde uitblaten tegen de loodgieter die onze afvoer gerepareerd heeft. Ik ben haar vriendin, zolang haar andere vriendinnen het te druk hebben of haar vriend in een sportcafé zit. Ik ben haar wasadviseuse ('Dus je weet zeker dat die nieuwe rode jeans niet samen met mijn witte trui gewassen kan worden?'). En ik ben haar spirituele mentor ('Wat was het ook weer precies wat jij geloofde?').

Ik heb geen kamergenote.

Uit de andere kamer klinkt gelach op als een spottend commentaar. *As the World Turns* ... het lijkt wel de herkenningsmelodie van mijn leven.

Memoires van Josephine Vanderook

Ik herinner me onze aankomst in de baai van San Francisco als de grootse entree in een paradijselijke haven. De poorten van de baai waren rondgetopte bergen, gehuld in een weelde van lentegroen, en de morgenstond had gegaapt en was volkomen ontwaakt tegen de tijd dat we aan de lange kade aanlegden. Mijn voeten verlangden zo naar vaste grond dat ik ongeduldig mijn adem inhield en bijna ongegeneerd van dek rende. Natuurlijk moest ik, als vrouw van de scheepseigenaar, passende gratie uitstralen, hoewel het zakdoekje in mijn hand er niet wel bij voer. Eindelijk had Eduard alle zakelijkheden afgewikkeld en kon hij mij als een dame vergezellen in de Californische kringen, althans een paar dagen, totdat we verder naar het noorden trokken, naar ons nieuwe huis in Seattle.

Het Palace Hotel maakte op mij de indruk van de eerste oase in een weidse woestijn. De luxe van uitgerolde tapijten, schitterende kroonluchters, lakens en handdoeken zonder een spoor van de muffige scheepslucht en een bel die het personeel naar de kamer ontbood – het was als de hemel op aarde, meende ik. Slechts een jaar later zou ik lezen over de grote aardbeving die de stad bijna verwoestte en het grootse hotel in puin legde. Het zou steen voor steen herbouwd worden. En in de tussentijd had ook ik zoiets als een aardbeving meegemaakt.

Bij onze aankomst in 1905 was ik vol verwachting, wat bij Eduard niet het geval was. Niet langer was hij een man die gemakkelijk lachte. Zijn gedachten gingen niet uit naar mij of zijn luxueuze kamer, noch naar het nieuwe begin over luttele weken in het onvoorspelbare Noordwesten. Eduard was er nooit goed in zorgen voor mij verborgen te houden. Terwijl we ons door de massa's bewogen, kreeg hij rimpels in zijn voorhoofd en om zijn ogen.

Een paar minuten na onze aankomst, nadat we de luxe kamer hadden verkend, en ik plannen had gemaakt voor een langdurige badsessie, kondigde Eduard zijn onmiddellijke terugkeer naar het schip aan. Ik probeerde hem op andere gedachte te brengen, eerst met een liefdevolle omhelzing, maar algauw met een geërgerd misprijzen, maar hij viel niet te vermurwen en beloofde slechts terug te zijn voor de late avondmaaltijd.

Mijn vragen onthulde niet meer dan dat hij een telegram had ontvangen van John en dat er een lading zou binnenkomen die hij belangrijk genoeg vond om persoonlijk te begeleiden, maar ik wist dat zijn beslissing spontaan was opgekomen. Hij wilde niet uitleggen om wat voor lading het ging. En de vraag waarom niemand anders het kon afhandelen, liet hij onbeantwoord.

Ik maakte mij grote zorgen, maar was niettemin de echtgenote. De vele reprimandes van mijn moeder kwamen mij voor de geest, en een blik op Eduards gezicht sprak van lof voor mijn gehoorzaamheid – een uitdrukking die ik herkende van de mannen in Boston tot wie Eduard tot nu toe niet had behoord.

Ik trachtte me beschaafd te gedragen na zijn vertrek en nam gretig een langdurig warm bad. Van mijn kleding, die de laatste maanden alleen aan boord was gewassen, leek niets passend voor een diner in deze gouden stad. Ik koos mijn blauwe combinatie en legde andere kleding klaar om door fatsoenlijke handen gereinigd te worden in de paar dagen die we hier zouden doorbrengen. Wat wenste ik vurig dat dit onze bestemming was geweest, en wat betreurde ik de ideeën van mijn zwager, die gewaagde van de grote noordelijke steden Seattle en Portland en zei dat San Francisco reeds te zeer gevestigd was. 'Gevestigd' klonk mij als muziek in de oren.

De middaguren gingen heen terwijl ik mij onledig hield met de verdeling van onze kleding die gereinigd moest worden, met het opsteken van mijn haar tot een stijlvol kapsel en zelfs met lezen, hoewel mijn rusteloosheid me van mijn concentratie beroofde. De raambekleding moest mijn voortdurende gefrommel ondergaan omdat ik telkens de straat onder mij afspeurde in de hoop mijn echtgenoot te zien terugkeren.

Het avondeten was allang voorbij vooraleer ik hem hoorde aankomen; mijn trek was inmiddels in misselijkheid overgegaan vanwege mijn bezorgdheid. Hij gaf geen verklaring, en aan zijn gezicht te zien hoefde ik daar ook niet naar te vragen. We gingen die avond slapen zonder dat we veel tegen elkaar zeiden. De volgende morgen was Eduard al vroeg vertrokken, en ik bracht de dag door met winkelen, in gezelschap van mevrouw Worthington.

San Francisco stak zijn hand naar ons uit, vol beloften en vrolijkheid na zo veel maanden op dat schip met tussenstops in vreemde, buitenlandse steden – maar de schaduw van Eduards zorgen verduisterde het aanbod.

Vanaf de dag van onze aankomst in die stad tot de nacht van die af-schuwelijke storm wist ik dat er iets niet goed was. John had een bericht gestuurd over vergrote financiële zorgen in Boston. Scheepswerf Vanderook was voor Eduard niet alleen een bedrijf, maar ook een erfgoed en de trots van zijn familie. Hij zou vrijwel alles doen om die naam onbezoedeld te houden. Deze dingen werden de volgende dagen stukje bij beetje duide-lijk, en zij zaaiden in mij het zaad van de angst. Maar geen van mijn zorgen kwam in de buurt van de reikwijdte en grondigheid waarmee de dingen fout zouden gaan.

Claire

❦

Vanmorgen kreeg ik, na een nieuwe worsteling met het draai-schijftoestel, een tweede nieuwtje. Ik ben mijn baan kwijt. Er zijn bezuinigingen doorgevoerd bij de *San Fran News & Review*, waarbij de laatst aangenomen medewerkers per onmiddellijk ontslagen werden ('Heb je die memo vrijdag niet ontvangen?'). In één weekend ben ik mijn kamergenote en mijn baan kwijt en krijg ik een meer dan vaag vermoeden dat ik naar mijn geboortestad zou moeten terugkeren, wat ik me heilig had voorgenomen nooit te zullen doen.

Alles leek uitstekend te gaan in mijn leven, maar *leek* is nu het doorslaggevende woord in die zin geworden. Ik kan gewoon niet geloven dat alles zo snel veranderd is. Ik woonde in een leuk, klein appartement in de stad waarvan ik houd, en ik had een baan met fantastische vooruitzichten. Mijn kamergenote was vrijwel altijd uithuizig, en ik hoorde bij een fijne kerk en werkte in de richting van de doelen die God volgens mij in mijn vijfjarenplan had gezet. En nu zijn die doelen die zo keurig in een doelstelling waren opgenomen, plotseling als heliumballonnen weggevlogen.

God, wat gebeurt hier?

Mijn moeder en ik kneden brooddeeg. Waarschijnlijk iedere

vrouw in Harper's Bay heeft tegenwoordig een broodbakmachine, ook mijn moeder. Ze gebruikt de machine bij gelegenheid, maar sommige gekoesterde, taaie gewoonten zijn moeilijk te veranderen. En ik moet toegeven, wat uit de machine komt, kan niet tippen aan haar zelfgebakken brood.

'Waarom rijd je niet even bij de krant langs? Wie weet wat er gebeurt. Het kan toch geen kwaad eens te gaan praten?'

Mijn moeder zegt het zonder dat ze weet dat ik mijn baan kwijt ben. Ik heb nog niet de moed gehad om het toe te geven, zelfs niet aan mezelf. *Ja hoor, dat zou zeker kwaad kunnen*, denk ik bij mezelf. Brooddeeg kneden is een zwaardere oefening dan ik me herinnerde, en we moeten nog drie minuten.

'Mam, het spijt me dat ik een ander onderwerp aansnijd, maar ...'

'Ja ja, dat zal wel.' Ze glimlacht in mijn richting en knikt dat ik moet doorgaan met kneden.

'Hoe dan ook, ik moest nog aan Sophia Fleming denken. Wat is haar echte geschiedenis?'

'Het ware verhaal van Sophia Fleming ... dat is nu net het raadsel. Ze is daar op de Point opgegroeid. Haar familie woont daar al een paar generaties, dacht ik. Voor zover ik me kan herinneren, is ze in de jaren vijftig uit New York teruggekomen. Ik meen me ook te herinneren dat er verteld werd dat ze naar Europa was geweest. Omdat de mensen, toen ik klein was, nog maar weinig reisden – alles buiten Harper's Bay was een reis –, kun je je de opwinding over New York en Europa voorstellen. Omstreeks die tijd had ze haar tweede boek geschreven. Niemand weet precies waarom, maar het kreeg slechte kritieken.'

'Wanneer zijn haar ouders overleden?'

'Een paar jaar nadat ze naar huis was gekomen, geloof ik. Ze zijn ongeveer een jaar na elkaar gestorven. Ik herinner me hen van de kerk toen ik nog jong was. Een van de weinige keren dat ik Sophia Fleming heb gezien, was bij haar vaders begrafenis.

'Grappig dat we haar allemaal Sophia Fleming noemen, of S.T. Fleming of mevrouw Fleming, maar nooit alleen maar Sophia.'

In groep zes schreef onze klas brieven naar Sophia Fleming, en we vonden het prachtig individueel antwoord te krijgen. Die brief moet nog ergens tussen mijn moeders verzameling schoolaandenkens zitten. Misschien zoek ik hem wel op.

'Daar heb ik nooit bij stilgestaan, maar inderdaad, iedereen noemt haar bij haar volledige naam − misschien omdat ze een soort beroemdheid is, of een legende, of een halve gare, afhankelijk van degene met wie je praat.'

Hoe zou het zijn tientallen jaren achtereen in zo'n kleine ruimte door te brengen? Wat dreef iemand tot een dergelijk leven na in New York te hebben gewoond en Europa te hebben bereisd?

'Hier, doe er nog wat bloem bij.'

Ik had niet gemerkt dat het deeg aan de kneedplank bleef plakken omdat ik in gedachten bij het kleine stenen huisje op de Point was.

De telefoon gaat.

'Neem jij maar op. Ik weet toch al niet zeker of jouw brood het wel gaat redden.'

Ik schud het deeg en de bloem van mijn handen en neem de hoorn van de haak. Mijn hallo roept een pauze op. 'Claire?'

'Ja?'

'Hoi, met Griffin. Griffin Anderson.'

Een tijdsprong naar de middelbare school en mijn oude vriend, daarna ex-vriend. 'Griffin, hoe is het me je?' Ik weet dat hij in de buurt is blijven wonen, maar ik heb hem in geen jaren gesproken.

'Goed, heel goed. Ben je hier op bezoek?'

'Zo ongeveer. Het is een lang verhaal. Maar morgen ga ik waarschijnlijk weer naar huis.'

'En dat betekent naar San Francisco?'

'Precies.' Het is vreemd zijn stem te horen. Hij klinkt anders, en er zijn duizenden herinneringen aan verbonden. De eerste is die aan Griffin op de zondagsschool, de jongen die me altijd versloeg bij de bijbelrace. Iedere keer schreeuwde hij al een fractie voordat ik het vers had gevonden: 'Gevonden!' Hij deelde zijn overheerlijke chocoladesnoepjes met mij toen hij merkte hoe kwaad ik werd van dat verliezen. 'En hoe gaat het met jou? Wat heb je zoal gedaan?'

'Van alles en nog wat intussen. Wanneer hebben we elkaar voor het laatst gesproken? Zes jaar geleden?'

'Ja, hoe vat je zes jaar samen in drie woorden?' Ik zeg het met mijn eigen leven voor ogen: studeren, stage en dan een echte baan, en nu de echte baan die ik kwijt ben. Maar Griffin is in Harper's Bay gebleven. Hoe lang kan zijn lijstje zijn? Hij werkt waarschijnlijk nog steeds op de vissersboot van zijn vader, of bij de houtzagerij, of hij is pastoraal jeugdwerker geworden – de lijst zou nog verder kunnen doorlopen, maar niet heel ver, gezien de mogelijkheden in deze gemeenschap.

'Als je nog een tijdje blijft, kunnen we misschien een keer ergens koffie drinken. Ik weet zeker dat er nog een paar van school zijn die je graag nog eens zouden zien. Ik spreek Tamara Kazowski nu en dan. Zij is serveerster en heeft twee schatten van kinderen.'

'Dat zou leuk zijn. Ik bel je binnenkort wel. Maar waarschijnlijk belde je niet voor mij.'

'Nee, voor je moeder.'

'Prima.' Dat is vreemd. Houdt Griffin contact met mijn moeder? Ik kijk op en zie dat ze haar handen heeft afgeveegd en dat haar bal deeg keurig in een kom ligt, terwijl de mijne nog ietwat kleverig en rafelig op het deegbord ligt. 'Hier komt ze.'

Ik keer terug tot mijn broodhoop en doe er meer bloem bij, vastbesloten dat die bol met ingrediënten mij er niet onder zal krijgen.

'Griffin, hoe is het, jongen?' Mijn moeders vrolijke toon geeft aan dat dit geen uitzonderlijk telefoontje is. 'O ja? ... Geweldig. Wanneer kan ik het ophalen? ... Echt? ... Dat zou wel heel fijn zijn ... en hoe is het gelopen? ... Ja? ... Prachtig. Dat zal hij geweldig vinden.'

Mijn handen vallen weer stil terwijl ik het gesprek probeer te volgen. Het brooddeeg lijkt een beetje beter. Maar waar heeft mijn moeder het over? De draad van het toestel die over mijn borst naar haar toe loopt, maakt het er niet beter op. Ik besluit hier en nu dat ik een draadloze telefoon voor hen koop, al was het alleen maar voor de keren dat ik hier op bezoek ben.

'Klinkt goed. Ik leidt hem wel af, neem hem mee voor een ritje of voor een lunch. Of ... ja ik weet het al, we gaan naar de vlooienmarkt ... Ja, dat zou argwaan wekken ... O, uitstekend. We zien je dan. En bedankt, Griffin. Echt.'

Ze haalt de draad om me heen weg, hangt op en begint de keuken op te ruimen.

'En?', vraag ik.

'En wat?'

'Dat telefoontje.'

'O, dat.' Ze draait de kraan open en het water gutst over de deegkommen en maatbekers.

'Is er iets wat ik niet mag weten?'

'Huh? Nee, ik bedoel, jij zult het waarschijnlijk toch dwaas vinden. Maar de volgende keer dat je hier bent, zul je het toch wel zien, dus ...'

'Mam, waar heb je het in vredesnaam over?'

Ze draait de kraan dicht en veegt haar handen af aan haar schort. 'Tja, jij hebt Rooftop Road, de *Dakenweg*, natuurlijk niet gezien, en dus is het moeilijk uit te leggen.'

'Waar en wat is Rooftop Road?'

'Het is nieuw ... nou ja ... officieel dan. Griffin heeft die hele straat zo veel nieuw leven ingeblazen dat de gemeenteraad de naam ervan heeft veranderd, van Fourth Street in Rooftop Road. Het was deze zomer het gesprek van de dag. De krant heeft er een paar artikelen aan gewijd en er zijn ingezonden brieven verschenen. Het werd nog erger toen de naamsverandering werd besproken. Je weet dat Harper's Bay niet van veranderingen houdt. Kijk maar naar die ellende met die brug. Maar omdat het toch zo'n fantasieloze naam was ...'

'Ho, ho, ho. Wat heeft de naamsverandering van een straat met Griffin te maken? Heeft hij alle huizen in die straat van een nieuw dak voorzien of zo?'

Nadat ik een paar jaar in het meer beschaafde deel van Californië had gewoond, het deel waaraan mensen denken wanneer ze de naam van de staat horen, had ik een bepaald ongeduld ontwikkeld ten aanzien van de trage, kronkelige gesprekslijnen in plattelandsplaatsen als mijn geboortestad. Mijn tong had bijna littekens van het inhouden van de geprikkelde uitroep: 'Kom nu eens ter zake!'

'Nee, hij heeft de daken niet vervangen ... nou ja, in zekere zin wel. Er is veel wat jij niet weet van je oude vlam.'

'Mam, hij is nooit mijn vlam geweest.'

'Maar jullie zijn samen naar het winterdansfeest geweest. Ik heb dat knipsel uit de krant nog steeds.'

'Mam, neem me niet kwalijk, maar ik vrees dat je geheugen je parten speelt. Het is de leeftijd.' Die foto had het gerucht in de wereld gebracht, herinnerde ik me nors. Onze foto op de pagina over Harper's Bay veranderde onze los-vaste vriendschap plotseling in een serieuze relatie – tot onze verbazing en verbijstering, vooral omdat we elkaar in die tijd niet spraken.

'Een beetje neem ik het je wel kwalijk, dametje.' Mam fronst en kijkt me waarschuwend aan.

'Kun je me gewoon vertellen wat Griffin te maken heeft met Rooftop Road of Fourth Street?'

'O, jazeker. Zijn kunst. Griffin maakt eigenzinnige kunst – dat is het juiste woord ervoor. Het zijn beelden, gemaakt van oud metaal en huishoudelijke apparaten. Het klinkt niet erg aansprekend, maar hij maakt verbazingwekkende constructies, zoals een gigantische spin van tractoronderdelen, geïnspireerd door Tolkien, met antieke klokken als ogen. Hij zette met Kerstmis een keer een beeld op zijn dak, en er kwamen enorm veel mensen naar kijken. Daarna maakte hij een beeld van een superheld die als een soort Atlas de aarde draagt. Vervolgens wilde de buurvrouw schuin tegenover hem ook een beeld op haar dak. Zo is het begonnen.'

'Zo is wat begonnen?'

'Rooftop Road. Ongeveer tien huizen in die straat hebben beelden van Griffin op het dak – maar natuurlijk is niet iedereen in de straat daar blij mee. Maar de reistijdschriften kregen er lucht van, en nu is Rooftop Road onderdeel van een toeristische route langs de Californische kust. En geld voor de gemeenschap doet een boel plaatselijke debatten verstommen.'

'Hoe komt het dat ik hier helemaal niets van weet?'

'Als je op bezoek komt, blijf je nooit erg lang.' Mam kijkt door het raam naar de achtertuin. 'Trouwens, als je vragen over Sophia Fleming hebt, kun je die het best aan Griffin stellen.'

'En waarom is dat zo?'

'Ben Wilson is Griffins beste vriend. Ze komen iedere maandag voor een soort bijbelstudie bij elkaar in restaurant Blondie's Diner.'

'Ben Wilson is Griffins beste vriend?' Het idee dat Griffin zo intensief omging met iemand die minimaal vijftig jaar ouder was dan hij, was verbluffend. Hoe was dat ooit zo gekomen?

'En Ben Wilson is natuurlijk de enige die Sophia Fleming van nabij kent.'

Mijn handen steken nog steeds in het deeg wanneer mijn moeder zich naar mij toe buigt en zegt: 'Houd maar op, liefje. We hebben maar één brood nodig bij het avondeten.

Ik vorm de klomp zo goed mogelijk tot een bal en gooi die in de ingevette kom die mijn moeder al had klaargezet. Zonder een woord te zeggen leg ik een theedoek over de kom, mijn teken van triomf over de ingrediënten.

Ik moet knopen doorhakken.

En dat deeg kan maar beter rijzen.

Memoires van Josephine Vanderook

❦

Ik kan me nooit exact herinneren wanneer de storm opstak.

Hij had beter vóór San Francisco kunnen komen, voordat zo veel zielen meegingen op de reis naar het noorden. Het verlies zou dan minder groot zijn geweest. Maar hoe dan ook, de storm kwam.

De ondergang kwam als een fluistering die aanzwol tot spraak, onopvallend seconde na seconde, totdat de koude en de wind een vaststaande, onstuitbare realiteit werden. Eerst de daling in de ochtendtemperatuur en mijn wollen gebreide sjaal die niet meer in staat was de kou bij mijn armen weg te houden wanneer ik van de hut naar de boeg liep of terug. De wolken pakten samen in donker debat, en de lunchborden op de houten tafel begonnen te trillen en te schokken. Vlagen oceaanwind die over de ijsbergen en de Golf van Alaska waren gesuisd en als trekkende ganzen neerdoken, grepen onze zeilen.

Misschien richtten de krachten der elementen zich naar de spanningen die op het schip heersten. Dagen had ik al gebeden en bijbelverzen geciteerd om iedere dag weer door te komen, zo intens waren mijn bezorgdheid en claustrofobie. Als in mijn hut niet de muffe zeelucht had gehangen die mij aan de longontsteking deed denken die ik als klein kind had gehad, zou ik mij er de rest van de reistijd dag en nacht in verscholen hebben.

De avonturiers en pioniers zochten een nieuw leven in het westen, en ik had het visioen in Eduards ogen gezien. Natuurlijk kenden we de sprookjes omtrent rivieren vol goudklompjes en weelderige, vruchtbare velden. Eduard en ik hadden erom gelachen en de verhalen uitgemeten terwijl we de parken van Boston doorkruisten. De rivieren werden puur goud, en iedere boom boog onder de zware last van de enorme hoeveelheid fruit aan zijn takken – het was een aards paradijs. We vermaakten ons op die manier, zonder dat ik besefte dat mijn man verliefd was geworden op een plek die hij moest zien en veroveren.

Had hij maar kunnen weten dat hijzelf degene was die overwonnen zou worden.

Liefste Eduard, zelfs nu, na al die jaren en ondanks de keuzen die zo veel levens kostten, zelfs nu mis ik je nog bij iedere ademteug die ik doe.

GETIJDENPOST

MEMOIRES GEVEN MISSCHIEN ANTWOORDEN OMTRENT MYSTERIEUZE SCHIPBREUK

De teksten van Josephine Vanderook, overlevende van de schipbreuk van de *Josephine*, zullen deze week nogmaals onder de loep worden genomen door wetenschappers die verbonden zijn aan het *Geschiedeniskanaal*. Josephine Vanderook, naar wie het schip was genoemd, was de vrouw van scheepsbouwer Eduard Vanderook, die in 1905 samen met nog 61 opvarenden het leven liet tijdens de schipbreuk voor Orion Point.

Hoewel de memoires in 1933 op verzoek van de Historische Vereniging Harper's Bay werden geschreven voor de verzameling getuigenissen van overlevenden, werden ze nooit openbaar gemaakt, totdat het *Geschiedeniskanaal* het werk deze maand van de familie van Josephine Vanderook verkreeg. De wetenschappers hopen de oorzaak van de scheepsramp voor de kust van Orion Point te ontdekken.

Claire

🍂

Natuurlijk rees het deeg van mijn moeder heel mooi; mijn brood deed ook iets, en hoewel het minimaal was, bleef het voor mij voldoende om het af te bakken. Een tijd lang had ik het gevoel dat mijn hele leven afhing van die deegklomp in zijn kom. Mijn moeder merkte weer op hoe leuk je in de bungalow zou kunnen wonen. Ik had lucht nodig.

Ik leende de Oldsmobile van mijn ouders om te kijken hoe ver het met mijn eigen auto was. Kenny's Cars bestond uit 'dokter Kenny', zoals mijn vader hem noemt, en zijn hond, in een grote dubbele garage naast zijn huis en is nauwelijks te bereiken als je er niet persoonlijk langsgaat. Huis noch garage beschikken over een telefoon naast zijn mobiele toestel, dat hier een bijzonder slechte verbinding heeft. Mijn vader laat niemand anders ook maar een blik werpen in het inwendige van zijn voertuigen.

De oprijlaan van gravel produceert een kleine stofwolk wanneer ik naar de garage rijd. Kenny glijdt onder een heldergele Chevrolet Camaro vandaan, die ik herken als de auto van mijn neef.

'Het zit zeker in de familie', zeg ik, me afvragend hoe het met neef Ty zal zijn, die meestal buiten de stad werkt.

'Zo gaat het altijd. Als de eerste auto komt, eindigt de hele familie uiteindelijk hier.'

Ik heb vaak geprobeerd Kenny's leeftijd te schatten, maar de olie, de volle bos donker haar en de verweerde huid laten mijn schattingen variëren tussen de late veertig en de vroege zestig. Hij is slank en lang en heeft een adamsappel die graag op en neer reist.

'Wat is de schade?', vraag ik, half en half het taaltje van Harper's Bay volgend. Ik moet daarmee ophouden.

'Niets', zegt hij, terwijl hij een lap van een gereedschapskast op wielen pakt. 'Ik heb hem gecontroleerd voordat jij vertrok, en de carburateur werkte perfect. Ik heb hem niettemin vervangen, en nu draait hij als een zonnetje. Als je Bills dochter niet was, zou ik bijna denken dat je die arme motor iets hebt aangedaan. Ik denk dat hij gewoon niet naar die grote stad wil.'

'Zal wel.'

Zijn woorden zijn weinig opbeurend in het licht van de gebeurtenissen van de afgelopen twee dagen. Maar hoe kan een auto zulke dingen bepalen? Dat kan hij helemaal niet — nog meer dorpspraat! Ik moet hier weg zien te komen.

'Ik haal de wagen op wanneer mijn vader vanavond thuiskomt.'

'Lijkt me een strak plan, Stan. Leuk je weer eens te zien, meissie. Je bent te lang weggebleven. Je pa mist je. En op dat stadsleven raak je ook uitgekeken.'

'Hoe weet jij dat? Jij hebt je hele leven hier gewoond.'

'Precies. Sommige mensen zijn slim genoeg om dingen te weten zonder ze eerst met vallen en opstaan te moeten leren.' Hij geeft me een knipoog die me aan het lachen maakt. 'Echt waar, soms moet je naar dingen terugkeren om iets nieuws te beginnen.'

'Wat betekent dat?', vraag ik. Kenny heeft zich nooit eerder van zijn filosofische kant laten zien.

'Dat betekent dat je in je geboorteplaats misschien meer kunt vinden dan je denkt, als je het maar een kans geeft. Het kan je misschien zelfs beter daar brengen waar je wilt zijn dan weglopen.'

'Ik ben niet weggelopen.'

'Weet je dat zeker? Je kunt op allerlei manieren weglopen.'

Bij mijn nadering van de stad op de terugweg zie ik Harper's Bay zoals een vreemdeling het zou zien. Het valt me op hoe makkelijk je erdoorheen zou kunnen rijden zonder er ook maar iets van te merken. De kleine haven waar boten aan hun touwen heen en weer schommelen, de tankstations en havenwinkeltjes met hun miniatuurlichtjes voor de ramen. De drie voorzieningen voor reizigers: Best Western, Holiday Inn en Sea Lion Motel. De basisschool. Vijf kerkgenootschappen: katholieken, baptisten, methodisten, pinkstergemeenschap, mormonen. Een McDonald's en een nieuwe Taco Bell.

Mijn geboorteplaats ligt aan de kronkelende snelweg 101, waarover de reizigers in noordelijke richting naar de rotsachtige kust van Oregon rijden, of naar het zuiden, naar de beter bekende Californische bestemmingen als het wijngebied en San Francisco ten zuiden daarvan. Sommigen stoppen hier misschien om te tanken, een hapje te eten, een overnachting of een blik op het charmante haventje voordat ze verder reizen. Het is vreemd afstand te nemen van de kennis omtrent de levens die hier worden geleid, van de winkelinterieurs, de gangetjes en steegjes, de aanlegsteigers in de haven – je de mensen voor te stellen als vreemden, en de stad te zien als de kleine bestaanseenheid die het in wezen is.

Waarom ben ik een toerist geworden in de plaatsen van mijn verleden? En hoe zou het zijn weer inwoner te worden?

Je kunt op allerlei manieren weglopen.

Zou mijn haast om te presteren in wezen het weglopen voor iets kunnen zijn? Kunnen mensen proberen voor zichzelf weg te lopen?

De vragen lijken me op te wachten, en mijn oude antwoorden klinken me als excuses in de oren.

Sophia

Dit is mijn manier om te zeggen wat er gezegd moet worden.

❧

De deur protesteert met een hoog gepiep wanneer ik hem open-
duw en onzichtbare zwemen stof en herinneringen door de domeinen van lucht en licht laat trekken. De slaapkamer waar ooit
mijn ouders sliepen, en die ik in een soort bibliotheek veranderde, totdat de boeken er de macht grepen en mij eruit zetten. Nu
wonen zij hier. Ik kom zo nu en dan op visite, neem een ervan
mee naar mijn eigen ruimte en laat ze verder over aan hun eigen
gesprekken. Dickens en Dostojevski praten stellig over politiek en
religie. Austen en Brontë drinken thee en bespreken liefde,
hartstocht en de vraag of er ooit een gelukkig einde moet zijn.
Tolstoi en Greene peinzen over de relevantie van het geloof in het
maatschappelijke leven.

Ik moet niezen terwijl ik tussen de stapels door laveer, die op
willekeurig gebouwde en overhellende kasteeltorens lijken. Ben
bood aan draaiende boekenkasten te bouwen, maar de boeken
gaven er op een of andere manier de voorkeur aan gestapeld te
worden. Ben schudt zijn hoofd daarover. Tegen de noordelijke
muur, waar het grote, walnoten bed altijd stond, vind ik de stapel
die ik zocht. De hele dag werd ik achtervolgd door het idee dat
ik zelf belangwekkende informatie zou kunnen bezitten binnen
de muren van mijn eigen bibliotheek.

Hier heb je het. Opgestapeld tussen andere non-fictiewerken
als *Vogels van Noord-Californië, De bestbewaarde kustgeheimen* en
Schaaldieren uit de Pacific ligt hier *Vuurtorens van het Westen en hun
mysteries.* Het stof doet me nogmaals niezen. Ik moet echt eens
een week uittrekken om de kamer schoon te maken.

Het vuur knettert alsof het mij begroet bij mijn terugkeer naar
mijn leesstoel. Ik nestel me, blader door het boek en vind verschillende interessante bladzijden. Bens vuurtoren en de schipbreuk hebben voor voldoende mysterie gezorgd om opname te

rechtvaardigen. Ik lees de gebruikelijke meningsverschillen van deskundigen, verhalenvertellers en historici over wat er gebeurd is: de legende van een spookschip, een ruzie in de stuurhut tijdens de storm, een muiterij van de bemanning, uitlopend op een gevecht, illegale explosieven aan boord of piraten die het schip tegen de rotsen dwongen. De conclusies zijn zeer gevarieerd en geen van alle bewezen. En dan volgt er een lijst van overlevenden, die overdreven tendentieus werd geschreven om nog meer mysterie op te roepen dan de waarheid gedoogde.

Margery Falkner stierf een jaar later precies op de datum van de fatale schipbreuk. Een verslag beweert dat haar gezicht verbleekte toen ze haar laatste woorden uitbracht: 'Ze hebben me eindelijk toch te pakken.'

Wat verderop lees ik er nog een:

Reed Harrington kwam zijn verwondingen nooit helemaal te boven. Hij stierf twintig jaar later in een krankzinnigengesticht.

Er worden niet meer dan vijftien overlevenden opgenoemd. Alleen wat als aanstootgevend of verdacht kan worden aangemerkt in hun levens, werd in de beschrijving opgenomen. De schrijver zocht alle sensationele regels en uitspraken die hij maar kon vinden om een 'mysterie' te creëren, ook waar dat niet bestond. Margary Falkners laatste woorden konden allerhande betekenissen hebben, waarvoor wellicht redelijke verklaringen te geven waren, maar het geschrift suggereert een intrige. Wat een vergezochte conclusie, aan te nemen dat Reed Harrington twintig jaar later in een gesticht overleed aan de gevolgen van de schipbreuk die hij overleefde.

Verderop in de lijst vind ik Josephine Vanderook. Er bestaat een verband tussen die vrouw en mij. Ik heb er in geen jaren aan gedacht; sommige dingen zijn zo langdurig verbonden dat je hun aanwezigheid vergeet. Hoewel mijn moeder zelden over de schipbreuk sprak, vertelde ze op latere leeftijd hoe haar ouders de vrouw van Eduard Vanderook op die stormachtige morgen op de rotskust vonden. De vrouw, ternauwernood nog in leven, maar van een verbluffende schoonheid, maakte indruk op haar. Een aantal dingen die ik in dit belachelijke boek lees, weet ik al, maar vooral de data zijn van bijzonder belang.

Josephine Vanderook, de vrouw van de scheepsbouwer, keerde naar Boston terug. Ze hertrouwde, kreeg twee kinderen en overleed op 22 februari 1934. Ze veranderde echter nooit haar naam van haar eerste huwelijk en liet zich bij haar ouders begraven in plaats van naast haar overleden tweede echtgenoot. De inscriptie op haar grafsteen luidde *Eindelijk weer verenigd*, hoewel haar tweede man pas een jaar daarvoor was overleden. Velen geloofden dat ze het tragische verlies van haar eerste man nooit te boven is gekomen. Zij nam de waarheid omtrent de toedracht van de schipbreuk mee in haar graf, en het mysterie bleef bestaan.

Wat merkwaardig dat wij, mensen, zo verlangen de spoken en skeletten uit andermans leven te leren kennen. Ik lees tussen de overdreven regels door en denk aan Josephine en haar terugkeer naar Boston. Hoe lang deed ze daarover na de schipbreuk? Hoe liep ze door de straten van de stad waarin ze ooit verliefd was worden en getrouwd was, en waarvan ze later afscheid had genomen in de verwachting dat haar een nieuw leven wachtte in het uitgestrekte Noordwesten? Hoe groot was de verslagenheid die haar verteerde toen zij leeg en eenzaam terugkeerde?

En toch trouwde ze, kreeg ze kinderen en leidde ze een leven, hoewel ze in haar laatste dagen terugkeerde naar die verborgen liefde die ze al die jaren was blijven koesteren.

Ik kijk naar de data en bedenk dat onze levens elkaar overlappen. Toen zij stierf, was ik een kind en woonde ik hier op de Point. Wat deed ik op de dag waarop zij het tijdelijke voor het eeuwige verwisselde? Misschien speelde ik met Ben, Phillip en Helen, dik ingepakt tegen de winterkou. Bleef ik ook maar een moment stilstaan, alsof een fluistering van het leven van deze vrouw tot mij sprak? Het is fascinerend hoe levens op verschillende plaatsen en punten worden samengebracht, en de opstandige macht van de verbinding zelfs de heerschappij van de tijd tart.

Mijn ogen dwalen naar de dans van de vlammen in de open haard. De warmte streelt mijn wangen terwijl ik nadenk over Josephine Vanderook. Het boek uit het scheepswrak zou van haar kunnen zijn, of ze heeft het misschien gezien, erin gelezen. Wat wonderlijk zulke banden te hebben die mijn eigen leven te boven gaan.

Ik leg het boek met de opgeklopte mysteries terzijde en denk aan mijn middaggebed. Is het mogelijk te bidden voor een leven dat al voorbij is? Kan gebed door de tijd reizen? De logica wijst dat natuurlijk af, maar ik vraag me af hoe dat met God en zijn wegen zit. Ik herinner me vagelijk dat Augustinus iets heeft gezegd over de tijd en zijn oorsprong. Iets over de manier waarop de tijd uit de toekomst die nog niet bestond, in het heden kwam dat nog geen duur kende, en doorreisde naar het verleden dat opgehouden was te bestaan. Dat zijn de overwegingen van een oude vrouw.

Mijn speciale plek lonkt. Zonder specifieke reden. Het gebeurt zo nu en dan gewoon. Ik heb mijn leven volgens een vast patroon ingericht – een routine van wakker worden, bidden, eten, tuinieren of schoonmaken en nog wat meer bidden. Bens bezoeken onderbreken de routine en bieden een welkome afleiding die verstarring tegengaat. Soms voel ik een aandrang van binnenuit, en door de jaren heen heb ik geprobeerd daarnaar te luisteren.

Terwijl ik kniel, kraken mijn knieën bijna even luid als de oude stoel. Onze scharnieren zijn niet meer wat ze geweest zijn. Naast mijn gemakkelijke stoel, mijn knieën op een opgevouwen tapijt dat ik in de loop der jaren tal van keren heb vervangen, vind ik de kleine plek waar mijn hart zich opent als wijd uitgespreide armen, en alles in mij aan de voeten ligt van God. Het vuur laait en knettert alsof het zijn eigen verzoeken doet. Holiday zucht naast me en kwispelt met zijn staart. Hier vind ik mijn zin en doel in het leven.

Mijn leven in eenzaamheid is niet vruchteloos gebleven. De buitenwereld heeft erover gespeculeerd waarom ik mij zo lang heb verborgen. Eén andere persoon weet de ware aanleiding voor deze levensreis. Misschien verwachten mensen dat ik deze stille decennia heb gebruikt om massa's verhalen te schrijven die na mijn dood wellicht uitgegeven zullen worden. Ieder jaar ontvang ik een brief van een uitgeverij waarin gevraagd wordt of ik nog tot de levenden behoor en of er nog iets is wat onder mijn naam uitgegeven kan worden. Mijn verhalen verdwenen niet na mijn zelfgekozen isolement. Ik heb er notitieblokken mee volgeschreven. De verhalen zijn mijn vrienden, mijn vijanden en de schoonheid en het kwaad die ik beide heb gezien.

Maar nog belangrijker dan de verhalen zijn mijn gebeden geweest. Nog veel meer notitieblokken zijn gevuld met namen en zorgen, verliezen en liefdes, vreugden en verdriet. Wat begon als mijn eigen wanhopige behoefte op mijn knieën, groeide uit tot middagen van gebed; op sommige dagen duurden mijn gebeden totdat de nacht diep en donker was gevallen. Soms is het alsof ik de pijn en de tranen van de hele wereld werkelijk kan voelen. Ze steken hun armen naar mij uit en vinden me hier. En dus bid ik.

Dat is wellicht mijn roeping hier op aarde. Geen grote literaire werken schrijven, maar de wereld een beetje veranderen door de gebeden van mijn hart. Gebed kan zo onbeduidend lijken, zo klein en louter verbeelding. Ik praat daarover met God en vraag waarom Hij het niet grootser kan maken. Waarom geen dansende vlammen, bergen die werkelijke fysiek in beweging komen of een grote openbaring van wie Hij is? Lijken mijn argumenten en vragen misschien op die van de duivel toen hij Jezus in de woestijn bekoorde? Waarom springt U niet van deze hoogte? Waarom verandert U geen stenen in brood? Mijn woorden kunnen sterk in die richting gaan, en mijn redeneringen klinken zo redelijk.

Zo zijn de dagen van de worsteling met Hem geweest. Ik zie Jezus nu zo anders dan in de eerste dagen van mijn terugkeer. De Jezus die mens werd om onze diepste pijn en gevoelens te kennen, die leefde om te sterven, zodat ik kan leven in de dood. Ik heb Hem hier gevonden. Het was nodig daarvoor naar de diepte te gaan, naar een diepte die ik niet dacht te zullen overleven, en daar vond ik de ware Jezus. Niet het plakplaatje van de zondagsschool, de bebaarde man in het lijstje aan de muur of het gebroken lichaam op het kruisbeeld, maar degene die zich liet bespotten en doden door degenen die Hij liefhad. De Jezus die mij hier vindt, volkomen alleen op de Point. Het lijkt soms te fantastisch, te ongelooflijk. En toch maak ik mijn tochten langs de zee, bid ik mijn gebeden, en is God in al die dagelijkse details om mij heen. Hij heeft de draden en het weefsel opgezet van dit teruggetrokken vrouwenleven.

Vaak begin ik mijn gebed met een bijbelpassage, en zend ik die woorden terug naar de hemel. Soms heeft het gebed ook geen vorm, en bestaat het slechts uit mijn smeekbeden. En soms is het een gesprek, hoewel ik meer probeer te luisteren dan ik vroeger deed.

Josephine Vanderook, God. Zij is van deze aarde weg, maar haar naam komt toch op in mijn hart. En dat meisje van gisteren, dat gestrand was en aan mijn deur kwam en die ik niet durfde te begroeten ...

Zo bid ik.

En mijn Heer is trouw genoeg om mij te laten weten dat Hij mij hoort. Ik hoor Hem in de stilte. Hij is in de wind, in een bloem of een lied dat mij eraan herinnert alles een paar tellen lang van mij af te laten vallen.

Richt je ogen op Jezus,
kijk in zijn heerlijk gezicht,
en al het aardse wordt wonderlijk zwak
in het licht van zijn glorie en genade.

Ik voel dat de wereld om me heen wegvalt. Hoe graag zou ik die momenten van bevrijding willen vasthouden, momenten zoals dit, waarop al het aardse wonderlijk vervaagt, en ik de troost van vrede en liefde beleef. Ik kan iets aan mijn God geven; ik kan mijn gebeden en de noden van de wereld als een rijk reukoffer voor zijn voeten leggen.

Maar helaas, langzaam maar zeker komt het aardse leven terug. Mijn knieën beginnen pijn te doen, en er wacht een leven om geleid te worden. Mijn tijd hier is nog niet voorbij, hoewel ik me vaak afvraag welke betekenis mijn kluizenaarsbestaan nog heeft. Het zijn de gebeden, houd ik mijzelf voor. Ik ben hier om te bidden voor hen die zelf niet bidden. Ik ben hier voor degenen die meer nodig hebben dan zij vragen. Maar vandaag voeg ik er een extra vragend gebed voor mijzelf bij. Om mij heen beginnen dingen duidelijk te worden; ik voel het en sta er machteloos bij. Het is een goddelijke openbaring, en hoeveel vrees die ook wekt, ik vertrouw erop.

Het gebed heeft iets mysterieus. Het strookt niet met ons gezonde verstand. Zelfs na tientallen jaren van trouwe, dagelijkse toewijding, en zelfs nadat ik de resultaten ervan heb gezien, begrijp ik het nog steeds niet. Waarom schiep God zowel in ons als in Hemzelf een behoefte aan gebed? Hij die alles schiep en alle details met elkaar vervlocht, bouwde ook een behoefte in aan een band met Hem, die wij echter zo vaak opzij schuiven om te leven met de stille schreeuw van het verlangen.

Ik word aangetrokken door het mysterie, verlang ernaar de wegen ervan te doorgronden.

Bij mijn gebeden neem ik de tijd om te luisteren. Soms weet ik zeker dat de stille stem in mijn innerlijk niet van mij is; op andere momenten ben ik daar niet zo zeker van en moet ik des te meer bidden.

Dat meisje, dat meisje. Josephine Vanderook is niet langer in mijn gedachten. In plaats daarvan richt mijn innerlijke oor zich op het meisje. Mijn gebeden reizen vooruit, van het verleden door het heden naar de toekomst. Dat meisje dat voor mijn deur stond, maakt een soort reis ... zoals we dat zeker allemaal doen. Ik vraag mij af wat haar reis zal omvatten. Maar wat het ook is, zij kan mijn gebeden gebruiken.

Ze is met een bepaalde bedoeling in mijn leven gebracht. Dat weet ik met een wonderlijke zekerheid. Maar niettemin beangstigen mij al deze veranderende en nieuwe zaken.

GETIJDENPOST

INGEZONDEN BRIEVEN

Geachte redactie,
Ik ben degene die de machines op de bouwplaats van Wilson Bridge zaterdagavond heeft gesaboteerd. Ik beken dat met trots en deed het om de gemeenschap op te roepen mij te helpen vechten tegen de influctiviteit en bemoeizucht die de regering tentoonspreidt jegens ons kleinsteedse leven.

Wij wilden de nieuwe brug niet, en nu willen ze de oude afbreken in plaats van die te bewaren als een mijlpaal uit ons verleden. Dat is onaanvaardbaar, en ik zal alles doen wat in mijn vermogen ligt om dit tegen te houden.

Hoogachtend,
Tegenstrever van verandering

Beste Tegenstrever van verandering,
Denkt u werkelijk dat u verandering kunt tegenhouden? U kunt proberen wat u wilt, vechten wat u wilt, maar de verandering zal het altijd winnen. U kunt de brug saboteren, ertegen protesteren en brieven schrijven naar de redactie, maar de nieuwe brug zal voltooid worden. Hebt u de onderzoeksrapporten gelezen waarin de noodzaak van de bouw van een nieuwe brug werd aangegeven, aangezien de oude ernstige schade heeft opgelopen bij de aardbeving van 1999?

Hoewel het lot van de oude brug nog onduidelijk is, zal die niet meer voor verkeer worden gebruikt, en daar ben ik dankbaar om. Accepteer verandering en stop uw energie in nuttiger zaken voor de gemeenschap. Wat betekent influctiviteit overigens? En als u zo trots bent om uw misdaad te bekennen, waarom dan niet onder uw eigen naam?

Hoogachtend,
Robert McGee, hoofdredacteur

Claire

❦

Mijn stage bij de *San Fran News & Review* had me ondergedompeld in een opwindend en dynamisch informatiewereldje. Verslaggevers, fotografen, redacteuren, redactie-assistenten, documentalisten – mensen vormen het hart van de krantenmachinerie. In een hoog gebouw bevinden zich de kantoren en werkplekken, koffiezetapparaten, walnoten bureaus en ingelijste foto's, met op de achtergrond het gehamer op toetsenborden. Ik hield van het geroezemoes van beweging, van stemmen en woorden in wording. Iedere morgen kwam ik met de metro bij het kantoor aan, aangezien parkeren volstrekt onmogelijk is in het hart van San Francisco.

Ik zet de auto op de lege parkeerplaats bij de kantoren van de *Getijdenpost* en aarzel om het dossier met mijn curriculum vitae op te pakken. Het is een paar jaar oud, maar stond nog op de computer van mijn moeder. Het ligt op de passagiersstoel te wachten als een vliegticket dat me naar Kansas City zal brengen, in plaats van naar het mediterrane dorp waarvan ik droomde.

Ik heb hier eerder mee geworsteld. Je intuïtieve reactie is niet altijd de juiste. Wat op het moment goed leek te zijn, heeft me al een paar keer bijna op de verkeerde weg gezet. Ik weet dat dat zo is, ook al voel ik het avontuur in mij borrelen en wil ik het liefst alleen op mijn intuïtie afgaan. Het kan zo goed voelen snel weg te rijden, weg te lopen naar een of ander eiland en maanden achter elkaar te schrijven. Het voelt zo goed Harper's Bay achter te laten.

Dan zie ik Loretta Preston, vaste redactrice van de krant, die onhandig van het trottoir stapt met een dienblad waarop vier grote cola's staan, met witte rietjes door de deksels. Loretta is al sinds jaar en dag een vriendin van mijn moeder, maar het verbaast mij haar hier in werktijd gekleed te zien als altijd: in spijkerbroek en cowboyblouse, met haar lange haar in een paardenstaart op haar rug.

De kledingvoorschriften zijn hier kennelijk nogal soepel, bedenk ik met een blik op mijn grijze rok en witte blouse. Ik kleed me altijd zoals ik me voel, en ik loop meestal in een verschoten spijkerbroek met daarop een overhemd en accessoires die bij mijn bui van het moment passen. Dit staat me dus in ieder geval aan. Vijf dagen per week carrièrekleding aan naar kantoor is een grote uitdaging voor mij geweest.

'Je hebt de weg kunnen vinden', zegt Loretta wanneer ik uitstap, met tegenzin mijn CV pak en de portieren afsluit, hoewel dat niet echt nodig is.

'Natuurlijk.'

'Geweldig. Ik heb een goed woordje voor je gedaan, en Rob leek echt geïnteresseerd.' In werkelijkheid zegt ze: *gintresseerd.*

Ze heeft een goed woordje voor mij gedaan voor een baan die ik niet hoop te krijgen. Wat een ironie. Het voelt zo ongeveer als een pacifist bij de keuring voor de dienstplicht – je moet erheen, maar wilt je kansen om erdoor te komen zo grondig mogelijk verknallen. Ik zou willen dat ik zoiets kon oplepelen als: 'Ik heb echt heel uitgesproken meningen, die in al mijn werk naar voren komen.' Maar ik weet dat ik dat niet doe.

De *Getijdenpost* is niet de *San Fran News & Review.* Natuurlijk weet ik dat, maar ik krijg bijna een lachbui wanneer ik door de dubbele glazen deuren een ruimte binnenstap die meer wegheeft van een openbaar archief. Een lange balie in L-vorm biedt uitzicht op een paar bureaus erachter en een paar afgescheiden werkplekken langs de zijmuur. De gebruikelijke kantoorlucht van tapijt, metaal en machines ontbreekt. Er komt een geur van kranten (inkt en oud papier misschien?) uit de stapels die op de punt van de balie liggen, maar dan meen ik popcorn te ruiken. De gedempte en afgeschermde geluiden van de *Getijdenpost* doen me denken aan de jaarboekredactie op mijn middelbare school: het zoemen van computers, het ruisen van een politiescanner en een stem aan een telefoon.

Ik had gehoopt mijn CV bij een anonieme secretaresse te kunnen achterlaten en later een telefoontje te krijgen dat de baan al was vergeven, dat ik te hoog gekwalificeerd was of dat bezuinigingen toch geen nieuwe collega toelieten, zoals eerst gehoopt werd.

'Ik ben heel blij dat ik je zag op de parkeerplaats. Prima op tijd', zegt Loretta terwijl ze de cola's op de balie zet. 'Rob komt er zo aan; hij heeft de laatste paar dagen steeds doorgewerkt in de lunchpauze. Ik stel je wel aan hem voor; dat kan je net dat extra zetje geven waardoor je binnenkomt.' Ze laat haar stem tot een samenzweerderig niveau zakken, alsof we mijn sollicitatie er bij de CIA moeten doordrukken. 'Geef mij dat maar en ga niet weg.'

'Ik blijf waar ik ben', zeg ik, bedenkend dat ik binnen drieënhalve seconde bij de deur kan zijn.

Nog geen minuut later kijkt Loretta om de hoek van de gehavende deurpost van het enige officiële kantoor waarin ze verdwenen was. Ze wenkt mij naar zich toe en steekt haar duimen in de lucht. Ik kijk naar de ingang en naar de klok. Wat moet ik doen?

Dan zit ik tegenover hoofdredacteur annex uitgever Rob McGee, geef hem een hand en vertel iets over mezelf aan de man van ergens in de vijftig, met warrig en grijzend blond haar en bloeddoorlopen ogen.

'Het is hier meestal niet zo'n gekkenhuis', zegt hij terwijl hij met een diepe zucht over zijn voorhoofd en ogen wrijft.

Ik volg zijn blik door het raam van zijn kantoor en zie vier medewerkers die met verschillende taken bezig zijn. Vindt hij dit al een gekkenhuis? Als hij eens een dagje zou meedraaien bij de *News & Review* ...

Rob neemt een slok koffie en zet de beker terug op de ingedroogde kring op zijn bureau. Het bureau ligt vol stapels papier en dossiers, op de open plek recht voor hem na. Hij slaat mijn dossier open en leest mijn CV door. 'Je weet dat we niet veel kunnen betalen, hè?'

'Ja, dat heb ik gehoord.'

'Je zou eerst een soort manusje-van-alles kunnen zijn – met verschillende taken, van foto's nemen en teksten redigeren tot verslaggeving.'

'Verslaggeving?', vraag ik. Daar ben ik wel in *gïntresseerd*.

'Tot Margie met pensioen gaat. Daarna zou je fulltime verslaggever en redactrice kunnen worden.'

Ik kan niet ontkennen dat het intrigerend klinkt. Mijn stage en daaropvolgende lage aanstelling bij de *San Fran News & Review* was een illustratie van de barre realiteit in de harde krantenwereld van de grote stad. Maar een krant uit een kleine stad liet me direct doorstoten van koffiezetten, tekstredactie en onderzoekassistentie (ook bekend als slavenarbeid) naar de verslaggeving zelf.

'Kun je meteen beginnen?' Rob wrijft weer over zijn gezicht en kijkt me met vermoeide ogen aan.

'Nou ... eh ja, natuurlijk.'

'Ik bedoel nu.'

'Nu?'

'Het spijt me, maar we zitten heel krap nu Margie vrije dagen opneemt en Burke met griep thuis zit. Maar je kunt natuurlijk niet vandaag beginnen. Dat zou wat veel gevraagd zijn. Wanneer wil je komen?'

Wat doe ik? 'Nou ja, ik zou wel meteen kunnen beginnen. Ik zou niet weten waarom niet, behalve ...'

'Zo hebben we allebei een paar dagen om het te proberen. Daarna gaan we alles op een rij zetten en kijken we of je zou willen blijven.'

En dus heb ik een nieuwe baan. Zomaar, dankzij een van die bizarre wendingen die het leven volkomen laten afwijken van wat het een week tevoren was – in dit geval zelfs vijf minuten tevoren! Hoe snel zijn mijn plannen en doelstellingen van de lang nagestreefde en weloverwogen ontwikkelingslijn afgebogen. Ik heb het gevoel dat ik ben teruggeworpen in het leven dat ik geleid zou hebben als ik zes jaar geleden in Harper's Bay was gebleven. Het is alsof alles waarvoor ik zo lang werkte, in rook is opgegaan, en ik ook op deze plek terechtgekomen zou zijn als ik hier was gebleven. Ik wil er niet meer aan denken.

Loretta is opgetogen, springt op en neer en geeft me een rondleiding langs de burelen, waarbij ze nu en dan in mijn arm knijpt. 'Wil je dat ik je knijp, om te weten dat je niet droomt? Is dit niet geweldig? Is het niet super?'

De rondleiding bestaat uit een gang langs de kleine kamers achterin: de donkere kamer met de afmetingen van een grote kast, waarin alleen maar films worden ontwikkeld – een fotoprinter maakt de eigenlijke afdrukken. Het archief. Een klein toilet en de pauzeruimte, met een tafel, een oude koffiepot, een plank snoepgoed – waarop nog koekjes van de laatste Pasen liggen – een paar metalen stoelen en een koelkast.

'En natuurlijk wil je de krant van deze week doorlezen. Heb je een abonnement in San Francisco?'

'Eh ... nee', zeg ik terwijl ik de krant van haar aanneem.

'Veel mensen die naar elders verhuizen, willen graag op de hoogte blijven van het wel en wee in Harper's Bay. We hebben zelfs iemand met een abonnement in de High Desert-gevangenis. Grappig toch?'

Hoe zou ik kunnen vertellen dat ik zelden, misschien wel nooit, die hele krant heb gelezen? Ik besluit het niet te zeggen. Ik kijk naar het dunne, wekelijkse krantje en bedenk hoe dat het leven van die mensen bevat, en nu ook het mijne. Met het dichtstbijzijnde nieuwsstation een paar steden verderop, komt het meeste plaatselijke nieuws uit deze bron. Dan trekt een kop mijn aandacht: 'Wilson Bridge gesaboteerd'.

Ik lees het artikeltje snel door. 'Afgelopen zaterdag? Wilson Bridge? Dat heb ik gezien.'

'Wat?', vraagt Loretta.

'Ik had autopech bij de brug afgelopen zaterdagnacht. Er kwam een andere auto aan, en een paar mensen liepen naar de brug.'

'Jij hebt de Tegenstrever van verandering gezien?'

'De wat?'

'Niet te geloven! Rob! Claire was bij de brug in de nacht van de sabotage.'

Het is het begin van grote opwinding en talloze vragen, waarbij Rob zijn maatje bij de politie belt, hulpsheriff Avery. Ik verbaas me over de algehele consternatie, vooral omdat ik maar weinig informatie van enige waarde kan geven. Geen kentekenplaat of merk of model van de auto. Geen duidelijke beelden of beschrijvingen van de verdachten. Mijn bijdrage: er zaten twee mensen in de wagen, waarschijnlijk een man en een vrouw die ouder leek (ik weet niet waarom ik dat denk, maar die indruk komt bij me op terwijl ik met de hulpsheriff praat); de twee liepen met zaklampen naar de brug en keerden vijf tot tien minuten later terug.

Loretta werkt al aan een artikel voor de editie van volgende week:

Verslaggeefster *Getijdenpost* ooggetuige in sabotagezaak

Claire O'Rourke, de jongste aanwinst in de staf van verslaggevers van de *Getijdenpost*, is ooggetuige geweest van de sabotagedaden bij Wilson Bridge in de nacht van zaterdag op zondag. Een politiewoordvoerder verklaarde dat zij belangrijke details heeft verstrekt die het onderzoek verder kunnen helpen.

'Ik zei je toch dat het geen kwaad kon daar langs te gaan', zegt mijn moeder wanneer ik thuiskom. Loretta heeft haar al gebeld.

Minder enthousiast is ze over het feit dat ik de mysterieuze bezoekers in de nacht voor haar had verzwegen. Het ontglipte me min of meer toen ik de gebeurtenissen van de dag vertelde en bedierf bijna haar enthousiasme over mijn nieuwe baan. Bijna, niet helemaal.

Het wordt vroeg donker in november. Ik laat me onder de dekens van mijn oude bed glijden en verbaas me over de enorme veranderingen in mijn leven. Onmiddellijk krijg ik een heel sterk gevoel dat die veranderingen nog maar het begin zijn.

Sophia

Wat we hebben gedeeld, is niet gewoon;
en het wordt niet goed begrepen.
We moeten het zien vast te houden, want het is zeldzaam.
En het is van ons. Van ons alleen.

Mijn strandwandeling.

Dat is dit pad. Op sommige plekken hebben mijn voeten zelfs de rotsrichels afgesleten met de vaste tred van vijftig opeenvolgende jaren, nog afgezien van de jaren van mijn jeugd en mijn moeders voetstappen voor mij.

Vandaag zucht ik niet onder de last van de ouderdom die ik zo vaak bemerk; er is een gevoel van vernieuwing dat mij rillingen bezorgt. Iets heeft de rondgang van mijn voetstappen verstoord: een boek uit de zee, als een profeet uitgespuwd op het land, zo verbijsterd, verward en veranderd. Dat is het – verandering. Een voorwerp uit de zee heeft verandering gebracht, en zo zal ik het mij op iedere volgende strandwandeling herinneren. Maar al te vaak betrap ik mezelf erop dat ik naar het doorweekte boek staar en wens dat het opdroogt, zodat ik kan kijken wat erin staat.

Ik blijf stilstaan op het pad. De zon verwarmt mijn gezicht, en de altijd aanwezige bries voert de frisheid van een reis over kilometers en kilometers oceaan aan. Door de zon gebleekt gras buigt van het water weg, en de golven breken en zuchten op de rotsen en in de getijdenpoelen. Op deze elleboog van land, voor het knobbelige noordelijke uiteinde van de Point, zag ik het glimmende voorwerp onder het oppervlak van de getijdenpoel. Die kleine verandering in mijn strandwandeling kabbelt door in andere veranderingen, weerkaatst, beweegt en breidt zich uit tot buiten mijn afgeschermde bestaan. De verandering wordt een zware storm, die zijn krachten botviert op de muren van mijn kleine huis. Ik kan mijn angst voor verandering niet ontkennen, maar zij is niettemin gekomen.

De vragen rijzen weer wanneer ik mijn ogen halfdicht knijp om naar de boot van die wetenschappers te kijken die als een boei op ongeveer vierhonderd meter uit de kust op en neer deint. De onderzoekers daar stellen dezelfde vragen als ik. Welke geheimen herbergt de zee? Zal het water ze prijsgeven als we lang genoeg blijven zoeken? Verlangt de zee dat iemand naar haar luistert?

Tussen die boot en de rotsachtige kust gingen 62 levens verloren in de grauwe wateren. Ik kan hun geschreeuw bijna horen wanneer de wind door de kieren, gaten en holen tussen de rotsblokken en kliffen van de Point giert. Ik was het tot gisteren grotendeels vergeten.

Holiday's goudgele staart steekt als een periscoop uit een dikke graspol omhoog.

'Kom, jongen', zeg ik.

Hij springt onmiddellijk naar voren, alsof hij zeggen wil: 'Het werd tijd!'

Met voorzichtige stappen loop ik verder, veel langzamer en minder gehaast dan in vroeger jaren, toen dit niet meer was dan het eerste deel van mijn ochtendwandeling. De jaren hebben de route ingekort tot mijn favoriete paden, van mijn huisje naar het eind van de Point en terug door het bos. Toen ik jonger was, liep ik om de Point heen, langs Bens vuurtoren, waar ik zijn hond Matilda aanhaalde en aan hem dacht terwijl hij de morgen al vissend op de zee doorbracht. Daarna liep ik door tot aan het beschermde natuurpark en waagde ik me soms zelfs op die paden, in het seizoen dat alle toeristen weer naar huis waren vertrokken.

De laatste paar dagen is er een ongebruikelijke hoeveelheid puin aangevoerd door de schuimende wateren. Misschien breken de duikers en hun miniduikboot het wrak in stukken bij hun verstoring van het scheepsgraf. Terwijl ik de rotspoelen afspeur, merk ik het ongebruikelijke op. De rotsen zijn hier en daar spekglad. Je moet iedere stap berekenen, waarschuwt Ben altijd bars, die wil dat ik op mijn pad blijf als hij er niet bij is. Een hoop kapotte zeeschelpen in de holte van een zwarte rots – dat is mijn eerste gedachte. Maar nee, het is porselein. Witte, grillig gebroken stukken, aangetast door het zeewater en met hier en daar een zichtbaar patroon van blauwe bloemen. Ik pak alle stukken op, vind het oortje van een theekopje en de rand van wat een schotel lijkt. Acht stukken die door de zee op mijn kust zijn gedeponeerd. Plotseling weet ik niet of deze vondsten uit de zee geschenken zijn of dat de restanten van voorbije tijden en verloren levens als spookbeelden zijn die ik binnenkort zo snel mogelijk hoop te vergeten.

Hun koude nattigheid doorweekt de stof van mijn jas, maar toch neem ik ze mee naar huis.

Ben pakt de brokstukken en probeert ze tot een patroon samen te voegen, wat ik ook al probeerde. Twee stukken passen inderdaad en vormen een deel van een kleine schotel. De andere stukken passen niet bij elkaar, en alleen het oortje onthult zijn herkomt door de vorm. Het patroon is echter duidelijk nu ik de stukken heb schoongemaakt – op het hagelwitte porselein zijn kleine, blauwe bloemen en groene klimplanten afgebeeld.

'Je weet waar al deze dingen naartoe zouden moeten', zegt hij, kijkend over zijn bril die tot op het puntje van zijn neus is gezakt. 'En vooral dat boek. Dat zou waardevolle informatie kunnen opleveren voor het onderzoek dat ze verrichten. En het is waarschijnlijk volgens de wet niet toegestaan het te houden.'

'Ik houd het alleen nu nog even in huis', antwoord ik. Mijn keuken begint trekken van een wetenschappelijk laboratorium te vertonen. 'Kom eens kijken. De bladzijden drogen, hoewel het te langzaam gaat. Over een paar dagen hoop ik iets te kunnen lezen.'

'Ongelooflijk. Dit is echt een belangrijke vondst, Sophia. Het kan een hele tijd duren voordat de bladzijden zijn opgedroogd, en dan zouden ze uit elkaar kunnen vallen.'

Ik weet dat de historicus in Ben het boek het liefst zo snel mogelijk naar de deskundigen zou willen brengen, maar ik kan er gewoon nog geen afstand van doen.

'Het kwelt je, nietwaar? Een schrijfster die niet kan lezen wat een ander heeft geschreven. Een deskundige zou het voor je kunnen ontdekken.'

'Als we het inleveren, komen mensen iedere dag mijn strand afzoeken. Dan komen de schatzoekers en toeristen in drommen hierheen, en zal de Point nooit meer hetzelfde zijn.'

'Je bedoelt dat jouw eenzaamheid dan nooit meer hetzelfde zal zijn.'

'Het is allebei waar', redeneer ik. 'Toeristen storen me nauwelijks meer. En jij hebt een goed systeem ontwikkeld bij de vuurtoren. Denk je dat jouw schema van zomerexcursies nog zou werken als dit nieuws eenmaal naar buiten komt? We zouden toeristenschepen vol mensen en camera's langs krijgen, en drommen verkenners op onze paden en in onze tuinen. Mensen die op je ruit komen tikken, alle rotsen omkeren in de hoop een schat te vinden, die een verstoring betekenen voor ...'

'Goed, goed, je hebt er echt het beroerdst denkbare gevolg bij bedacht, hè?'

'Vaak komen de beroerdste voorstellingen uit.'

'Nou ja, er schuilt niet zo veel kwaad in dit voorlopig voor ons te houden, denk ik.' Hij zet zijn bril af en schudt zijn hoofd iets. 'En ik noem mezelf de lokale historicus. Het is een schande dat ik historisch bewijsmateriaal verdonkeremaan.'

'Maar het is leuk broeders in het kwaad te zijn', zeg ik met een ondeugende grijns die hem doet grinniken. 'Maar voordat je je historische pet helemaal afzet, kun je me nog vertellen wat jij van de schipbreuk weet.'

'Ik ben een historische encyclopedie die je maar hoeft open te slaan', zegt Ben met zijn armen wijd uitgespreid. 'Maar thee en een voetmassage zouden de pagina's wel eens vlotter kunnen laten omslaan.'

'Thee, ja; voetmassage, nee.'

'Aha, een compromis, mijn beste vriendin.'

Ik draai de kraan open en geniet van het geluid van de waterstraal in mijn metalen theeketel – hetzelfde geluid als wanneer ik mijn tuingieter vul. Wanneer ik bedenk waarom ik zo van dat geluid houd, komt de herinnering aan een klein alpendorp in Europa bij me boven: de oude man die een metalen gieter vulde voordat hij om de graven heen sjokte en de planten erop water gaf. Er lag zo veel tederheid in zijn bewegingen. Waarom denk ik daar nu aan, terwijl mijn ketel overloopt en ik het water wild naar de afvoer zie golven en gutsen?

'Hé, heb je hulp nodig?', vraagt Ben, die met zijn grijze wenkbrauwen in een frons naast me komt staan.

Ik draai de kraan dicht en antwoord met een glimlach.

'Herinneringen zeker', zegt hij wanneer ik me naar het fornuis draai.

Mijn gedachten worstelen om in het heden te blijven en niet die dagen van mijn jeugd weer naar boven te halen. Europa met zijn eenzame en melancholieke reis, ondanks alle drukte van een boekpromotietournee. Mijn heimelijke motief was Phillip en zijn oorlogsjaren in datzelfde werelddeel te begrijpen, de plaats die hem zo had veranderd. Phillip ... alles draaide altijd weer om Phillip.

'Trouwens, er is ook weer nieuwe informatie over het wrak opgedoken.'

Het verleden vervaagt, en ik richt met tot Ben, die in de bijkeuken naar de thee reikt. Hij heeft de suikerpot en onze kopjes al op het houten dienblad van mijn moeder gezet.

'Wat voor nieuwe informatie? En ik wil ook meer horen over de memoires van Josephine Vanderook.'

'Wat moet ik eigenlijk doen om jou weer in het heden te krijgen?', zegt hij op geprikkelde toon terwijl hij het potje Earl Grey op het dienblad zet.

'Wij zijn oud; wat hebben wij nog naast het verleden?' Ik leun tegen het aanrecht en kijk naar hem.

'We hebben de thee van vandaag, en hopelijk die van morgen.' Ben gaat verder met de handelingen die ik meestal doe. Nadat hij de losse thee vanuit het potje in het thee-ei heeft gedaan, pakt hij een porseleinen theepot van de plank. Het valt me op dat hij de oudste overslaat en de nieuwste pakt, een die hij me een paar jaar geleden met Kerstmis cadeau heeft gedaan. Hij is moderner dan de andere, kleibruin en met de hand gemaakt. Mijn theepotten variëren van Victoriaans tot elegant, van leuk tot rustiek en van uniek tot eigentijds – voor iedere stemming een theepot.

'Het verleden strekt zich verder tussen ons uit dan de morgens die nog vóór ons liggen', zeg ik. Ik vraag me af waarom ik niet van onderwerp verander, bijvoorbeeld die nieuwe informatie die Ben wilde onthullen.

Ben verstart en laat zijn hand op het aanrecht zakken. 'Dat is een van de droevigste dingen die je ooit hebt gezegd. Geloof je echt dat we minder vóór ons hebben dan achter ons?'

'Nee, eh ... natuurlijk niet.' Ik struikel een beetje over mijn woorden. 'Het eeuwige leven ligt voor ons. Ik bedoel alleen maar dat we in dit leven zo veel herinneringen hebben om mee te stoeien, en dat er niet veel meer zal gebeuren voordat we naar dat andere leven overgaan. Voor geen van ons beiden is er in tientallen jaren veel veranderd.'

'Kijk, kijk, dat is nu precies wat er niet aan deugt. En spreek alsjeblieft alleen voor jezelf. Mijn leven is niet opgesloten in Orion Point. Ik ben de afgelopen tientallen jaren heel veel veranderd, en ik kijk vooruit. De toekomst is niet alleen maar de herhaling van steeds maar weer dezelfde dag, tot in lengte van jaren.'

'Dit is het leven dat mij heeft gekozen, niet andersom.' Ik ga in de verdediging terwijl de theeketel een laag gefluit laat horen. Maar op het moment dat ik het zeg, vraag ik me af of het waar is. Mijn terugkeer begon met schuld en berouw, maar dat excuus is al lang verdwenen, en nu kan ik niet zeggen waarom ik precies hier blijf. Hoe stap ik als de kluizenares die ik werd, de buitenwereld weer binnen? En zou ik dat wel willen?

'Misschien heeft het in het begin jou gekozen, maar nu kies jij dit leven, Sophia. En ongeacht of dat jouw bestemming is of niet, het is nog niet voorbij. Het leven is nog niet voorbij.'

We kijken elkaar even aan en proberen te beslissen of de woordenwisseling de moeite waard is om voortgezet te worden. We hebben elkaar in het verleden pijn gedaan, elkaar vergeven en zijn doorgegaan. Maar dit is anders, en zijn woorden die zo nabij komen, steken.

'Weet je, als je het niet erg vindt, sla ik de thee vandaag over. We hebben een beetje verandering nodig.'

Voor ik kan antwoorden, heeft hij zijn jas en laarzen aan en zijn hoed op. Ben gaat rustig weg, zonder te stampen of met de deur te slaan. En met een laatste blik over de schouder neemt hij mijn plotseling opkomende angst weg. 'Ik zie je morgen, Sophia.'

De theeketel gilt vanaf het fornuis, en ik laat hem stoom in de

lucht blazen. De brokstukken porselein en het boek op het zij-
aanrecht trekken mijn aandacht terwijl ik me dwing niet achter
Ben aan te gaan. Maar moet ik dat toch niet doen?

In plaats daarvan ga ik naar de vondsten en pak ik ze een voor
een op. Het is alsof deze verloren tekens die in mijn leven komen,
de angsten oproepen die ik altijd diep begraven heb gehouden.
Angsten die het geloof en gebed op afstand hebben gehouden.
Angst voor verandering en onrust. Angsten die ik nooit onder
woorden heb gebracht.

Memoires van Josephine Vanderook

❧

Al na een paar dagen varen langs de oceaankust naar het noorden werd de spanning aan boord intens en voelbaar. Eduard werd niet alleen afwezig en stil tegenover de bemanning en mij, maar zat ook voortdurend met meneer Lendon in zijn hut.

Na onze dagen in San Francisco deed ik weinig pogingen om mijn man te onderscheppen en wendde ik me in plaats daarvan tot mijn gebedenboek, dat niet meer open was geweest sinds die aangrijpende dagen in Centraal-Amerika. Ik stelde God ontegenzeggelijk teleur, een beschamend feit dat me er vaak van weerhield te bidden en de Bijbel te lezen. Maar de loden last van nood, verontwaardiging en vernedering dwong me op de knieën. Wat een dwars kind was ik, en kan ik nog steeds zijn. Misschien was een groot deel van wat zou komen, straf. Straf voor wat Eduard had gedaan. Straf voor mijn ontrouw aan God. Straf voor schandelijk onwetende levens.

Wat onze laatste dag samen zou zijn, bestond uit twee gezamenlijke maaltijden en schaarse glimpen van elkaar, hoewel Eduard blind leek te zijn voor mijn aanwezigheid. Als er een mooie vrouw op het schip was geweest, zou mijn argwaan zijn gewekt. Maar in plaats daarvan voelde ik de concurrentie van een schip dat mijn eigen naam droeg.

Er zijn nu jaren voorbijgegaan, jaren van overdenking en het doorzoeken van het geheugen naar feitelijke gevolgtrekkingen. Ik wil wat graag de talrijke vragen beantwoorden. De politieman in Harper's Bay vertelde van een getuigenverklaring aangaande een ander schip dat die nacht op het water was en vroeg me of ik iets wist van een ruzie tussen Eduard en een ander, waarvan mij niets bekend was. Toen de storm eenmaal op volle kracht aanviel, zat ik in afzondering in mijn hut, waar ik ben gebleven totdat de schipbreuk volgde. Tweede matroos Lance vond me daar en heeft stellig mijn leven gered door me naar de reddingsboten te brengen.

Waarom kwam Eduard me niet redden? Waar was hij toen de reddingsboten in het woeste water werden neergelaten — waarbij sommige onmiddellijk kapseisden, en andere wegdreven van de lichten van het schip totdat de duisternis ons omringde, zoals de boot waarin ik zat. Mensen schreeuwden en stierven. IJskoud water en spartelende lichamen. De duisternis en het razen van de storm. In deze kolkende, ziedende hel op het water, deze kakofonie van doodsangst, verloor ik Eduard. De muil opende zich en verzwolg hem samen met vele anderen, onschuldige anderen.

Talloze keren wilde ik geloven in datgene waaraan ik me in de eerste maanden na de storm vasthield – dat mijn man een van de onschuldige slachtoffers van de woedende natuurelementen was. Ik zou willen dat ik nooit de waarheid te weten was gekomen die ik later ontdekte, de waarheid omtrent het aandeel van mijn geliefde Eduard in de tragedie. Op een of andere manier zijn mijn overleven en de fouten die mijn man maakte, een schuld geweest die ik moeilijk kon loslaten.

Die storm blijft op mijn herinneringen drukken.

Sophia

Denk je aan mij? Wil je mij nog steeds kennen?

❦

Ik vraag me af of Ben overdag en 's nachts aan mij denkt. Ik vraag me af welke gedachten hem het eerst te binnen schieten, en bij welke geluiden hij ontwaakt. Ik vraag me af hoe hij slaapt en welke laars hij het eerst aantrekt. Heeft hij sokken of slippers aan, of loopt hij op blote voeten wanneer hij Matilda over haar kop aait en zacht toespreekt terwijl hij zich met koffie en een vuur op de dag voorbereidt? En wanneer hij boven op de vuurtoren staat en over de avondzee uitkijkt, wenst hij dan dingen of verlangt hij alleen naar wat al vergaan is?

Waarom moeten we leven met verloren liefdes?

De morgen brengt deze gedachten en klopt aan bij mijn onbewuste als een kind dat een ouder wekt. Opstaand uit de warmte van mijn dikke dekens loop ik naar de keuken en kijk uit het raam naar het eerste morgenlicht.

Gist neemt de tijd om te rijzen; het kan niet worden opgejaagd. Een paar uur later verspreiden de kaneelrolletjes met glazuur, poedersuiker, boter en vanille hun betoverende geur. Wanneer ik de deur open na Bens aankloppen, voel ik tegelijkertijd een nerveuze spanning en opluchting dat hij gekomen is. Zijn ernstige gezicht krijgt de zachtere trekken van een glimlach wanneer hij de geuren opsnuift.

'Het zij je vergeven', zegt hij terwijl hij binnenkomt en zijn laarzen een voor een in de greep zet om ze uit te trekken.

'Vergeven?', zeg ik sarcastisch, met mijn handen in mijn zij.

'Ik heb je gisteren niet verteld van die nieuwe informatie, geloof ik', zegt hij, en ik kan zijn vergeving accepteren of me blijven gedragen alsof ik er niet naar vraag.

'Inderdaad, en ik heb er de hele avond over zitten nadenken.' In werkelijkheid had ik voornamelijk aan hem gedacht. 'Helpt een kaneelrolletje, denk je?'

We gaan aan tafel zitten, met thee en mooie bordjes waarop een dikke kaneelrol prijkt. Het glazuur druipt als een vertraagde gaap op de tafel. Zelfs met de linnen servetten op schoot kiezen we ervoor onze vingers schoon te likken.

'Goed, de memoires. In de jaren twintig besloot Doc Harper een historisch verslag samen te stellen van gebeurtenissen en personen uit de streek. Hij legde contact met overlevenden van de schipbreuk en de vloedgolf, met mannen die aan de spoorlijn werkten, met vissers, indianen en oude gouddelvers die hier tijdens de goudkoorts naartoe waren gekomen. Het document heet *Plaatselijke geschiedenis van een nieuwe tijd* en ligt al jaren in het museum. Ik wist ervan, uiteraard, maar kennelijk leverde Josephine Vanderook het verhaal over haar leven nooit in. Het *Geschiedeniskanaal* zocht contact met zo veel mogelijk nabestaanden van overlevenden en kwam zo de memoires op het spoor. Haar familie schonk het document aan het museum, in de hoop wijzer te worden omtrent de toedracht van de schipbreuk.'

'Opmerkelijk', zeg ik, terwijl ik me probeer voor te stellen wat die memoires zouden kunnen behelzen. Misschien de gedachten en gevoelens van Josephine Vanderook ... Of zou het meer om feitelijke beschrijvingen en details gaan in plaats van om emoties?

'En ...' Hij neemt een grote hap en ik moet wachten totdat hij daarmee klaar is. 'De duikers schijnen het hoofddek met de hutten gevonden te hebben. Ze hebben net voor die kleine storm van afgelopen weekend wat puin geruimd dat de weg blokkeerde. Ze moesten nader onderzoek uitstellen, en een van de mannen zei te vrezen dat het woelige water tijdens de storm wat voorwerpen kon hebben meegenomen.'

'Zo zouden de stukken porselein en het boek dus op mijn strand terechtgekomen kunnen zijn?', vraag ik aarzelend.

'Daar zou ik als eerste aan denken.' Hij neemt weer een hap. 'Dit is de beste vangst die je ooit hebt gedaan, Sophia.' Na nog een enorme hap likt hij zijn vingers weer af.

Grappig hoe dergelijke woorden je geest kunnen vervullen – waarom eigenlijk? Een eenvoudig complimentje, en mijn vroege opstaan is plotseling volkomen gerechtvaardigd.

'Ik zou willen dat ik de verhalen van mijn moeder en haar ouders over die nacht kende', zeg ik, vooral tegen mezelf, nu de gedachten aan de schipbreuk weer opduiken. 'Het was iets waarover mijn moeder bijna nooit sprak. Maar dat was de generatie van toen, hè?'

'Ik heb liever dat mensen praten over dingen dan dat ze ze opkroppen, maar dat is de historicus in mij.' Ben leunt achterover op zijn stoel en wrijft over zijn maag.

'Niet alles hoeft gezegd te worden.'

'Het zou prettig zijn als sommige dingen wel gezegd werden.' Te oordelen naar de manier waarop hij mij aankijkt, denk ik dat hij het weer over ons heeft.

'Mijn moeder zag Josephine Vanderook op die morgen na de storm', zeg ik, om terug te keren naar de schipbreuk. 'Heb ik je dat ooit verteld?'

'Ik denk het wel, al een poosje geleden. Het is evengoed verbazingwekkend als je erover nadenkt. Ik vraag me af of ze ook werden ondervraagd tijdens het onderzoek.'

'Welk onderzoek?', vraag ik.

Hij kijkt me verbaasd aan.

'Ik kan toch niet alles weten.'

'Dat is een schok ...' Hij knipoogt en pakt nog een kaneelrolletje. 'De politieman van Harper's Bay heeft de schipbreuk onderzocht; misschien kwam het door het hoge aantal slachtoffers en de grote lading van het schip tot rechtszaken. Ik heb gehoord dat de beschuldigende vingers van alle kanten naar de kapitein wezen, ook al was die zelf omgekomen, naar een ander schip dat op het water zou zijn geweest, en zelfs naar mijn vader, op dat moment de jongste vuurtorenwachter van zijn tijd. Maar er kwam nooit genoeg bewijs op tafel om iemand te veroordelen, en dus bleef de storm de schuld dragen.'

'Denk je dat we een kopie van die memoires zouden kunnen krijgen?'

'Hola, hola!' Ben knijpt zijn ogen dicht en heft zijn handen in protest. 'Een kopie van de memoires zou met grote moeite ontworsteld moeten worden aan de klauwen van de Historische Vereniging, en jij bent niet bepaald mevrouw Crows lievelingsburger.'

'Maar jij wel.'

'Wil je mij tot schaamteloos flirtgedrag dwingen?'

'Een beetje, misschien.'

Ben schudt zijn hoofd en glimlacht ondeugend. 'Het zou toch wel prettig zijn als je zelf eens uit je schildpaddenbehuizing kroop in plaats van mij voor duizend-en-één dingen op pad te sturen.'

'Jij wilt even graag als ik weten wat er gebeurd is.'

'Net niet helemaal.'

Maar ik voel me inderdaad een beetje schuldig als ik Ben extra dingen vraag waarvoor hij de hele stad door moet sjouwen en nog wel aan het flirten moet slaan om een gedenkschrift in handen te krijgen, zonder dat mevrouw Crow weet dat het voor mij is. Haar bezwaren tegen mij stammen van lang geleden en zijn niet geheel zonder grond. Haar wrok jegens mij begon jaren geleden toen ik weigerde mee te werken aan haar tentoonstelling 'ter ere van de schrijfster S.T. Fleming, die met haar bestseller, gekwalificeerd als moderne klassieker en diverse malen verfilmd, Harper's Bay op de kaart zette'.

Maar ik was er niet aan toe om een product te zijn of mijn leven te laten uitpluizen alsof ik een of andere dode historische figuur was. Moest ik niet op z'n minst een paar jaar overleden zijn voordat er iets dergelijks werd georganiseerd?

Zonder mijn toestemming maakte Hilda Crow een samenvatting van mijn leven en betekenis voor de wereld en stelde ze die tentoon in een donkere hoek van het kleine museum. Haar heimelijke motief was geen eerbetoon aan mij, maar het aantrekken van toeristen.

Een ander bezwaar dat talloze oude vrijsters en weduwen tegen mij koesteren, is mijn greep op Ben Wilson. Samen hebben we er eindeloos grappen over gemaakt.

'We maken een afspraak', zeg ik, op zoek naar een manier om iets van de schuld te delgen. 'Jij verzamelt de informatie, en ik doe al het sorteerwerk op zoek naar antwoorden. Wat zeg je daarvan?'

'Ik denk nog steeds dat ik daarbij aan het kortste eind trek.'

'En ik maak cornedbeef met kool zondagmiddag. Na je gebruikelijke moppersessie na de kerkdienst genieten we van een goede maaltijd en wisselen we informatie over de schipbreuk uit.'

'Met rode aardappels en dat Ierse sodabrood dat je laatst op de Ierse nationale feestdag maakte?'

'Dan moet je wel een paar boodschappen doen.'

'Afgesproken.' We gaven elkaar een kleverige hand. 'Maar wat bedoel je met mijn moppersessies na de kerkdienst?'

'Je houdt me voor de gek, hè?' Aan zijn gezicht zag ik dat dat niet het geval was. 'Na kerktijd vertel je iedere week over het onderwerp van de preek en de gebeurtenissen in de dienst; en daarna begin je altijd kritiek te leveren op de vreemde gewoonten en buitenissigheden in jouw gemeente.'

'Niet waar.'

'Wel waar.'

'Nietes.'

'Welles.'

'We zijn de vijfde klas nog niet erg ver ontgroeid', zegt Ben, en geen van beiden kunnen we een grijns onderdrukken bij de herinnering: een miniatuur-Ben in flanellen overhemd en overall, ongeveer dertig kilo zwaar, en ik in een jurk met te veel kant. Strijdend over de vraag wiens beurt het was op de autobandschommel in de pauze of over wie de kikker in de lunchdoos van Bartholomew Winston III had gestopt – terwijl we eendrachtig samenwerkten in de misdaad. Onze kronieken van 'welles-nietes' zouden boeken kunnen vullen.

'Hoe dan ook: cornedbeef, kool, rode aardappels en Iers sodabrood.'

'Prima.'

De onderhandelingen zijn afgesloten, en ik schenk nog een keer thee in. Voorzichtig leg ik een derde kaneelrol op Bens bord, terwijl hij uit zijn hoofd vertelt wat hij weet over de geschiedenis van de schipbreuk. Eerst lijkt het me niet meer dan een herhaling van zaken die ik allemaal al weet, maar gaandeweg sluipen er interessante details in, en ontstaat er een rijkgeschakeerd beeld.

Het schip dat onderweg was naar Seattle, had nooit zo dicht

onder de kust mogen varen bij Orion Point, behalve als het van plan was geweest Harper's Bay aan te doen. De scheepsdocumenten in San Francisco gaven aan dat er een koers was uitgezet van stad naar stad, zonder tussenstops.

De vuurtoren was die avond operationeel, en het schip voer eraan voorbij voordat het op de rotsen liep, waar het brak en binnen een halfuur zonk. Geen enkele overlevende, ook geen van de officieren aan boord, kon zich herinneren de kapitein te hebben gezien, of scheepsbouwer Eduard Vanderook, nadat de *Josephine* op de rotsen was gelopen.

Ik wist dat er een mysterie aan de schipbreuk kleefde, en tal van vragen blijven nog steeds onbeantwoord:

Waarom kwam het schip naar de haven van Harper's Bay?

Waar waren de kapitein en scheepsbouwer toen het schip zonk?

Was er die avond nog een ander schip op het water?

Wat was de oorzaak van de schipbreuk?

Was er goud aan boord?

'Goud?', vraag ik Ben wanneer hij dit deel van het verhaal vertelt.

'Misschien alleen maar geruchten.' Met een diepe zucht staat Ben op. Hij rekt zich uit en klopt tevreden op zijn maag – allemaal tekenen dat we te lang hebben gezeten en dat hij klaar is om een wandeling te gaan maken. Dat klinkt me plotseling erg aantrekkelijk in de oren.

'Mogen we deze puinhoop zo achterlaten?' Zijn gezicht maakt me aan het lachen: met gespeelde afschuw kijkt hij naar de bordjes en kopjes en het op de tafel gedruppelde glazuur. 'Wat wordt de volgende stap? Met de noorderzon naar Las Vegas?'

'Wie weet, als het verval eenmaal gaat inzetten.'

Hij houdt me mijn dikke rode regenmantel voor, en ik steek mijn ene arm erin, dan de andere. Terwijl ik de mantel dichtknoop, drapeert hij mijn sjaal om mijn hoofd en voorzichtig om mijn nek, en vervolgens trekt hij zijn eigen lichtbruine jas aan. Onze zware wandelschoenen staan in de bijkeuken.

'Je kunt beter je handschoenen aantrekken', zegt hij. 'De wind is guur vandaag.'

Ik volg zijn advies op en volg hem via de zijdeur naar buiten. Zo te horen zijn de golven hoog vandaag.

'Mijn zoon heeft vanmorgen weer gebeld.'

'Wat aardig van hem.' Ik merk dat mijn stem overdreven blij klinkt, vals blij.

'Wanneer hij eenmaal iets in zijn hoofd heeft gezet, beginnen alle raderen van de uitvoering te draaien.'

'Bradley heeft een hobby nodig.'

'Hij denkt dat ik beter af zou zijn in Redding. Je weet dat ik altijd klaag over de kou in mijn botten in de winter.'

Ik kijk naar het winderige pad dat voor ons ligt, waar de grote, bleke graspollen zich buigen om de hoek van de golven te volgen. 'Denk je dat er nog iets aangespoeld zal zijn? Misschien nog iets van het huttendek?'

'Sophia.' Zijn hand houdt mijn arm tegen voordat ik verder loop over het smalle pad.

'Wat?' Wat ik eigenlijk wil, is snel het pad aflopen, over het weer en de oude schipbreuk praten en dan teruggaan voor een volgende kop warme thee.

'Bradley meent het, en ik moet er serieus over nadenken. Ik word er niet alleen niet jonger op, maar ik krijg nu ook post die gericht is aan de 'oudere ontvanger'.

'Tja, je moet doen wat je moet doen.'

'Voor zo'n intelligente vrouw als jij kun je soms behoorlijk onnozel doen.'

'Wat heeft dat nu weer te betekenen?'

'Waarom doe je dat altijd? Ik wil weten hoe jij erover denkt, wat je erbij voelt.'

Ik schud mijn hoofd en kijk naar onze bij elkaar passende wandelschoenen op de grond. Zijn grote schoenen en de mijne als kleinere versies daarvan. 'Ik weet het niet, Ben. Waarom moeten dingen veranderen? Waarom moeten die beslissingen worden genomen?'

'Omdat ze onvermijdelijk zijn, Sophia. Dat weet jij net zo goed. Al jouw moeite om de wereld buiten te sluiten kan ze uiteindelijk niet tegenhouden. De seizoenen gaan zo snel. Je kunt ze niet vasthouden of stilzetten. Dat is Gods zaak. Vertel me alleen wat je ervan vindt, hoe je erover denkt.'

Dit is mijn kans. Nu zou ik die hele chaos aan gevoelens die ik voor hem heb, eruit moeten gooien. Ik zou moeten opbiechten dat ik op zijn dagelijkse bezoekjes wacht en in gedachten al de dingen oefen die ik met hem wil delen. Ik zou hem moeten vertellen hoezeer ik hem heb gemist, die paar keer dat hij zijn zoon een paar dagen ging opzoeken, of toen hij na zijn schouderoperatie in de stad bleef – zozeer zelfs dat de Point toen voor mij meer een gevangenis leek dan een afgeschermd kasteel.

'Als ik het kon, zou ik het je zeggen.'

'Dat leven als kluizenaar heeft je aanpassingsvermogen aangetast.'

'Doe niet zo gemeen tegen me, Ben.' Ik neem zijn gezicht op en vraag me af wat hij ziet wanneer hij bij mij hetzelfde doet. Hij pakt mijn hand, en de zeewind raast om ons heen, kruipt tussen de kleding en maakt ons koud tot op het bot. 'Het is jouw beslissing. Jij moet beslissen wat het beste is voor jou. Als jij het wilt, laat mij je dan niet tegenhouden. Ik huur wel iemand uit de stad om de boodschappen te brengen. Holiday en ik vermaken ons verder wel.'

Hij laat mijn hand los en draait zich om. 'Je hebt me nodig. Waarom wil je dat niet toegeven?'

We zouden dit spel eindeloos kunnen voortzetten, tot de dood ons zou scheiden of totdat hij zou vertrekken, en we beiden alleen zouden sterven. Ik weet dat ik hem van andere dingen heb afgehouden. Hij heeft offers gebracht voor mij en mijn stilte en gemoedsrust. Hij verdient veel meer.

'Ik heb je nodig', zeg ik zacht.

Een uitdrukking van verrassing, en daarna van wantrouwen, trekt over zijn gezicht.

'Echt, Ben. Natuurlijk heb ik jou nodig. Het spijt me dat het alleen op kerst- en verjaardagskaartjes tot uitdrukking komt. Ik heb je heel hard nodig, en als jij zou weggaan ... nou ja, dan zou het nooit meer hetzelfde zijn.'

'Natuurlijk niet.'

We grinniken even, beseffen beiden dat de frase *het zal nooit meer hetzelfde zijn* op onze lijst van komische noten staat, een voor de hand liggende dooddoener die we niettemin gebruiken.

'Het is fijn je het te horen zeggen. Wat een man allemaal niet moet doen voor een paar warme woorden.'

Ik besef dat de romanschrijfster, de woordensmid, de woorden in mij heeft vastgehouden. Hoe makkelijk krijgen ze hun plaats in de plooien en vouwen van verhalen, terwijl ze mijn eigen lippen nooit bereiken. Vrijwel ieder verhaal waaraan ik de laatste twintig jaar heb gewerkt, had op een of andere manier met Ben te maken of met mijn gevoelens voor hem. Maar in de echte wereld is het mij onmogelijk die emoties onder woorden te brengen.

'Dat is het dan dus.'

'Nee, Ben. Ik wil dat we hierover bidden. Je zoon doet je een zeer genereus aanbod. Ik wil niet verantwoordelijk zijn voor jouw afwijzing daarvan. Je hebt een kleinzoon die zijn grootvader zou moeten leren kennen, een zoon die het te druk heeft gehad met zijn carrière, maar die je nu ook wil leren kennen. Niet veel mensen krijgen zo'n kans.'

Ik zeg dit allemaal, maar geloof innerlijk dat hij zal blijven, en dat hij dat ook zou moeten doen. Deze plek *is* Ben. Ik kan me hem nergens anders voorstellen. Maar als ik ernaast zit? 'Maar nu wil ik terug naar huis. Ik zet een heel goede kop thee.'

'Dat is zeker. En als je het mij vraagt, smaken die kaneelrolletjes koud even lekker.'

Ah, respijt. Kon het maar blijven duren.

GETIJDENPOST

Al uw plaatselijk nieuws bij elkaar!

ONDERZOEKSTEAM WORSTELT IN KOUD WEER

Door de huidige lage avond- en morgentemperaturen hebben de onderzoekers van het *Geschiedeniskanaal* vertraging opgelopen bij hun werkzaamheden op plaats waar de *Josephine* is vergaan. De laatste rapporten melden evenwel dat er ondanks de vertragingen ontdekkingen worden gedaan.

Claire

❦

Ik had nooit gedacht dat mijn eerste opdracht als verslaggever me naar Brothers Harbor zou voeren.

De kades van de haven vormen een intrigerende wereld op zichzelf. Ik doe mijn portier open en ruik het al: zout, nat hout, vis en verwering.

Wanneer ik uit de auto stap, voel ik me kleiner en mis ik mijn vaders dikke vingers die de mijne vasthouden. Ben ik hier ooit zonder hem geweest? Tientallen herinneringen duiken op omtrent mijn vader die samen met mijn broer Conner en mij naar de kade kwam om de boten te zien binnenlopen. Zijn vrienden begroetten ons luidkeels, allen met rode wangen, verweerd en eindeloos blij mannen van de zee te zijn. We sprongen dan op een boot en mochten een blik in het ruim werpen, terwijl we onze neuzen dichtknepen tegen de doordringende geur van die slappe, zilverachtige lichamen.

Billy Cotter was de kapitein van de *Hurricane Maker*, onze lievelingsboot om aan de kade te onderzoeken. Billy trok ons aan boord en kwam met dampende bekers warme chocolade, of koffie, als er geen chocolade aan boord te vinden was. 'Er zijn dingen die je moeder niet per se hoeft te weten', zei hij dan met een grijns die onthulde dat hij twee ondertanden miste. Billy haalde de grootste vissen uit het ruim tevoorschijn en gooide ze op het dek. 'Deze schoonheid is een *leng*. Is die niet lelijk? En toch zit er ook ergens nog iets moois aan dat beest.'

Ik had nog nooit iemand een vis zien kussen totdat Billy Cotter het deed, en hij kuste ze vaak wanneer hij hun glibberige lichamen oppakte en in hun zwarte, dode ogen keek. 'Lieve, mooie vis, bedankt dat je naar mijn boot bent gekomen.' Dan volgde er een pakkerd op de slijmerige kieuwen of op de natte, rimpelige lippen. Conner en ik zaten er met huiverige verwondering naar te kijken.

Een paar jaar nadat ik naar de stad was verhuisd, belde mijn vader met nieuws over Billy Cotter. Zijn boot was vergaan tijdens een storm voor de kust van Oregon; ze hadden Billy's lichaam gevonden nadat de inwoners van de stad dagen lang hadden geloofd dat de oude rakker een wonder zou volbrengen, zoals hij al een paar keer eerder had gedaan. De naam William 'Billy' Cotter werd bijgeschreven bij al die andere zeelieden op de herdenkingsstenen op de kop van de havenpier. Ook nu kijk ik naar het punt waar de vissersboten iedere morgen en avond voorbijvaren, naar de gegraveerde stenen, symbolen van wat de zee geeft en wat zij wegneemt.

Ik heb me voor de gelegenheid gekleed zoals ik me als meisje kleedde, in wat ik in huis kon vinden: een sleetse jas, een spijkerbroek, een wollen kabeltrui, een sjaal en handschoenen. Plotseling denk ik aan de cameratas en mijn hoed op de passagiersstoel, en ik ren terug om ze te halen. In de tas zitten al mijn verslaggeversattributen: notitieboek, pennen, camera, lenzen, film en een kleine bandrecorder. Wanneer ik de hoed opzet, hangt mijn steile haar een moment voor mijn ogen. *Goed, alles klaar*, zeg ik een beetje nerveus tegen mijzelf. Ik vind het half grappig en half ergerlijk dat alle professionele waardigheid die ik in de loop van de jaren meende te hebben opgebouwd, in rook lijkt op te gaan nu ik hiernaartoe moet.

De trappen wiebelen onder mijn voeten met het gekreun van hout en water. De golvende stappen doen me denken aan Conner en mij, zoals we op en neer renden over de kade die als een watermatras onder onze voeten golfde. Wat zou ik Billy Cotter graag een pergolatorkoffiepot omhoog zien houden vanuit de hut van de *Hurricane Maker*.

De boten zouden kleiner moeten lijken, zoals zo veel dingen uit de kindertijd wanneer je eenmaal volwassen bent geworden, maar ik voel me een dwerg wanneer ik over de kade loop waaraan ze aan weerszijden van mij liggen te deinen. Ik lees hun namen onder het lopen, maar herken er maar een paar. Het is lang geleden dat ik hier met mijn vader ben geweest.

Dan zie ik de *Melinda Rose*. Het is een grotere vissersboot met houten spanten, die zo te zien tien jaar geleden al aan een nieuw verfje toe waren. Maar het schip ligt hoog en trots in het water. Wanneer ik aan stuurboord kom, blijkt het dek geschrobd, en glimmen de metalen uitgooilijnen van de netten als nieuw.

'Hallo?', roep ik vragend.

Ik hoor gerommel op de trap naar de hut. Er valt iets, en er klinken verwensingen. Dan verschijnt er een hoofd met wilde witte haren in het trapgat. Hij schudt zijn hand in de lucht en veegt hem schoon aan zijn broek. 'Ik schrik me een ongeluk. Ben jij niet veel te vroeg?'

'Nee. Ik dacht dat we om zeven uur vanmorgen hadden afgesproken. Op mijn horloge is het twee minuten voor zeven', zeg ik verontschuldigend.

'Zie je wel, je bent te vroeg. Maar het maakt niet uit. Ik heb alleen wat espresso gemorst.

Espresso – meende hij dat?

'Jij moet de dochter van Bill O'Rourke zijn. Leuk je te zien.' Hij stak een natte, eeltige hand uit, en ik zag een rood litteken op de rug.

'En u bent Charles Kent. Aangenaam.'

'Hier heet ik Kap Charlie. Alleen mijn oude moeder noemt met Charles.'

'Goed, Kap Charlie. Bent u klaar om mij de plek te laten zien?'

'Dat is waar ik het grote geld voor betaald krijg, nu ik geacht word niet meer als visser uit te varen.'

'Een visser gaat nooit met pensioen; dat zegt mijn vader tenminste.'

Kap Charlie lacht, met zijn hoofd achterover. Het witte haar golft en bolt in de lucht als een plastic zak in de wind. 'Jij hebt een slimme pa. Heb je nog iets nodig voordat we uitvaren?'

'Nee, ik heb alles.' Ik zet mijn cameratas op een houten bank met vastgeschroefde houders voor vishengels.

'Wat dacht je van een espresso? Ik kan ook een latte maken, maar ik heb geen chocola meer voor een mokka.'

Ik zwijg even en probeer uit te maken of hij een grapje maakt. Aarzelend zeg ik: 'Een latte klinkt goed', en verwacht een spottend lachje.

'Kom maar mee naar de kombuis.'

We lopen de trap af, ik met mijn tas aan mijn schouder. De kombuis past goed bij de rest van het schip: oude verf en versleten kussens rondom een vierkante tafel. Kaarten en jassen die willekeurig op een schap en over een kapstok zijn gegooid, de muffe geur van een zeeschip. Maar dan de verrassing: een blinkende, roestvrijstalen espressomachine.

Kap Charlie loopt om de machine als een volleerde serveerster en glimlacht bij het sissen en borrelen van het melk stomen. Hij praat over het weer en het nieuws van de vissers terwijl hij aan het werk is, maar het lawaai van de machine doet veel van zijn overpeinzingen teniet. Van een haak boven het fornuis pakt hij twee cappuccinokoppen uit een allegaartje aan koffiekoppen. Ik zie nog een kop bij de trap, die hij kennelijk heeft laten vallen toen ik hem riep.

'Alstublieft, dame', zegt hij, nadat hij wat kaneel op het witte schuim heeft gestrooid.

'Hoe lang drinkt u al espresso?', vraag ik wanneer hij een tweede kopje inschenkt.

'Een paar jaar. Ik ging op bezoek bij mijn zus in de stad en kwam terug met mijn eigen machine. Ik heb even nodig gehad om het te perfectioneren.'

Ik neem een heel klein slokje van het warme brouwsel en glimlach. Hij heeft het inderdaad geperfectioneerd.

'We kunnen maar beter vertrekken. Na de lunch komen er nog een paar jongens die de boot gehuurd hebben. Ze hebben gisteren te lang in Rusty's gezeten, anders waren ze vanmorgen meteen meegekomen.'

Ik ben Rusty's, het lievelingscafé van Harper's Bay, plotseling erkentelijk.

We keren terug aan dek, en Kap Charlie klimt een tweede trap op naar de stuurhut. Even later komt de boot grommend tot leven. Ik ga aan de havenzijde zitten en drink van mijn latte.

'Gooi de trossen voor en achter los, wil je?', roept de kapitein. 'Kun je dat?'

'Natuurlijk', roep ik terug. Ik zet mijn kop in een houder die aan de bank vastzit en voel een zekere opwinding dat Kap Charlie me als volwaardige zeevrouw accepteert. Snel spring ik over de reling en ren naar de voorzijde van de boot. De dikke knoop komt los en ik gooi het stugge touw op de voorplecht. Dan loop ik snel naar de achterzijde, terwijl de motoren de boot achteruit stuwen. Kap Charlie kijkt niet of ik alweer aan boord ben. Kennelijk gaat hij ervan uit dat een dochter van O'Rourke gewoon weer aan boord komt en onmiddellijk weer over zeebenen beschikt, zoals je ook fietsen niet verleert.

Vanaf de *Melinda Rose* zie ik de kade wegglijden wanneer Charlie de boot laat draaien en koers zet naar de havenkop, gemarkeerd met boeien en lijnen.

Voor de tweede keer deze week ben ik op het water.

De bries speelt om mijn gezicht en tilt het haar van mijn schouders. Uit de stuurhut ontsnapt een rookpluim, en ik zie een houten pijp in Charlies mond wanneer hij een andere visser begroet. Meeuwen geven hun eenzame kreten, en weer een andere visser zwaait plechtig wanneer we de haven uit varen en de baai bereiken. Na een paar slokken van Charlies perfecte latte pak ik mijn camera en begin ik erop los te klikken. Het eerste filmrolletje betaal ik zelf om het te kunnen houden, besluit ik. Het is een grijze morgen in de haven, vol nevelslierten, licht, zilverig water en dikke mistbanken die als verschijningen over het water zweven.

De golven klotsen onder de romp wanneer de boot vaart maakt en de laatste boeien en waterbrekers passeert. We verwijderen ons van de kust en koersen op de horizon af. Ik was vergeten hoe het voelt op zee te zijn, een kleine stip in een universum van water. De golven slaan tot tegen het dolboord, en ik voel de siddering van miljarden tonnen beweging en energie onder mij.

'Kom naar boven', roept Kap Charlie, die opstaat om me te zien. Ik pak mijn spullen bij elkaar en klim de trap op.

'Wil je nog een latte?', vraagt hij wanneer ik voorzichtig op een stoel naast hem ga zitten en de instrumenten bekijk – kortegolfontvanger, automatische piloot en allerlei knoppen en regelaars.

'Heel graag', antwoord ik, en ik zie een brede grijns over zijn rimpelige gezicht trekken.

'Zodra we bij de Point voor anker liggen.'

'Wat weet u eigenlijk van het onderzoek?', vraag ik, gewapend met notitieboek en pen. Ik moet mezelf er even aan herinneren dat ik verslaggever ben.

Met het stuurwiel in één hand houdt hij zijn ogen op de verte gericht terwijl we over de golven dansen. 'Niet zo veel. Het zijn stadslui en ze maken niet veel contact met inwoners. Een paar wel, maar die zeggen niet veel. In dat wereldje moet je natuurlijk je mond houden om de verrassingen niet te bederven. Ik weet dat ze aan het duiken zijn geweest en sonar hebben gebruikt. Ze hadden ook die kleine duikboot een paar dagen; dat was wel interessant om te zien. Ik heb een paar van die jongens weggebracht, en we zagen hoe dat apparaat in zee dook. Het was net een sciencefictionfilm.'

Ik blader het notitieboekje door dat ik voor de gelegenheid heb gekocht, en ik bedenk dat het binnenkort vol zal staan met aantekeningen en er verfomfaaid uit zal zien, zoals bij echte verslaggevers hoort. Voordat ik gisteren uit het kantoor vertrok, had ik de belangrijkste feiten omtrent de schipbreuk opgeschreven en de rapporten van de onderzoeksteams van het *Geschiedeniskanaal* doorgelezen. Ik kijk mijn aantekeningen na, herhaal een paar dingen hardop en krijg instemmende knikjes van Kap Charlie. Mijn hoop dat er verrassende, nieuwe details zullen opduiken, verbleekt al snel.

We beuken verder over de golven van de baai in de richting van het open water, en ik herken een paar rotsachtige kustlijnen waar Ben Wilson en ik nog maar een paar dagen geleden langs zijn gevaren in zijn kleine boot. Orion Point bestaat uit een paar hectare bos en rotsen die als een schiereiland aan de zuidkant van de baai naar voren steken. Voor de kust dobbert en deint een groot wit schip op de golven, dat steeds groter wordt naarmate we dichterbij komen. Dat is het schip van het onderzoeksteam, vertelt Charlie.

Op honderd meter van het vaartuig van het *Geschiedeniskanaal* zet hij de motor af. Met een plons en metalig geratel laat het hydraulische systeem het anker op de zeebodem zakken, hoewel de boot heen en weer blijft wiegen en om de ankerlijn heen draait.

Mijn volledig automatische camera schiet met gemak een filmpje vol. Op de volgende golf draaien we terug, en ik probeer in mijn zoeker de hele breedte van de ruige kust te vangen, waar de golven woedend op het land breken, en zwarte poreuze rotsen uit het water opdoemen. Een paar leden van het onderzoeksteam zwaaien naar mijn camera en wijden zich daarop weer aan hun werk. Een paar duikers verdwijnen in de woelige wereld onder ons. Ik probeer zo veel mogelijk vast te leggen, maak foto's van de Point, de duikers en Kap Charlie, die van zijn koffie drinkt achter het stuurwiel van de vissersboot. Mijn wangen zijn ijskoud, en mijn haar zwiept over mijn gezicht, maar het is opwindend.

Dan, alsof mijn gedachten van richting veranderen als de wind, denk ik aan het toneel waar wij nu boven balanceren. Ik denk aan de mensenlevens die in een donkere nacht door de zee werden verzwolgen, hun adem afgesneden, hun bezittingen verwoest en uit elkaar gedreven, hun verwachtingen, beloften en dromen zomaar uitgewist.

De gedachte bepaalt me op een of andere manier ook bij mijzelf. Dergelijke herinneringen aan de sterfelijkheid inspireren me er meestal toe in beweging te blijven, iets te doen met de tijd die God mij op aarde schenkt en iets te betekenen zolang ik dat kan. Ik sta stil aan de reling, op een nietig bootje, vergeleken met de zee, naast een grijs geworden zeeman. Ik zwijg en denk na over de vragen waarvoor ik me maar zelden de tijd gun.

Waartoe dit alles? Wanneer mijn lichaam eenmaal in de aarde verdwijnt, wat blijft er dan over? Wat wil God werkelijk van ons?

Een beweging aan de rotsachtige kustlijn rukt me los uit mijn gedachten. Iemand loopt over een zandpad waarlangs pollen zeegras staan. Ik zie een rode jas van ons af lopen, terwijl erachter nu en dan een goudgele staart van een hond opduikt. Ik begrijp onmiddellijk dat het S.T. Fleming is.

Ik richt mijn camera, zoom in en klik een paar keer. Zij lijkt mijn ogen in haar rug te voelen, want ze draait zich even om. Ik zie haar profiel, maar het is te ver weg om haar gelaatstrekken te onderscheiden. Wanneer ze zich omdraait, zakt de camera alsof hij een eigen wil heeft. Kan zij mij zien? Weet zij dat ik nog maar een paar dagen geleden bij haar op de stoep heb gestaan? Waar denkt ze aan, al die lange dagen en jaren van eenzaamheid?

Het is alsof onze ogen contact maken over de grote afstand, hoewel de logica gebiedt te zeggen dat ze alleen maar mensen op een boot ziet, geen individuen, niet mij en mij alleen. En toch voelt het alsof we een band hebben; het voelt alsof zij weet dat ik hier ben. Het is dwaas, maar ik kan het gevoel niet van mij af zetten. Mijn hele leven heb ik S.T. Fleming nog nooit gezien tot dit moment, en toch denk ik plotseling dat zij mij iets waardevols zou kunnen geven, iets wezenlijks.

'Ik heb haar een paar keer ontmoet', zegt Kap Charlie wanneer hij mij een dampende kop latte komt brengen.

Ik had niet eens gemerkt dat hij naar beneden was gegaan.

'Jaren geleden – ik bedoel echt jaren geleden – heb ik haar van het vliegveld gehaald in de stad, toen het nog heel wat voorstelde in een vliegtuig te zitten.'

De rode jas verdwijnt tussen de bomen.

'Ze maakten er een hele heisa van toen ze terugkwam voor die schoolreünie, en ik had de eer haar met de auto te halen, omdat ik in de scholierenraad zat. Het was in de tijd dat mijn pa me van de zee probeerde weg te houden. Hij liet me van alles proberen: Franse les, houtbewerking, toneel.'

Ik weet niet wat me meer intrigeert, de gedachte aan Kap Charlie in de scholierenraad en als student Frans, of het fijne van zijn ontmoeting met S.T. Fleming. 'Was dat een schoolreünie van haar, of van u?'

'Van haar, natuurlijk. Zij is tien jaar ouder dan ik, denk ik, want het was haar reünie na tien jaar, en ik zat nog in de hoogste klas. Iedereen maakte er enorme ophef over omdat ze zo beroemd was: de eerste beroemdheid uit Harper's Bay.'

'De *enige* beroemdheid uit Harper's Bay. En hoe was ze?'

'Heel aardig. Ze gedroeg zich net als iedereen. Ze leek echt geïnteresseerd in mij en ging niet op de achterbank zitten, zoals ik had verwacht. Ze haalde zelfs fris voor me toen we moesten tanken. Volgens mij vond ze het echt heel leuk thuis te komen en haar vrienden en vriendinnen te zien. Droevig wat er gebeurd is, echt heel triest.'

'Wat bedoelt u?'

Kap Charlie leunt tegen de reling, en zijn grijze pruik rijst en daalt in de wind. 'De grote stadsbrand – de klokkentoren die af-brandde. De reünie werd na de eerste avond afgelast, nadat die man in het vuur was omgekomen. Het was een vreselijke ge-schiedenis, een zwarte tijd voor de stad.'

'Welke man is er omgekomen?'

'Ik weet zijn naam niet meer. Het was een oorlogsheld. Hij was daar ook voor de reünie. Die brand stortte de stad in een chaos zoals niemand meer had meegemaakt sinds de vloedgolf van jaren daarvoor. Een grillige tijd.'

De boot blijft wiegen en draait zich naar de overwegende windrichting. Ik zie een glimp van Sophia Flemings huis tussen de bomen: het dak en een hoek van een houten veranda.

Zij is het verhaal dat ik wil uitdiepen. Op een of andere ma-nier voel ik me aangetrokken door haarzelf en de redenen voor haar afzondering.

Sophia Fleming heeft verhalen te vertellen.

Sophia

God, die ons heeft samengebracht,
kan ons ook de weg wijzen naar morgen.

❧

Wat wonderlijk dat meisje weer te zien. Natuurlijk heeft ze me gezien, hoe zou ze me kunnen missen in die tomatenrode regenjas?

Nadat ik gekeken had hoe het duikersteam zich voorbereidde en de aankomst van een tweede vissersboot opmerkte, dwong de pijn van al te lang buiten zijn me terug naar mijn huisje. Mijn gang langs de getijdenpoelen bracht geen nieuwe vondsten, en de wind voert de geur mee van een storm op til. En er ligt nog een overgebleven kaneelrol te wachten.

Ik werp nog een laatste blik op het water en zie niet alleen de visser, maar ook een meisje dat in mijn richting kijkt.

Een ogenblik lang verlies ik me in het visioen van haar, zoals ze aan de reling staat. Ik zie Josephine Vanderook aan dek van de *Josephine*, dat spookschip op de bodem van de zee. Ik stel me een meisje voor op dat water, een zoekend meisje, dromend en verlangend naar de dingen die een nieuw land haar hopelijk zullen brengen. Misschien zocht ze al naar die dingen met woorden die uiteindelijk naar deze plek zouden terugkeren in haar memoires, jaren later.

Een ogenblik later is het meisje op de boot niet langer Josephine Vanderook. Haar lichte haarlokken onder een hoed dansen in de wind, als dartele lammetjes. Ik denk over haar na, een meisje van nu op de wateren van het verleden ... en dan herken ik haar. Zij is het meisje dat gestrand was en bij mijn deur aanklopte, het meisje dat in mijn gedachten was gekomen tijdens mijn gebedsuur.

Eenmaal tussen de bomen en veilig aan het zicht onttrokken blijf ik staan en kijk ik om. Mijn ogen zien niet meer zoals vroeger. Misschien was het dus allemaal maar verbeelding. Maar toch zal ik Ben naar het meisje vragen, wanneer hij later komt. Hij zal toch iets kunnen zeggen, want hij heeft haar tenslotte een lift naar huis gegeven. Waarom is ze hier weer? Er komt een licht wantrouwen in me op, maar de nieuwsgierigheid overwint. Het zou niet meer dan toeval kunnen zijn, maar ik geloof niet in toeval. Alle ontmoetingen hebben een bedoeling, ook al blijft die bedoeling soms verborgen voor ons. Het is niet altijd aan ons die te weten.

Maar ik denk dat de bedoeling van deze ontmoeting op een of andere manier wel onthuld zal worden.

Ontdekkingen

GETIJDENPOST

NIEUWE TENTOONSTELLING
STELT SCHIPBREUK CENTRAAL

Het Harper's Bay Museum gaat een tentoonstelling wijden aan de *Josephine*. In de nieuwe permanente vitrines zijn straks teruggevonden voorwerpen, foto's, een tijdlijn en getuigenissen van overlevenden van de schipbreuk te bezichtigen. Hilda Crow, de conservatrice van het museum, verklaarde dat de Historische Vereniging nauw heeft samengewerkt met het *Geschiedeniskanaal* om recente informatie omtrent de schipbreuk in de tentoonstelling op te nemen. 'We zijn vooral erg blij dat de memoires van Josephine Vanderook op tijd voor de tentoonstelling zijn ontdekt', aldus mevrouw Crow.

Claire

❦

De politiescanner kraakt en laat van tijd tot tijd een stem horen, het enige geluid in het kantoor van de *Getijdenpost*. De medewerkers zijn naar verschillende locaties om aan verhalen te werken of buiten de deur te eten. Ik schik mijn spullen op mijn nieuwe, half afgeschermde werkplek en kijk even de grotere ruimte in naar een ouderwetse krant in wording: uitgeknipte artikelen die op de lichtbak in de lay-outvellen zijn geplakt, prullenmanden vol proppen papier en afgesneden randen van verhalen en foto's die bijgesneden moesten worden om in de lay-out te passen; koffiemokken en colabekers op de rommelige bureaus. Hoewel de krant niet hightech is, geeft alles blijk van een diepe betrokkenheid bij de uitgeknipte, ingepaste en opgeplakte artikelen.

Ik zet de computer aan en besluit aan mijn eerste artikel te gaan werken. Na de tocht op zee en een maaltijd van *fish and chips* in Brothers Harbor Café ben ik in de rol van vaste schrijver annex redacteur gestapt. Het knipperende streepje op mijn scherm wacht vol ongeduld op het woorden die mijn nieuwe positie realiteit zullen maken.

Ronddraaiend op mijn kantoorstoel kijk ik naar Margies deel van de afgeschermde werkplek. Opmerkelijk genoeg zijn er geen ingelijste foto's of persoonlijke hebbedingetjes op haar bureau of aan de wand te ontdekken, zoals bij de andere bureaus. Alles is perfect georganiseerd. Het notitieblok op de hoek van haar bureau lijkt splinternieuw, pen en potlood liggen er keurig naast. Het naambordje vermeldt: *Margie Stinton*. Ik vraag me af of ik ook een naambordje krijg, en dan vraag ik me af of ik dat wel wil. Het is allemaal een beetje oubollig, maar toch zou ik het wel leuk vinden.

De telefoon gaat, en ik schrik op. Niemand heeft me gezegd dat ik moest opnemen, dus ik weet niet zeker of ik het moet doen. Ten slotte druk ik op het knipperende lichtje en pak de lijn. '*Getijdenpost*, u spreekt met Claire O'Rourke.'

'Ja, eh, ik was op zoek naar Rob McGee. Is hij in de buurt?'

'Nee, hij is op het ogenblik niet op kantoor. Kan ik een boodschap aannemen?'

'Nee, ik bel later wel opnieuw. O ja, als u hem ziet, kunt u hem er dan misschien aan herinneren dat hij Chuck moet halen voor de wedstrijd van vanavond?'

'Chuck, goed. En heeft hij uw nummer?'

'Jazeker.'

Ik verbreek de verbinding en krabbel de boodschap op een memosticker die ik naar Robs kantoor breng en naast de overige memo's plak die aan de rand van zijn overvolle bureau hangen. Terwijl ik terugloop, laverend tussen de bureaus die onder vreemde hoeken staan, langs de platenmachine en het lange houten ontwerpbord met de papiervoorraad in vakken eronder, denk ik aan het werk en mijn voormalige collega's bij de *San Fran News & Review*. Vanaf deze stille plek lijken ze mijlen ver weg.

Op een tafel bij de deur van het archief ontdek ik een koffiezetapparaat zoals mijn ouders thuis ook hadden toen ik nog klein was. Dat heb ik nodig: een flinke beker zwarte koffie. In de pauzeruimte doorzoek ik het hangkastje en vind ik te midden van een chaos van koekjes, koffiefilters, theezakjes en aangebroken zakken snoep een pak koffie. Aan de binnenkant van de glazen koffiekan blijft een donkere kring achter wanneer ik de oude koffie door de goot spoel. Plots door grote ijver aangegrepen maak ik het hele apparaat vanbinnen en vanbuiten schoon alvorens er helder water in te doen en een filter met verse koffie. Er stijgt nog een aroma op wanneer ik het plastic deksel open, wat aangeeft dat het pak nog niet over de houdbaarheidsdatum is.

Na een minuutje hoor ik het gesis en geplop van de opgefriste machine. Terug achter mijn bureau probeer ik een paar zinnen te schrijven, een kop, en dan nog een, en nog een.

Het is de *Getijdenpost* maar, houd ik mezelf voor. Een plaatselijk sufferdje dat eens per week verschijnt in Harper's Bay, een vlek op de kaart, en dan alleen nog op de kaart van Californië. Wat is er zo moeilijk aan een artikeltje schrijven?

Maar mijn gedachten dwalen terug naar het deinen en wiegen van Kap Charlies boot, het geluid van zijn 'meid', zoals hij de *Melinda Rose* noemt. Ik denk aan S.T. Fleming in haar rode regenjas. Maar het artikel zou feiten en informatie moeten verstrekken over de duikers op de plek van de schipbreuk. Ik besef dat mijn gegevens beperkt blijven tot mijn eigen emoties, en daar is niets journalistieks aan. Het gaat om de ploeg van het *Geschiedeniskanaal* en de onderzoekers; ik moet hen interviewen. Ik krabbel een aantekening daaromtrent op mijn notitieblok en hoor de bel van de deur. Iemand komt het kantoor binnen.

'Koffie? Is het heus waar dat ik koffie ruik?'

'Het is er bijna door', zeg ik, met een blik op de koffiepot en daarna op Leonard, de sportredacteur.

'Ben je hier alleen?', vraagt hij, terwijl hij zijn cameratas op de receptiebalie zet.

'Op het ogenblik wel, ja.'

Uit de chaos van de eerste kennismakingsdagen in een nieuwe baan herinner ik me Leonard van mijn vermoeide observaties: kalend, met een slechte adem, een sportschrijver die niets van sport weet. Dat klinkt bevooroordeeld, houd ik mezelf voor. Hij leek een aardige man, zelfs ondanks de golven slechte adem die me verbaasd met mijn ogen deden knipperen toen hij mij voor het eerst een hand gaf. Misschien had hij die dag met knoflook geluncht.

'Moeite met je artikel?', vraagt hij over mijn bureau buigend. Er slaat een misselijkmakende walm in mijn gezicht. *Misschien eet hij wel iedere dag knoflook.*

'Het gaat prima.' Ik blader door naar een blanco pagina wanneer hij op mijn scherm wil turen.

'Ik mag de donkere kamer in. Twee rolletjes atletiek – mensen die springen, rennen, dingen gooien en om een of andere reden over twee balken kronkelen. Waarom ze het doen, is mij een raadsel. Heeft iemand je al laten zien hoe je een film ontwikkelt?'

'Nog niet, en ik heb twee rolletjes van de onderzoeksplek op zee.'

'Perfect. Ik was zielsgelukkig dat jij die opdracht kreeg. Als ik vijf minuten op het water ben, begin ik de vissen al te voeren. Als ik maar golven zie, word ik al zeeziek. De jaarlijks roei- en zeilwedstrijden zijn donkere dagen voor mij.'

'Zo te horen wel.' Soms is het geen voordeel als je beelden bij verhalen kunt oproepen. 'Hoe lang werk je hier al?'

'Ongeveer twee jaar. Ik krijg alweer de kriebels om verder te gaan. Drie jaar is de langste tijd dat ik ooit ergens heb gewoond.'

'Dus jij bent een soort 'zwerver'.'

'Dat kun je wel zeggen. Gelukkig hebben die plaatselijke kranten kennelijk altijd schrijvers nodig. Dus als ik de kriebels krijg, zoek ik locaties in het hele land op. Je leert een gemeenschap pas echt kennen als je bij de krant werkt. Niets haalt erbij, en ik zou dit werk voor niets ter wereld willen ruilen ... nou ja, behalve dan voor de betrekking van luie miljonair.'

'Ja, er is altijd baas boven baas.'

Hij pakt zijn camera op en loopt naar de donkere kamer. 'Je hoeft niet bang te zijn dat ik rare dingen probeer uit te halen.'

'Eh ... goed ...' Zijn klakkeloze opmerking brengt me van mijn stuk, en ik weet niet precies hoe ik moet reageren.

'Ik geef alle instructies hier buiten en laat je dan naar binnen gaan om het te proberen. We oefenen met een oud rolletje, voor het geval dat daarbinnen iets mis mocht gaan.'

Zijn adem walmt in golven tegen me op terwijl hij het ontwikkelproces uitlegt en me de apparaatjes laat zien om de filmcassette mee te openen. Hij laat me iedere stap van het ontwikkelproces nadoen totdat hij zeker weet dat ik ze alleen en in het donker kan uitvoeren.

Ik doe een paar stappen bij hem vandaan naar de rijen boekenkasten langs de wand. 'Is dat het complete archief?'

'Ja, in die dozen zitten alle kranten die ooit in deze stad zijn gemaakt.'

'Tot hoe ver gaan ze terug?'

'Dat staat op de voorpagina van iedere krant: *Sinds 1882*.'

Het intrigeert me te bedenken dat ergens in deze dozen stellig verslagen te vinden zijn van het leven van S.T. Fleming, haar succes en haar terugkeer naar de stad. Er zullen ook details in te vinden zijn over de schipbreuk waarop ik me moet concentreren. Ik verlang ernaar in die dozen te gaan spitten, maar Leonard en zijn slechte adem wachten op mij.

'Klaar voor een testronde?', vraagt hij met een filmrolletje in zijn hand.

❦

Na de lunch keren de medewerkers terug. De telefoon gaat over bij Katt, de receptioniste, die doorverbindt naar Robs kantoor of een van de werkplekken. Ik heb ongeveer een uur met weinig succes aan mijn artikel gewerkt wanneer ik mij een excuus herinner om van mijn stoel te komen.

'Rob, ik heb een boodschap aan je bureau gehangen', zeg ik met mijn hoofd om zijn kantoordeur.

De hoofdredacteur gaat het rijtje memo's langs en haalt het mijne los.

'Je moet Chuck vanavond halen.'

'Geweldig, bedankt. Ik was het al bijna vergeten.' Hij maakt een propje van de memo en mikt die in een keer in de prullen-bak. 'Hoe gaat het met je artikel?'

'Goed. Leonard heeft me geleerd hoe je films moet ontwikkelen, en ik heb de foto's klaar voor Loretta om ze af te drukken. Hopelijk zijn er een paar goede bij. Ik moet morgen met een paar onderzoekers praten.'

'Zo te horen heb je alles onder controle.'

'Ik denk het wel.'

'En het bevalt je tot nu toe ook goed?'

Ik zwijg even om te bedenken wat ik moet zeggen, en besef dan plotseling dat het me inderdaad goed bevalt. 'Ja, het bevalt me tot nu toe echt heel goed.'

'Probeer wat minder verbaasd te klinken.'

'Eh ... ja, sorry.'

'Mooi, we zullen je inwijden in alle machines die hier staan, en je krijgt een sleutel, voor het geval dat je een keer na sluitingstijd naar binnen moet. Deze week kun je kijken hoe we de krant maken en op de pers leggen.'

Ik knik. Vreemd dat ik het allemaal zo fascinerend vind. 'En de archieven? Mag ik daar ook in kijken?'

'Natuurlijk. En als je een interessant historisch verhaal tegenkomt, laat het me dan weten. We zijn altijd op zoek naar oude verhalen. Iedereen is gek op de historische rubriek.'

'Prima.'

Aan het eind van mijn eerste week bij de *Getijdenpost* ben ik verslaggever, fotograaf, redacteur, opmaker en koffiejuffrouw geweest en heb ik volledig toegang tot de archieven van Harper's Bay. Het is alsof er een verborgen schat ligt te wachten totdat ik hem opgraaf.

Memoires van Josephine Vanderook

❧

Weinig weet ik meer van de dagen en nachten die ik in het kleine dorp Harper's Bay heb doorgebracht. Een ouder echtpaar, meneer en mevrouw Wilkins, namen me op, aangezien alle overlevenden van de schipbreuk over plaatselijke families werden verdeeld voor opvang en verzorging. Ik slingerde heen en weer tussen hoop en vrees. Mijn voeten droegen me langs de kustlijn, waar soms wrakstukken van onze boot werden aangetroffen. Ik vroeg toegelaten te worden op het schip dat de zee afzocht, maar werd geweigerd omdat ik een vrouw was met een delicate gezondheid, zeker na het doorstaan van de schipbreuk.

Ik bleef langs de kust lopen en dwaalde soms uren over de paden die van het dorp naar Orion Point liepen, waar het schip op de klippen was gelopen, dicht bij het stenen huisje waar ik aanvankelijk werd opgenomen. Toen ik van een van mijn tochten terugkeerde, zag ik de politiebeambte van het dorp op mij toe komen en wist ik dat er iets niet in de haak was.

Mijn Eduard was gevonden. Ik kon het niet geloven totdat ik in de kelder van het ziekenhuis kwam, waar de lichamen op identificatie en hun begrafenis wachtten. Zijn zwarte pak was gescheurd en grijs geworden door het beuken van rotsen en golven. Dat kon Eduard niet zijn.

Ik stond erop zijn gezicht te zien. De man bij de tafel, die ik me niet meer in detail voor de geest kan halen, probeerde mijn koppigheid te negeren. Had ik maar naar hem geluisterd. Voor altijd staat dat beeld in mijn geheugen gegrift. Het spotte met het leven, de liefde en de herinnering. Mijn geliefde verscheen als een monster uit de vreselijkste nachtmerrie. Ik had niet geloofd dat hij het was als ik niet de karakteristieke haarlok op zijn voorhoofd had gezien, en het diepe litteken op zijn hand, waar een stekelige vis hem verwond had in de zeeën voor Zuid-Amerika. Het litteken deed me denken aan zijn trotse glimlach vanwege de geweldige vangst, ondanks de wond die hij erbij opgelopen had. Ik kon nauwelijks geloven dat dit dezelfde man was.

Het leek nog een onrecht dat Eduard begraven zou worden in dat koude en winderige land dat mij vreemd en vijandig voorkwam, maar toch is dat de plaats waar het lichaam van mijn man voor altijd zal rusten.

God had ons in de steek gelaten, dacht ik.

Toen de tijd voorbij was – weken misschien –, en de andere overlevenden hun weg begonnen te vinden naar verre of nabije bestemmingen, kwam de goede mevrouw Wilkins bij mij zitten en vroeg ze me bij hen te blijven. Nooit vóór of na die tijd heb ik een zo gulle en warme ziel ontmoet als zij was. Maar dit was niet mijn thuis, en ik kon mijn dagen niet doorbrengen in de schaduw van de dood.

In plaats daarvan vertrok ik naar het huis in Seattle dat Eduard had gekocht. Ik weigerde per schip te reizen, maar de postkoets was veel vermoeiender dan men zich kan voorstellen. Mijn aankomst in de havenstad Seattle was geen vreugdevolle gebeurtenis; ik verlangde alleen naar rust en een fatsoenlijke maaltijd. Het nieuwe huispersoneel wachtte tot mijn aankomst, maar ik vrees dat ik hen nauwelijks heb opgemerkt, gezien de staat waarin ik verkeerde na de reis en het besef dat dit huis in deze nieuwe stad het thuis van Eduard en mij zou zijn geweest.

Na een paar dagen begon ik mij weer bewust te worden van mijn omgeving. Ik bekeek de voorwerpen in het huis, was benieuwd naar de stad en het personeel en pakte zelfs een krant op om een blik te werpen in de buitenwereld. Toen ook bemerkte ik de hutkoffers die in de salon stonden te wachten.

Wat ik daarin vond, veranderde alles waarin ik had geloofd.

GETIJDENPOST

INGEZONDEN BRIEVEN

Geachte redactie,
Hier de Tegenstrever van verandering. Op dit moment kan ik mijn identiteit niet onthullen vanwege het grote belang van mijn zaak. We moeten ons erfgoed behouden en de verandering stoppen die onze stad tot een zielloze kopie van andere zal maken.

U vroeg wat influctiviteit betekent. Koop een woordenboek; u geeft een krant uit.

Hoogachtend,
Tegenstrever

Geachte Tegenstrever,
Ik heb een woordenboek; daarom vroeg ik het. Het woord bestaat niet.

Hoogachtend
Rob McGee, hoofdredacteur

Claire

❦

Ik denk dat mijn moeder er een bijbedoeling mee had toen ze me vroeg een cheque bij Griffin Anderson af te geven. Op mijn leeftijd was zij al getrouwd en verwachtte ze haar eerste kind, en dus wordt iedere beschikbare jongen nu als een mogelijkheid voor mij beschouwd. Ze herinnerde me er fijntjes aan dat ik vandaag op kantoor in de stad zou zijn, op niet meer dan een paar straten afstand van Harry's IJzerhandel, waar hij parttime werkt.

Het eind van de week is een drukke tijd bij de *Getijdenpost*. Het kantoor zit vandaag vol, en iedereen is druk bezig met computer of telefoon. Ik besluit tijdens mijn lunchpauze bij Harry's IJzerhandel langs te gaan – een goed excuus om ook weer snel weg te kunnen.

De krant zetelt aan de schilderachtige Frontstreet van Harper's Bay. Aan weerszijden van de straat zijn winkels gevestigd die snuisterijen verkopen, handgemaakt speelgoed, kleding, antiek en boeken. Er staan een paar kantoren tussen, een koffiehuis en enkele restaurants. Het is al te lang geleden dat ik de winkeltjes heb bekeken, en dus zijn ze extra uitnodigend wanneer ik naar de ijzerwinkel loop.

Harry's uithangbord verkondigt trots: 'Gevestigd sinds 1875. Weerstond de vloedgolf.' Slechts weinig gebouwen en winkels in dit deel van Harper's Bay kunnen hetzelfde beweren. De vloedgolf van 1925 gooide het grootste deel van deze wijk op een hoop, precies bij Harry voor de deur. Zelfs na de komst van een groot winkelcentrum in het naburige Crescent City, die volgens iedereen de ondergang zou betekenen voor de kleine winkels, bleef Harry's winkel floreren. Het is een plaatselijk ontmoetingspunt, vooral met Willy's kapperszaak ernaast. Een kapper en een ijzerhandel – een mannelijk mekka aan de westkust.

Wanneer ik de glazen deur opendoe, gaat er een belletje rinkelen.

'Ik kom zo bij u', zegt een stem uit de winkelgang met waterkranen. Hoewel Griffin Anderson met zijn rug naar mij toe staat, herken ik hem onmiddellijk aan zijn gestalte, de nonchalante ronding van zijn rug en zijn dikke haar (dat nu anders geknipt is). Zijn spijkerbroek is een beetje slobberig en vertoont verfspatjes in verschillende kleuren.

Mensen die in hun kleine stadjes blijven hangen, doen me denken aan de mensen die alleen maar dromen van trouwen en kinderen krijgen. Het is alsof ze op een soort gelaagde lopende band liggen die van geboorte naar groei, voortplanting, pensioen en uiteindelijk de dood loopt. Hun kinderen en ouders bevinden zich op de banden boven en onder hen, allemaal kopieën van elkaar, met zulke vergelijkbare levens dat het van veraf lijkt alsof ze allen delen in één leven en eenzelfde reis naar de dood.

Ik zou niet zo snel moeten oordelen. Dat ik Griffin ontmoet, is waarschijnlijk weer een van Gods correcties in mijn leven, vanwege mijn vooroordelen tegenover kleinsteedse mensen. Ik zal waarschijnlijk allerlei verbazingwekkende dingen ontdekken bij Griffin en al de anderen met wie ik in de eindexamenklas zat en die zich nooit buiten de grenzen van het stadje hebben gewaagd om te zien hoe de echte wereld eruitziet ...

Oeps, daar ga ik weer.

'En wie gaat die kraan voor u monteren?', vraagt Griffin aan de oudere dame die hij helpt met het kiezen van een kraan.

Ik wacht bij de toonbank. Harry's IJzerhandel lijkt nauwelijks te zijn veranderd sinds mijn kindertijd. Misschien zijn de gereedschappen en producten moderner, maar het zijn nog dezelfde brede gangen met verbleekte bordjes die de artikelgroepen aangeven: Bouten & schroeven, PVC, Elektra, Huis & tuin ...

'Les zei dat hij dat wel kon', antwoordt de vrouw.

'Zal ik anders langskomen om hem te monteren? Hij heeft een nogal ingewikkelde afdichting die problemen kan opleveren als je hem niet goed aansluit.'

'We kunnen ons die service aan huis niet permitteren, zeker niet met die nieuwe medicijnen van Les.'

'Dan doen we toch voor wat hoort wat, mevrouw Henry? Als u van die heerlijke chocoladekoekjes voor mij bakt, staan we, wat mij betreft, quitte.'

Mevrouw Henry lacht en pakt Griffins arm beet. 'Dat is afgesproken, jongen.'

'Ik neem alles mee en kom om ... Zullen we zeggen om halfvijf?'

'Dat zou fantastisch zijn. Ik zorg ervoor dat ze dan vers uit de oven zijn.' De stem van de vrouw trilt een beetje, zoals vaak bij oudere mensen.

Mevrouw Henry neemt afscheid en schuifelt langs mij heen. Ze glimlacht opgelucht. Ik kijk hoe Griffin wat spullen naar achteren draagt.

'Pete, na de volgende klant ga ik lunchen. Goed?', hoor ik hem vragen.

'Natuurlijk, maar probeer de chili van Blondie vandaag maar liever niet. Bah!' Hij grinnikt, terwijl Griffin ook met een grijns wegloopt en naar de grond kijkt terwijl hij naar voren komt.

'Excuus voor het wachten. Kan ik u helpen?' Hij knijpt zijn ogen dicht tegen het felle licht dat door de deur achter mij valt.

'Hoi, Griffin', zeg ik, plotseling verlegen, ook al weet ik niet waarom.

'Claire?' Een brede grijns. 'Hoe gaat het met je?'

'Goed ... nou ... ja, goed. Mijn moeder vroeg me je deze cheque te brengen.'

'Mooi, maar ze had me ook wel later kunnen betalen. Geen haast.'

'Zij denkt kennelijk dat kunstenaars altijd lege koelkasten hebben.'

'En daarmee zit ze er ook niet zo ver naast.'

Ik verbaas me over zijn blauwe ogen met die donkere wimpers – wanneer is Griffin Anderson plotseling knap geworden? Maar onmiddellijk zie ik ook weer het jochie van de zondagsschool met een bijbel in zijn hand: 'Psalm 119, gevonden!'

'En wat doe jij hier nog altijd in de stad?'

'Het ziet ernaar uit dat ik nog even wat langer blijf. Ik ben begonnen bij de *Getijdenpost*. Ik heb nu lunchpauze.'

Griffin is kennelijk verbaasd over de nieuwe informatie omtrent mijn leven. 'Dat is een hele omschakeling, vergeleken met een paar dagen geleden. En ben je er blij mee?'

Ik glimlach en bedenk dat nog niemand anders dat heeft gevraagd. 'Niet echt, maar binnenkort hopelijk wel. Het is in ieder geval maar tijdelijk.'

'Moet je luisteren, ik rammel. Zullen we ergens gaan lunchen en een beetje bijpraten?'

'Goed.'

We steken over en lopen een straat verder, ondertussen pratend over wat er wel en niet veranderd is in het centrum van Harper's Bay. Om het gerechtsgebouw en de grote klokkentoren liggen groene gazons en sierlijke bloembedden. Wanneer ik de toren zie, moet ik denken aan de vorige, die in vlammen is opgegaan, en weer word ik nieuwsgierig naar die nacht en mogelijke verbanden met Sophia Fleming.

Griffin houdt de deur open bij Blondie's en ik loop het eethuis in de stijl van de jaren vijftig binnen dat hier gekomen is toen ik op de universiteit zat. Het heeft de plaats ingenomen van een steakrestaurant. Uit de luidsprekers klinkt *Hound Dog* van Elvis, en de serveerster – een grote, omvangrijke blonde van in de veertig, schat ik – komt in een wit en roze uniform op ons af. Aan de muren hangen oude 45-toerenplaten en posters van *Grease*, Elvis en – natuurlijk – Marylin Monroe, aan wie het restaurant het meest doet denken.

'Vaste plek, Griffin?', vraagt de serveerster om een bal kauwgom heen. Op haar naamkaartje staat tot mijn niet geringe verbazing *Mini*.

'Dat is prima, Mini.'

Ze glimlacht naar mij. Ik krijg het gevoel dat ze erg graag wil weten wie ik ben en waarom ik met Griffin ga lunchen. We gaan aan ons tafeltje zitten, waarop een miniatuur jukebox staat, met eromheen kruidenpotjes.

'Mel's chili is het dagmenu', zegt ze met een blik in de richting van de keuken. Zachter vervolgt ze: 'Die zou ik voor geen prijs bestellen.'

'Bedankt', zeggen we tegelijkertijd.

Mini loopt weg om koffie en water te halen. Onderweg laat ze haar kauwgom knallen.

'Ik ben hier alleen maar een paar keer met mijn ouders geweest.' Ik kijk om me heen naar de overtrokken inspanningen om een voorbij tijdperk weer tot leven te brengen: de zwart-witte tegelvloer, formica tafeltjes en een lange bar met ronde barkrukken.

'Ik kom hier veel vaker dan goed voor me is.'

Het is me opgevallen dat Griffin de menukaart niet heeft opengeslagen.

'Maar we hadden het net over jou. Hoe gaat het met je?'

'Goed.'

Ik heb een hekel aan nietszeggend gebabbel. Ik wil altijd het liefst meteen doorstoten naar wat mensen echt willen zeggen. Wie heeft die spelregels toch opgesteld? Het is alsof je de eettafel opsmukt met het fijnste zilver, niet voor een groots diner, maar om je gehaktbal, aardappels en andijvie naar binnen te werken. Ik zou er het liefst korte metten mee maken en meteen ter zake komen en ...

Griffin onderbreekt mijn gedachten. 'Wil je zo gauw mogelijk de stad weer uit?'

Zijn plotselinge directheid brengt me uit mijn evenwicht. Misschien is een beetje sociaal gebabbel toch zo gek nog niet. 'Misschien een beetje. Misschien ook iets meer dan een beetje, maar op andere momenten weer niet, denk ik.'

'Vraag je je niet af waarom mensen hier blijven wonen en nooit buiten de stad komen om de wereld te verkennen?'

Ik schuif op mijn stoel. Heb ik soms het woord *schuldig* op mijn voorhoofd staan?

'Het geeft niet. Ik begrijp het. Geloof me, ik heb nooit de bedoeling gehad hier te blijven. Nu denk ik dat mensen die met alle geweld hun geboorteplaats willen ontvluchten, vaak geobsedeerd zijn door dingen die ze niet te pakken kunnen krijgen.'

'Zo denk je dus over mij.'

Hij lacht gegeneerd. 'Sorry. Ik gaf meer mijn algemene mening weer, geen specifiek oordeel over jou. Ik heb het waarschijnlijk bij mijzelf gezien en toen die gedachten in mijn hoofd gekregen. Niet dat mensen niet weg zouden moeten gaan of dat het geen deel zou kunnen uitmaken van je levensreis. Ach, laat ook maar. Maar ik houd nu meer van deze plaats dan ooit. Reizen helpt me vooral wanneer ik dat rusteloze gevoel krijg.'

'Mijn moeder vertelde dat je had gereisd', zeg ik terwijl Mini onze dampende koppen koffie neerzet.

'Ik kreeg dat idee lang geleden.'

'Idee?'

'Van jou, trouwens. Op de middelbare school, toen je die reizen maakte – kerk opbouwen in Mexico, zomeruitwisseling van studenten naar Engeland. Je liet je foto's zien en vertelde je verhalen. Dat zorgde ervoor dat ik ook een stukje van de wereld wilde zien.'

Dat verbaast me. Het was me nooit opgevallen dat hij veel notitie van mij nam, afgezien van de concurrentie op de zondagsschool en het eindexamenbal dat een heel verkeerde indruk zou wekken.

'Mijn moeder deed het voorkomen dat het om iets meer dan een stukje ging.'

Hij haalt zijn schouders op. Het valt me op dat we elkaar makkelijk kunnen aankijken. Het valt me moeilijk weg te kijken.

'Ik vond het verslavend.'

'En ik ben sinds die reis naar Engeland het land niet meer uit geweest.'

'Maar je bent hier wel weggegaan, zoals je altijd wilde.'

'Hoe bedoel je?' Het is waar, maar ik begrijp niet dat hij het zegt op een manier alsof Harper's Bay een sloppenwijk was, en ik droomde van Beverly Hills.

'Ze citeerden je in het jaarboek van school met woorden als 'op zoek naar groter en beter'.'

Ik schaam me een beetje dat dat het citaat is dat mensen zich van mij herinneren. 'Wie weet nog wat hij of zij in het jaarboek van school schreef?'

Hij glimlacht. 'Het klonk wat pathetisch. Ik heb mijn jaarboek vorige week nog ingekeken. Een jongen uit het jaar na ons is omgekomen bij een schipbreuk, en ik kon me met geen mogelijkheid meer herinneren hoe hij eruitzag. Daardoor raakte ik onvermijdelijk aan het dolen in die goede, oude tijd. Ik las jouw citaat en bedacht dat je precies had gedaan wat je toen gezegd hebt.'

'En nu ben ik teruggekomen.'

'Daar is niets mis mee.'

'Wat was jouw citaat?'

'Weet ik niet meer', zegt hij iets te snel.

'Natuurlijk weet je dat nog wel. En ik kan mijn oude jaarboeken ook afstoffen en inkijken. Dus kun je het net zo goed vertellen.'

Hij glimlacht en slaat zijn ogen neer, alsof hij plotseling verlegen wordt. 'Het laat goed zien hoe jong ik toen nog was – de onvolwassenheid van een achttienjarige.'

'Wat heb je opgeschreven?'

'Mijn citaat, de woorden die ik als opschrift boven mijn schooltijd besloot te zetten ... ben je er klaar voor?'

'Helemaal.' Ik zit al te grinniken.

'*Born to be wild.*'

'Dat meen je niet.'

'Echt waar.'

We steken elkaar aan met ons lachen, en ik merk dat een ouder echtpaar vanaf een ander tafeltje in onze richting kijkt.

'Die woorden van jou waren ook geen wonder van originaliteit', zegt Griffin.

'Maar *Born to be wild* slaat alles.'

'Goed, ik wist wel dat ik het beter niet had kunnen zeggen.' Hij lacht nog steeds.

Ik leun achterover en pak de koffieroom en een suikerzakje. Op de achtergrond klinkt inmiddels *Blue Suede Shoes*, en ik heb de indruk dat Elvis vandaag op het muziekmenu staat. 'Vind je het niet vreemd echt volwassen te zijn? Wanneer ik thuiskom, heb ik altijd weer het gevoel alsof ik een jaar of twaalf ben.'

'Zo voelt het soms ook voor degenen die hier gebleven zijn.'

'Ja, dat wil ik wel geloven. Wat is de leukste plek waar je bent geweest?'

'Dat vind ik moeilijk te zeggen. Ik vond veel plaatsen in Zuid-Amerika geweldig, maar dan heb je ook dat verbazingwekkende dorp in Oostenrijk waar ik een poosje wilde wonen. Daarna had ik Kroatië willen verkennen.'

Mini komt langs om de bestelling op te nemen, en daarna praten we door over plaatsen op de wereld. Ik heb het gevoel alsof we er plotseling ook zijn, door de nauwe steegjes lopen, in de ogen kijken van kinderen die geen Engels spreken, van de buitenlandse keuken proeven en grenzen oversteken. Het lijkt maar een paar minuten te duren voordat het eten wordt geserveerd: voor Griffin gegrilde kaas met friet en voor mij een broodje rosbief.

'Volgens mij heb ik nog geen lievelingsplek ... op thuis na, dan. Maar ik houd er wel van te dromen over die avonturen net buiten mijn bereik.'

'Vertel eens iets over je werk, die beelden. Mijn moeder is heel opgetogen over het beeld voor mijn vader.' Mijn moeders enthousiaste verhalen over Griffins kunstwerken hadden bij mij het beeld opgeroepen van kleine figuren in plattelandsstijl, gemaakt van schroot – dingen die ik wel aardig zou vinden, maar niet echt bijzonder. Maar zijn gezicht intrigeert me. Ik zie aan zijn ogen dat zijn werk zijn grote liefde is; het is wie hij is.

'Het is begonnen als een hobby. Ik had zo'n Salvador Dalíperiode.'

'Echt?' Het verbaast me dat iemand, wie dan ook, in Harper's Bay weet wie Salvador Dalí was. Zijn surrealistische schilderijen zijn tamelijk bizar, maar speken me op een of andere manier toch aan.

'Ik weet dat hij behoorlijk vreemde dingen maakt. Maar er is iets in zijn werk wat mij boeit, zijn pogingen om een droom, of een samenstel van dromen en visioenen in een enkel beeld te vatten.'

Hij leunt achterover, en zijn ellebogen rusten op de zwarte leuningen van zijn stoel. 'Ik ben begonnen met in de tuin te rommelen met wat dingen. Je weet waarschijnlijk niet meer dat mijn vader een verzamelaar was van ... nou ja, van rommel. Hij nam de gekste dingen mee naar huis: het dak van een paardentrailer, de sierstrip van een Buick, oude spoorweglantaarns, zelfs wanneer het glas kapot was. Hij leerde me al heel jong lassen, en dus liep ik op een dag naar zijn werkplaats en begon ik dingen aan elkaar te lassen. Het klinkt vreemd, dat weet ik, maar het bleef zich gewoon verder ontwikkelen. Het duurde niet lang of ik had een paar afzichtelijke creaties staan, die ik dan weer uit elkaar haalde en op een andere manier aan elkaar laste.'

Hij leunt weer voorover en is ernstig. Ik word geraakt door het intense gevoel dat hij voor zijn werk heeft.

'Toen zette ik met Kerstmis een beeld op mijn dak. Het was de eerste Kerstmis zonder mijn vader, en ik was gedeprimeerd.

Onderweg naar huis zag ik al die versierde woningen, en toen besloot ik ook iets van versiering aan te brengen, misschien iets om het leven van mijn vader te vieren. Ik weet het niet. Ik moest in ieder geval iets doen. Het enige wat ik had, was dat beeld. En zo is het begonnen.'

'Ik hoorde dat je er ook een op je gazon hebt staan.' Het liefst wil ik ernaartoe om te kijken hoe die beelden eruitzien, maar ik ben ook een beetje bang dat ik ze niet mooi zal vinden. Stel dat het waardeloze prullen zijn, en dat ik moet doen alsof dat niet zo is ...

'Ja, met diezelfde Kerst werkte ik ook aan mijn superheld, en toen ik daarmee klaar was, heb ik hem op het grasveld gezet. Dat was een impuls, maar de mensen kwamen vervolgens voorbijrijden, bleven staan, belden bij me aan. En al mijn buren vroegen me ook beelden voor hen te maken, op een paar na.'

'Ik heb ze nog niet eens gezien.'

'Je moet maar eens langskomen.' Hij neemt een hap van zijn gegrilde kaas. 'Tjonge, ik ben een ramp. Ik praat nooit zo veel. Sorry, hoor. Ik wilde alles over jou horen, je leven in San Francisco, alles.'

Wanneer ik begin te vertellen, besef ik plotseling hoe weinig mensen er de laatste jaren naar mij geluisterd hebben. Natuurlijk had ik contact met honderden mensen – collega's, vrienden uit de kerk, kamergenoten. Maar iedereen had het druk, ikzelf niet uitgezonderd. De nabijheid en intimiteit van echte vriendschap ontbrak eraan. Al die relaties waren veel meer gericht op doelen, met ambities en doelstellingen in het achterhoofd, en boden nauwelijks tijd om te luisteren of gehoord te worden.

Griffin gaat helemaal mee, knikt, geeft commentaar en wekt de indruk iets te zullen onthouden van wat ik hem vertel. Dan zie ik dat mijn lunchpauze al vijf minuten verstreken is. We hadden nog uren kunnen doorpraten.

❦

Na het werk rijd ik naar Rooftop Road. Het is een van die straten met aan weerszijden bomen en mooie gazons en bloembed-

den in de tuinen van wat kleinere, oudere huizen. Het verschil zit
'm in de beelden van Griffin.

Op het gras voor nummer 1017 aan Rooftop Road staat een
enorme superheld die een rood-met-zwarte wereldbol torst. Ik stop
voor Griffins huis. Ik weet dat hij daar woont omdat er een bord
op de oprit staat: *Kunstenaar*. Een grote pijl wijst naar de achtertuin,
waar nauwelijks zichtbaar keurige stapels oud metaal liggen.

Ik was van plan geweest snel even langs de beelden te rijden,
maar zodra ik het eerste zie, stop ik en stap ik uit. Ik ga naast het
vierenhalve meter hoge beeld staan, dat naar beneden kijkt, naar
de roodzwarte bal die ooit waarschijnlijk een sloopkogel is geweest. Het beeld is een mengeling van genialiteit, vervreemding
en verbeelding. Aan de overkant van de straat, op het dak van een
geelwit huis in landelijke stijl, zit een kever met uitgevouwen
vleugels.

Ik loop over het trottoir en zoek de huizen met Griffins kunstwerken. Een kobaltblauw vliegtuig lijkt op een dak te zijn neer-
gestort, een butler rijdt op een trekker langs een goot en een andere figuur houdt een paraplu vast alsof hij ieder moment kan
wegvliegen.

Ik merk dat ik voortdurend glimlach. Waar haalde Griffin zijn
inspiratie vandaan? Zijn kunstwerken zijn de meest intrigerende
voorwerpen die ik van mijn leven in Harper's Bay heb gezien.
Nadat ik twintig minuten de straat op en neer ben gelopen en bedenk dat ik nog veel langer zou kunnen kijken om uit te maken
waaruit de kunstvoorwerpen werden samengesteld, stap ik uiteindelijk in mijn auto. Griffin is kennelijk niet thuis, en ik weet ook
niet zeker of ik hem wil zien. Het is allemaal een beetje te
vreemd.

Ik sla af van Rooftop Road en rijd terug naar het huis van
mijn ouders, mijn huis. De ontmoeting met Griffin heeft me een
beetje van mijn stuk gebracht, moet ik toegeven. Ik weet dat ik
die oordelende kant heb waar ik vaak tegen moet vechten. Maar
vandaag zie ik het dieptepunt van mijn vooroordeel jegens mensen onder ogen. Wat ik tevoren bedenk, komt zelfs niet in de
buurt van de werkelijkheid. Nederigheid doet pijn.

Thuiskomen is verontrustend. Het is makkelijk een anoniem leven in een andere stad te leiden, verfrissend zelfs. Je kunt de confrontatie met veel van je karaktertrekken vermijden; trekken die mensen die je kennen, wel zouden zien. Ik was met vliegende vaart onderweg om een groots leven voor God te leiden – althans, dat hield ik mij de afgelopen jaren voor. Maar bij al die haast om te presteren, reserveerde ik maar weinig tijd voor zelfreflectie. En ik weet niet of ik er nu al wel aan toe ben.

Sophia

Wil je je dromen met mij delen?

❧

Schaar, latex handschoenen, pincet – het zag eruit als een opera-tiekamer op mijn aanrecht. Het boek was ver genoeg opgedroogd om de eerste pagina's te inspecteren, en ik kon niet langer wachten.

Terwijl ik de hele morgen op Ben wacht, probeer ik te beslissen of ik hem wel of niet zal vertellen wat ik ontdekt heb. Aan de ene kant wil ik het hem dolgraag vertellen, anderzijds wil ik eerst alles lezen en het hem dan pas laten zien. Misschien besef ik ook dat het boek absoluut naar de wetenschappers gebracht zal moeten worden wanneer Ben eenmaal weet wat het is.

De zondagen houden Ben vaak de hele dag in de stad, met de kerkdienst, nu en dan een vergadering van de ouderlingen of andere activiteiten. Vandaag tilt Holiday zijn kop niet lang na de lunch op wanneer we Bens voetstappen horen naderen. Terwijl hij zijn laarzen uitdoet, begin ik over zijn poging om de memoires van Josephine Vanderook in handen te krijgen. Maar dat zou hij pas maandag proberen, niet vandaag, herinnert hij mij. Hij is vandaag niet zo joviaal als gewoonlijk.

'Hoe was het in de kerk?', vraag ik met een blik op het aanrecht. Al het bewijs van de eerdere chirurgische activiteit is verdwenen, en het boek ligt in mijn slaapkamer.

'Het was een mooie dienst, met een echt goede preek. Maar waarom krijgt Stephen King boze brieven van christenen?'

Ben levert dit soort vragen even trouw bij mij af als Tante Pos. Meestal knik ik alleen maar, en laat ik hem door zijn eigen ergernissen heen worstelen. 'Waarom ben jij christen, Ben?', flapte ik er ooit midden in een dergelijke discussie uit.

'Om Christus, natuurlijk.' Hij aarzelde geen seconde, en dat verbaasde me enigszins, ook al weet ik niet precies waarom. Misschien omdat het er zo makkelijk uit kwam, alsof zijn wezen verzadigd is van wat hij gelooft. Ik herinner me zijn vreemde blik, alsof hij zich verbaasd afvroeg waarom ik dat vroeg – dacht ik werkelijk dat hij zijn geloof was kwijtgeraakt?

'Mijn vragen gaan niet over Jezus. Met Hem heb ik lang geleden al geworsteld. Is Hij werkelijk de Zoon van God? Waarom deed God het zoals Hij het deed? Waarom nam God Phillip tot zich, een van de beste mensen op aarde, en daarna Helen? Allemaal vragen waar ik vrede mee heb gesloten. Nu doe ik een onderzoek naar de diepten van het christendom.'

Ben warmt zijn handen terwijl hij bij zichzelf overlegt of hij een brief aan Stephen King moet schrijven om zich te verontschuldigen voor alle boze brieven die hij ontvangt, en hem te zeggen dat God van hem houdt, ondanks wat alles mensen doen en zeggen die beweren volgelingen van Christus te zijn.

Ik probeer niet te grinniken.

'En om op hetzelfde onderwerp door te gaan, waarom klagen mensen zo vaak over zaken doen met christenen?'

'Waar komt dat nu weer vandaan, Ben?'

'Ik was in de haven en maakte een praatje met Popeye Pete. Hij leest wel Stephen King, denk ik. Hij begon te klagen over een klant die de boot gehuurd had voor een vistochtje van een bijbelstudiegroep van mannen. De boot kwam volkomen vervuild terug, met beschadigde stoelen en etensresten die in het tapijt van de hut waren gelopen. Pete was woedend. Hij vertelde dat ze en aantal traktaten op de boot hadden achtergelaten, alsof die Petes leven zouden veranderen. Ze hadden zijn aandacht pas echt kunnen trekken als ze een schone, onbeschadigde boot hadden teruggebracht. Ik word daar zo razend van.'

'Weer zo'n vraag waarop we geen antwoord kunnen vinden.'

'Pete schold op die kerels en zei: 'Die christenen zijn de ergsten om zaken mee te doen. Ik houd ermee op.' Daarna besefte hij met wie hij sprak en putte hij zich uit in verontschuldigingen.'

'Het enige wat ik erop kan zeggen, is dat christenen ook maar gewone mensen zijn – vol fouten en feilen, en makkelijk verblind.'

'Ik weet het; maar het is gewoon heel frustrerend. Griffin en ik grijpen steeds weer terug op dezelfde eenvoudige waarheden. God wil dat we Hem liefhebben en onze naasten. Als we dat nu eens gewoon in praktijk zouden brengen, zou de wereld er anders uitzien.'

'Ik zou willen dat ik je advies kon geven, maar ik ben maar een oude kluizenaar.'

Ben gaat met een zucht aan de keukentafel zitten en wrijft over zijn voorhoofd. Hij kijkt naar mij en dan naar het raam. 'Bradley komt volgende week.'

Ik aarzel zelfs niet bij het inschenken van het theewater, hoe-wel mijn hart overslaat. 'Dat is leuk. Wanneer is hij hier voor het laatst geweest?'

'Dat moet ongeveer in 1989 zijn geweest. Hij had nooit veel op met de zee.'

'Is dat niet wonderlijk?', zeg ik, indachtig dat de zee evenzeer Ben is als het bloed in zijn aderen en de lucht in zijn longen. Hoe komt het dat het niet overging in het weefsel van zijn zoon? Bradley werd vreselijk zeeziek de laatste keer dat ze een kort tochtje over de baai maakten. Hij hoefde maar naar de golven te kijken of zijn maag draaide om. 'Weet hij dat de weg is afgeslo-ten?'

'Hij heeft iets tegen zeeziekte gekregen.'

'Laten we hopen dat het helpt.' Ik blijf vrolijk klinken en hoop Ben om de tuin te leiden, wat nooit erg makkelijk is.

'Ik denk dat hij komt om mij over te halen.'

'Misschien raakt hij er – omgekeerd – van overtuigd dat je hier thuishoort.'

'Misschien. Moet ik hem meebrengen?'

Weer een verrassing. Ik heb Bens zoon nooit ontmoet. Waar-om moet dat nu plotseling wel? Misschien hebben al die ge-sprekken over verandering hem ervan overtuigd dat ik bezoek zou verwelkomen. Ik wil nee zegen, alsjeblieft niet, maar het is zijn zoon, zijn enige kind.

'Goed. Neem hem maar mee nadat ik gewandeld heb, als dat in jouw schema past.'

Bens glimlach geeft me een schuldig gevoel over de weerzin

die ik van binnen voel. Het idee dat Bradley komt, zit me niet lekker. Het schuurt als een nieuw paar schoenen. Het schuren dat je uiteindelijk blaren en rauwe plekken bezorgt. Bradley kent zijn vader nauwelijks als hij denkt dat Ben zou kunnen overleven zonder de zee waarvan hij zo veel houdt. Wiens belangen staan hier nu eigenlijk voorop?

Ik probeer me Ben in een gewone pantalon en golfhemd voor te stellen; hij gaat iedere morgen bij McDonald's koffie drinken of kijkt naar zijn kleinkinderen die schommelen in een speeltuin. Het beeld maakt een eenzame indruk op mij; ik zie hem tevreden voor me, maar er ontbreekt iets aan.

Ik schrik ervan als ik bedenk dat hij mij zal missen. Ik schrik nog meer als ik bedenk hoezeer ik hem zal missen. Zou ik hier echt kunnen wonen zonder Ben Wilson? Zou ik ooit over het verlies heen kunnen komen?

Waarom kan ik het hem niet vertellen? En als ik het wel kon, wat zou het uitmaken? Soms moet je mensen loslaten. Dat doe je omdat je meer van hen houdt dan van jezelf. Maar ik denk niet dat ik zonder hem zou kunnen leven.

'Sophia, alles in orde?' Hij kijkt me aan, en een ogenblik lang ben ik alle besef van tijd kwijt.

'Prima, niets aan de hand.'

'Ik hoef hem niet mee te brengen.'

'Nee, breng hem maar wel mee. Ik had je zoon al jaren geleden moeten leren kennen, jaren en jaren geleden.'

'Maar aan 'ik had zus' of 'ik had zo' heb je niet veel, hè? Je ziet hem volgende week.'

Ik moet erom glimlachen. Ik kan zo snel ergens spijt van hebben, en er liggen duizenden spijtpunten achter me. Maar zoals Ben me voorhoudt: wat heb ik daar op dit moment aan?

GETIJDENPOST

CURSUS GOED VOORBEREID DE WINTER DOOR

Laat u niet verrassen door de winterse buien! Er worden cursussen georganiseerd om u te helpen uw woning en auto op de winter voor te bereiden, voordat de verwoestende buien losbarsten. De *Boerenalmanak* voor dit jaar voorspelt een zware winter, die al vroeg in het seizoen begint.

Claire

Thuis.

Wat een vreemd woord kan dat zijn. Iets meer dan een week geleden noemde ik mijn piepkleine appartement en de stad San Francisco mijn thuis.

De laatste paar dagen liepen over van de kleinigheden. In mijn eerste week bij de krant heb ik geleerd hoe de geredigeerde artikelen, foto's, advertenties en nieuwsberichten op de lay-outvellen voor iedere pagina worden geplakt. Nadat de krant op zaterdag ter perse was gegaan, ben ik naar de stad gereden. Tijd om de maatregelen te treffen die ik steeds had uitgesteld – de definitieve, naar het zich liet aanzien.

Tussen het inpakken door lunchte ik met een vriendin uit de kerk, wat alles nog erger maakte. Ze betreurde mijn vertrek en beweerde dat ze dood zou gaan in een kleine stad. 'De mensen zijn er zo achter', zei ze.

Zondagavond had ik dat thuis achter me gelaten, nadat ik alles gesorteerd en ingepakt had, mensen had gebeld, de huur had opgezegd bij de eigenaar en had gereden tot de uitputting me bijna overmande.

Met mijn auto vol dozen, en nog een paar tochten voor de

boeg om de verhuizing af te ronden, kwam ik terug in Harper's Bay en besefte ik dat *dit* mijn thuis was. Weer. Voor nu. En toch was het dat ook altijd geweest. Al die jaren zei ik, wanneer ik naar het noorden reed voor een bezoek: 'Ik ga van het weekend naar huis.' En wanneer ik dan mijn ouders huis weer achterliet en de tijd in de gaten hield om de spits te vermijden, dacht ik: *Ik moet thuis zijn voordat het druk wordt. Spelen de Giants vanavond? Hoe laat komt het legioen toeschouwers op de weg?*

Dus waar was thuis nu?

Er duikelen te veel gedachten door mijn hoofd wanneer ik de inrit van mijn ouders op draai. Ze hebben het licht op de veranda aan gelaten. Mijn vader maakte zich zorgen over de grote reis en wilde meekomen. Ik heb beloofd dat ik nog een nacht in de stad zou blijven als ik te moe was om te rijden, maar ik moest er weg voordat ik door verdriet overmand zou raken.

Waarom kan ik me niet wat makkelijker aan veranderingen aanpassen? Waarom zijn kruispunten in mijn leven en oude wegen juist de plaatsen waar ik struikel en waar ik het liefst zou instorten en niet meer verder zou gaan? Ik wil hier niet zijn. Ik wil daar niet zijn, niet na deze week. Ik zou de persoon willen zijn die ik was voordat mijn auto het begaf op die eenzame weg. Maar er is geen weg terug in het leven. Goed of kwaad, alles gaat onverstoorbaar verder als een sterk stromende rivier waartegen niet op te tornen valt.

Met mijn hoofd op het stuur zou ik hier en nu in slaap kunnen vallen. Op een of andere manier voel ik, nu ik thuis ben – hier thuis –, nu de beslissing is gevallen, nu het besef volledig is doorgedrongen, iets wat ik niet verwacht.

Opluchting.

Als bij een pijn die plotseling verdwijnt.

Ik kijk uit naar de rijkdom van de stille morgens. Hoeveel ik ook houd van de dynamiek van de grote stad, ik had er een doelloos zoeken ontwikkeld waaraan ik gewend was geraakt. Mijn leven ging helemaal draaien om 'iets betekenen in de wereld' – een dooddoener die ik van anderen had overgenomen en me helemaal eigen had gemaakt, maar slechts in woorden. De werkelijke daden werden doorgeschoven naar toekomstplannen. En nu, voorlopig rust! Een eenvoudig en ongestoord leven. Een verleidelijk idee.

Ik laat de dozen in de auto staan en stap met alleen mijn handtas en sleutels uit. Ik verlang naar een warm bad en mijn kussen. De deur is niet op slot, en ik moet glimlachen. Op de tafel naast de deur ligt een enorme plak chocoladecake klaar, met naast het bord een papier met een lijst van telefoontjes – tot zover het eenvoudige leven. Mijn oude kamergenote Susan uit Vegas, Rob van de *Getijdenpost*, mijn oom, die me gemist heeft in de kerk. Mijn moeder heeft erbij geschreven dat zij met mijn vader op visite is en dat ik voor hen niet hoef op te blijven.

Ik heb het gevoel dat het middernacht is, maar in werkelijkheid is het nog maar halftien. Ik wil deze avond voor mijzelf hebben, een zeldzaamheid in San Francisco, waar het hectische leven van mijn kamergenote altijd inbreuk maakte op de twee of drie rustige avonden die ik gehad zou kunnen hebben. Nu ik eenmaal binnen ben, voel ik me te opgewonden om te kunnen slapen. Aanlokkelijk zijn een bad bij kaarslicht, eindelijk de kans om aan de *Gebroeders Karamazov* te beginnen, of misschien een dvd uit de verzameling van mijn ouders bekijken – hoewel een snelle blik me leert dat het voornamelijk westerns met John Wayne zijn, die alleen ten volle genoten kunnen worden in aanwezigheid van mijn vader.

Wanneer ik de achterzijde van een dvd-doosje lees waarin kennelijk een oude oorlogsfilm zit, zie ik koplampen door de halfdichte luiken schijnen. Het gedreun van een dieselmotor laat de ramen trillen – een grote vrachtwagen op onze oprit? Ik hoor een portier opengaan en weer dichtslaan. Voordat ik door de luiken kan kijken, rijdt de vrachtwagen achteruit en verlichten de koplampen de woonkamer. Op de veranda klinken voetstappen.

Een tel later klopt er iemand aan. Omdat het licht op de veranda nog steeds aan is, zie ik het silhouet van een man door het raam van de deur. Ik herken iets in de manier waarop hij achteruit stapt en over de veranda kijkt. Ik weet onmiddellijk wie er op de stoep bij mijn ouders is afgeleverd.

'Conner!', schreeuw ik terwijl ik de deur openruk.

Mijn broer springt geschrokken achteruit, en plotseling begint er iemand – een klein iemand – te huilen. Hij heeft een kind bij zich, dat ik zojuist bijna een hartstilstand heb bezorgd.

'Stil maar. Het is goed', zeg ik. 'Ben je erg geschrokken? Kom binnen. Kan ik iets voor haar halen?'

Het kleine meisje hangt nu in mijn broers armen. Langzaam houdt het huilen op wanneer ze binnenkomen. Haar tranen hebben vuile strepen over de roze wangen getrokken, en ik zie knopen in haar donkere haar.

'Wat doe jij hier?', vraagt Conner met een stem die van uren uitputting getuigt. Hij heeft een baard van een paar dagen, en zijn haar is kort in vergelijking met de paardentaart die hij droeg toen ik hem de laatste keer zag.

'Wat ik hier doe? Wat doe *jij* hier? En wie is dit?'

Het meisje begraaft haar gezicht in Conners nek.

'Lang verhaal, heel lang. Tjonge, ik heb mijn zusje al een tijd niet meer gezien. Hoe lang is het nu geleden? Twee jaar?'

'Al zo lang?' Ik herinner me de Kerstmis van twee jaar geleden en dat we elkaar sindsdien steeds misliepen. 'Ja, dat zal ook wel.'

'Dit is Alisia. Alisia, *el ist* tante Claire. Mijn Spaans is vreselijk. Gelukkig spreekt ze behoorlijk goed Engels.'

'Hallo, Alisia, of moet ik *hola* zeggen?' Ik weet niet of ik haar een hand moet geven of op haar rug moet kloppen. Mijn ogen schieten van het kleine meisje naar mijn broer. 'Zei je *tante* Claire?'

'Tja, zoals ik al zei, het is een lang verhaal ...'

Mijn mond hangt open, en mijn verstand zegt dat ik hem dicht moet doen, maar ik kan niets meer bewegen. Bedoelt hij echt dat Alisia zijn dochter is? Heeft mijn broer een kind? En hij heeft een kind dat wel drie of vier jaar oud moet zijn. Ik kan dat nooit goed schatten. Het idee hamert door mijn bloed, in plaats van de zuurstof die ik snel nodig heb om niet flauw te vallen en de zaak niet nog verder te verergeren.

Mijn broer is vader. En dat is hij al een heel tijdje.

'Weten pap en mam hiervan ...? Ik bedoel, kennen ze haar? Wanneer is dit gebeurd, met wie ...? Hoe komt het?'

'Ze is vier', zegt hij, en ik begrijp dat hij verder niet te veel wil loslaten in het bijzijn van Alisia.

'Vier', herhaal ik terwijl ik zie dat Alisia aan mijn broers mouw trekt.

'Ik denk dat ze naar het toilet moet', zegt hij.

'Ja, natuurlijk. Zal ik koffie zetten? Heb je trek?'

'Ja op beide vragen.' Hij zucht diep.

'Goed', zeg ik half verdwaasd en onbeholpen wanneer ze de gang in lopen.

Er ligt van alles in de koelkast, maar ik sta als versteend in de open deur te staren terwijl de koude lucht langs me heen strijkt. *Eten – ze hebben eten nodig*, denk ik, mezelf dwingend te handelen en mijn vragen te onderdrukken.

'Hé ...' Conner kijkt door de deuropening. 'Ik ga haar in bed stoppen. Ik kom terug zodra ze slaapt.'

Nadat ik een pot zelfgemaakte jam uit de koelkast heb gepakt, loop ik op de geluiden in de woonkamer af. Conner is in de schommelstoel gaan zitten, met Alisia op schoot, en wiegt zacht heen en weer. Het kind knippert loddering met haar ogen in de warmte van mijn broers armen. Ze houdt een stoffen pop tegen haar borst gedrukt.

Ze zien me niet. Conner staart naar zijn dochtertje (een verbijsterende gedachte) en zucht terwijl de last van zijn reizen, die mij onbekend zijn, nog op zijn schouders lijkt te drukken. Ik bedenk dat hij ook in slaap zou kunnen vallen wanneer Alisia's ogen zich sluiten en haar ademhaling dieper wordt. Haar wangen, rond en blozend van zon of wind, lijken van een bijna eetbare zachtheid. Lange, zwarte wimpers rusten op die wangen, en haar kleine mond vertrekt een beetje nu de slaap vat op haar krijgt. Het is een plaatje dat het waard is op een schilderij vereeuwigd te worden – twee vermoeide reizigers op dit moment van volmaakte rust en vrede.

Mijn ogen vallen op een ingelijste foto achter mijn broer op de schoorsteenmantel. Hij is op dat prentje een jaar of acht en staat lachend aan een riviertje met een forel in zijn hand. Hij lachte altijd het meest wanneer hij in de bossen was of met een vis in zijn hand stond.

Ik maak van mijn moeders brood (niet van mijn kleffe exemplaar) een boterham met pindakaas en jam voor Conner, met een extra dikke laag jam.

Zijn voetstappen kraken over de vloer, en het harde licht in de keuken accentueert zijn vermoeidheidsrimpels eens te meer. 'Ik heb haar in de logeerkamer gelegd.' Ik weet dat hij bedenkt dat de logeerkamer ooit zijn kamer was, en dat zijn dochter daar nu slaapt.

Ik zet de boterham op tafel en schenk hem een beker melk in. 'Geen koffie voor jou. Je moet slapen.'

'Maar mam en pap ...', begint hij, voordat hij aan tafel gaat zitten. 'Ik heb de afgelopen week nauwelijks geslapen.'

'Je bent nu hier.' Ik kom achter zijn afhangende schouders staan en verbaas me erover hoe smal die eigenlijk zijn zonder zijn jas.

'Alisia krijgt misschien nachtmerries. Als ik niet wakker word ...'

'Mijn kamer ligt recht tegenover die van haar', stel ik hem gerust, terwijl ik me afvraag hoe je een doodsbang kind troost. 'Je kunt gerust gaan slapen.'

'Hoeft niet. Jij vraagt je zeker af wat dit allemaal betekent.'

'Een beetje wel, ja.' We grinniken beiden.

'Ik werkte een paar jaar geleden op een boerderij in het zuiden van Texas, en daar ontmoette ik Rosa.'

'Ik herinner me er vaag iets van dat je in Texas zat.'

'Ik heb er maar zes maanden of nog korter gewoond, en jij studeerde geloof ik. Maar wil je het verhaal eigenlijk wel horen?', zegt hij met zijn ouderwetse, broederlijke humor.

'Ja, natuurlijk. Vertel op.' Ik ga tegenover hem aan tafel zitten. Ik zou natuurlijk moeten weten waar mijn broer gewoond heeft, maar hij verhuisde met de seizoenen mee.

'Ik was veedrijver bij een grote boerderij daar ...'

'Zo'n echte cowboy op een paard?'

'Nee, op een stier.' Hij neemt een hap van zijn boterham en begint langzaam te kauwen.

'Geen grapjes, graag. Ik heb het gevoel dat ik met een vreemde zit te praten.'

Hij gaapt. 'Dat krijg je ervan als je naar de grote stad vlucht.'

'Alsof jij hier in de buurt bent gebleven. Maar terug naar de paarden en Texas en hoe je vader bent geworden. Ik loop een beetje achter bij jouw levensverhaal.'

'Rosa werkte bij de plaatselijke bank. Toen ik drie weken lang cheques bij haar loket had ingeleverd, wilde ik met haar trouwen. We stonden zo lang te praten dat haar baas me op een bepaald moment kwam vragen of ik haar niet gewoon mee uit kon nemen. Je weet wat voor hekel ik als jochie aan al die verliefdheid en klefheid had. Ik wilde alleen maar de wildernis in, waar je maar weinig aantrekkelijke en beschikbare meisjes met normen en waarden tegenkwam, laat staan met een volledig gebit.'

Ik lach, maar voel zijn bedroefdheid. 'Tot Rosa?'

'Tot Rosa. Het is een te lang verhaal voor vanavond, maar vijf maanden geleden heb ik haar teruggevonden.' Hij staart naar het laatste stukje brood op zijn bord, zijn gedachten mijlen ver weg. 'We waren heel veel bij elkaar, maar toen, op een avond, kwam ze niet opdagen om naar een film te gaan die ze graag wilde zien. Ik wachtte en belde haar op, maar kreeg geen gehoor. Tegen de tijd dat ik haar vond, was het al te laat.'

'Conner, wat is er gebeurd?'

Hij zwijgt en staart naar de tafel. 'Ze is dood, Claire.'

Ik grijp zijn handen, maar kan geen woord uitbrengen. Ik voel een golf van misselijkheid wanneer ik tot me laat doordringen wat hij zojuist heeft verteld en wat hij heeft doorgemaakt. Ik wil antwoorden op de vragen die zich opstapelen, en ik voel verdriet om iemand die mijn broer liefhad, maar die hij nooit meer zal zien. In een kamer verderop ligt een kind te slapen dat zich haar moeder nauwelijks meer zal herinneren.

'Conner, wat verschrikkelijk', zeg ik. Het zijn machteloze woorden, maar wat kan ik anders zeggen? 'En pap en mam weten hier niets van?'

Hij schudt zijn hoofd en is zo uitgeput dat er geen emotie meer in zijn blik te bespeuren is.

'Blijf je een poosje?'

'Ik weet niet wat ik ga doen. Het is allemaal een enorme puinhoop.'

'Dat wil ik geloven.'

'Nee, ik meen het. Het is erger dan je denkt. Maar ik ben moe, zus. Maak me wakker wanneer pap en mam thuiskomen, wil je? Ik blijf op de bank liggen totdat ze er zijn.'

Ik aarzel. 'Kan ik iets voor je doen?'

'Dat je hier bent, betekent alles voor me', zegt hij, en de tranen schieten me onmiddellijk in de ogen. 'Ik kan gewoon niet geloven dat jij hier bent.'

'Ik ook niet.' Ik verbaas me er even over hoe alles in elkaar grijpt. 'Ik houd van je, Conner.'

Hij slaapt binnen een paar minuten op de bank in de woonkamer, met zijn laarzen over de armleuning bungelend. Buiten staat mijn auto nog, die mijn kleine wereld ingepakt heeft thuisbracht. Het meisje slaapt boven in zijn oude slaapkamer. Ook Conners wereld is thuisgekomen.

Wanneer ik zijn laarzen voorzichtig losmaak en van zijn voeten trek, valt me op hoe versleten de dikke zolen zijn. Waar hebben deze laarzen hem naartoe gedragen? En wat heeft hij allemaal moeten doorstaan zonder ons? Terwijl ik naar Conners slapende gezicht kijk, rollen er tranen over mijn wangen om mijn broer en de reis die hij maakte.

❧

Een restant van een droom houdt me nog vast. Mijn ogen zijn nog dicht, maar mijn bewuste helft beseft dat het morgen is, vroege morgen, en dat er iemand naar mij staat te kijken. Het kost me moeite mijn ogen open te doen. Wanneer ik het doe, ontdek ik twee andere ogen die terugkijken. Even kan ik het kind noch mijn omgeving duiden – de droom die ik vergat, hangt nog ergens in de nevelige wereld voor de morgenschemer.

Alisia. Mijn nichtje. Ze staat roerloos bij de deur, haar donkere haar mat en in de war van een dag reizen en een nacht slapen. Ik kom overeind, opnieuw verbaasd over wat een nacht kan opleveren, hoezeer je kijk op het leven erdoor kan veranderen. Gisteren was ik nog geen tante, vandaag ben ik dat wel. De komst van dit kind verandert alles in onze familie. Mijn broer is vader, mijn ouders zijn grootouders. Wanneer is ze jarig? Wat voor cadeautjes kopen we voor de Kerst, over een kleine maand? In een oogwenk schetst mijn geest een toekomst die volkomen anders is dan die van de vorige dag.

In de ban van haar sombere blik en donkere ogen wil ik de dekens terugslaan en haar uitnodigen in de warme cocon van de vroege morgen. We zouden samen giechelen, elkaar verhalen vertellen en plannen maken voor warme chocola en pannenkoeken. Maar ik ken haar nog niet, en dus kijken we elkaar aan, om elkaar wederzijds te observeren en vast te leggen. Het kan niet anders of ze begrijpt het niet, maar toch zie ik geen angst op haar gezicht.

Dan barst ze plotseling in tranen uit, en het onverwachte ervan brengt mij van mijn stuk. Haar snikken gaan over in gierende uithalen.

'Alisia, alles is in orde', zegt ik terwijl ik uit het warme bed in de koele kamer spring. Ik ren naar haar toe en vraag me af wat ik moet doen. Haar oppakken? Omhelzen en vasthouden? Conner halen? Ik ben nooit eerder tante geweest.

'Mam, mam', roep ik terwijl ik de gang op loop.

Mijn broer komt de trap op en veegt de paar uurtjes slaap uit zijn gezicht. Hij knijpt zijn ogen zo dicht tegen het licht dat zijn hele gezicht rimpelt. 'Waar is ze?'

'Ze kwam naar mijn kamer. Ik keek alleen maar naar haar, en toen begon ze te huilen. Het spijt me.'

Alisia's gehuil verstilt tot zacht gejammer wanneer ze Conner ziet. Ze steekt haar armen naar hem uit.

'Ik neem het wel over', zegt hij terwijl hij haar met een zwaai van de vloer oppakt.

Alisia kijkt me over Conners schouder aan, haar dikke handjes op zijn armen.

'Wil je lekkere bubbels in je bad?' Dan volgt er een reeks Spaanse woorden, en ik verbaas me over mijn broer, die van het ene moment op het andere in een vader veranderd is.

❧

Gezamenlijk ontbijt – mijn moeders dikke pannenkoeken, mijn vader die warme chocola maakt voor Alisia. Ze hebben hun rol als grootouders snel opgepakt, ook al vallen er ongewone stilten in onze gesprekken. We zijn bij elkaar, en dit prachtige kind verbaast ons, maar veel blijft nog onuitgesproken. Mijn ouders moeten het verhaal vannacht hebben gehoord. Mijn weekend in de stad en de rit naar huis hebben me in een slaap gedompeld waaruit ik niet wakker ben geworden. Nu ik bij de *Getijdenpost* werk en de maandag vrij heb, voelt mijn week uit balans. Ik blijf maar denken dat iemand zou moeten zeggen dat we naar de kerk gaan.

Alisia eet zwijgend van de pannenkoeken die Conner in stukjes snijdt en van stroop voorziet. Haar lange, donkere haar, nog nat van het bad, is uit haar gezicht gekamd, en ze draagt een klein zomerjurkje dat verbleekt is, maar schoon. Mijn vader vond een oude stoelverhoger op zolder en maakte die schoon, zodat het meisje goed aan tafel kan zitten.

'Of heb je andere plannen, Claire?' Mijn moeder was aan het praten om de stilte op te vullen, en ik heb gemist wat ze heeft gezegd.

'Wat?'

'Winkelen. Ik dacht dat jij en ik misschien een paar dingen voor Alisia en je broer zouden kunnen gaan halen.'

'Ja, natuurlijk.' Er lijkt een onuitgesproken regel te bestaan dat we de details van mijn broers aankomst met Alisia niet in het bijzijn van het meisje bespreken.

Een uur later lopen we in het winkelcentrum, op een afdeling kinderkleding, en kopen daar dingen waaraan ik niet onmiddellijk gedacht zou hebben: een paar winterstelletjes, sokken, onderhemdjes, haarbandjes waarin het haar niet verward kan raken, een zachte roze deken. Onze conversatie bepaalt zich tot de keuze voor ondergoed met de Kleine Zeemeermin erop of hartjes en sterren.

Wanneer mijn moeder een nieuwe stoelverhoger in het karretje legt en naar kinderbedden begint te kijken, vraag ik eindelijk: 'Blijven ze een poosje? En wat vind je er eigenlijk van?'

'Ze blijven wat langer', antwoordt zij, maar ik hoor meer bezorgdheid dan vreugde in haar stem. 'Ik wil ook wat speelgoed halen. Conner wil niet dat ze overladen wordt met spullen, maar een paar speeltjes mogen toch wel.'

'Mam, wat is er aan de hand? Er is iets wat je me niet vertelt.' Al vanaf het ontbijt viel me haar nerveuze gebabbel op.

Ze staart even in het winkelwagentje, kijkt op naar een plank vol kinderspeelgoed en wendt zich ten slotte tot mij. 'Ik kan je niet vertellen wat je broer je zou moeten vertellen, lieverd. Het spijt me. Ik weet niet wat er gaat gebeuren, maar we moeten voor Conner bidden, en dat meen ik heel serieus. Hij zou weleens zwaar in de problemen kunnen zitten. Hij zal ons nodig hebben.'

Ik houd een pakje ondergoed met de Kleine Zeemeermin in mijn handen en zie hoe mijn moeder het winkelkarretje vooruitduwt, bij mij vandaan. De laatste keer dat ik een dergelijke toon in haar stem hoorde en zo veel zorg op haar gezicht las, was toen Conner een keer ging vissen en een nacht vermist raakte tijdens een plotselinge zomerstorm.

Zat mijn broer in de problemen? Wat betekende dat precies?

Sophia

*Wanneer ik nadenk over de reis die ons hier heeft gebracht,
verbaas ik me.*

❦

Met dampende thee en warme cakejes delen we de katernen van
de krant. Als extraatje zet ik een plaat op de oude platenspeler, een
elpee met lichte volksmuziek die ik in de jaren vijftig in Europa
heb gekocht. Het geluid uit de hoorn heeft een kraak van de
naald die exact bij het knetteren van het vuur en het ritselen van
de krant past.

De dinsdagen zijn *Getijdenpost*-dagen. Soms staan er gramma-
ticale fouten in de krant, is een bijschrift verkeerd geplaatst of is
de inkt doorgedrukt waardoor willekeurige zinnen op de volgende pagina worden benadrukt. Mijn grootouders lazen dezelfde
krant; zo lang bestaat hij dus al, zij het onder verschillende eige-
naren natuurlijk. Het blad is zo plaatselijk als het maar zijn kan,
met zelfs een rubriek die onderwerpen uit archieven en verslagen
aanhaalt die tien of vijfentwintig jaar geleden groot nieuws
waren. Of vijftig jaar geleden – dat is een van mijn lievelings-
rubrieken.

De *Getijdenpost* wordt iedere dinsdag bezorgd, maar Ben krijgt
meestal al een vroeg exemplaar op maandagmiddag, wanneer de
pakketten bij het kantoor van de krant worden afgeleverd. Wanneer hij voorbijkomt, zwaaien de hoofdredacteur en de medewerkers terwijl hij een exemplaar uit de stapel haalt en terugsjokt
in de richting van de haven. Op dinsdagmorgen, wanneer de
brave burgers van Harper's Bay de krant ontvangen, komt Ben
hier met ons exemplaar. Dan gaan we samen aan tafel zitten – of
bij het vuur, als het een erg koude morgen is – en bespreken we
het plaatselijke nieuws. Het weer is altijd een hoofdonderwerp,
net als het vissersnieuws en de getijdenkalender voor de komende week. We bespreken ook of de verslaggeving te ver is gegaan
in het weergeven van realistische details, of we discussiëren over

de vraag of een grote winkelketen naar Harper's Bay moet komen of niet.

Soms zijn er schandalen aan de orde. Ooit was er een wethouder die gemeentegelden verduisterde; een andere inwoner liep gekleed als een pelgrim rond en werd opgepakt wegens openbare dronkenschap. En dan was er natuurlijk de beruchte beroving van de Seaport Bank, waarvoor de inbrekers een tunnel vanuit het riool gegraven hadden en midden in de hal boven de grond kwamen in plaats van naast de kluis.

Ik houd van de dinsdagen.

Mijn vingers worden zwart van het omslaan wanneer ik de koppen en foto's snel bekijk. De verslaggevers maken soms de mooiste foto's van kinderen op school of van plaatselijke evenementen. Ik denk vaak aan de fotografen die er maar op los klikken en met hun camera's een deel van de wereld vastleggen.

Mijn oog valt op een naam onder een van de artikelen. 'Is die nieuwe redactrice dezelfde Claire die jij hebt ontmoet?', vraag ik.

'Ja, de Claire die ik heb gered.'

'Je bedoelt de Claire die hier is geweest.'

'Ja, de Claire die ik gered heb', herhaalt hij, in afwachting van mijn sarcastische commentaar, dat ik besluit hem maar te geven.

'Voor zover ik me kan herinneren, heeft ze zichzelf gered.'

Hij grinnikt. 'Maar ik heb *jou* gered van een indringer uit de beschaafde wereld.'

'Interessant', zeg ik, naar de krant terugkerend zonder acht te slaan op zijn opmerking. 'En nu werkt ze dus voor de krant. Ik vraag me af hoe dat zo gekomen is.'

Hij vouwt zijn katern op en kijkt me aan. 'Jij bent echt nieuwsgierig naar dat meisje, nietwaar?'

'Kennelijk, maar ik weet eigenlijk niet waarom. Ze heeft een leuk verhaaltje geschreven.'

'Wat? Geen kritiek? Geen neerbuigend gelach over verkeerd geplaatste komma's of een ongepaste woordkeuze?'

'Een teleurstelling, ik begrijp het. Waar moet ik me nog mee vermaken als dat meisje in de stad blijft?' Ik lees het verslag over Claires bezoek aan de plek van de schipbreuk van de *Josephine* nog een keer. 'Dit moet het artikel zijn waaraan ze aan werkte toen ik haar op die boot heb gezien.'

'Alweer interessant dat je haar daar opmerkte. Met je nieuwsgierigheid naar Josephine Vanderook ga je tegenwoordig helemaal op in intriges.'

'Ik moet inderdaad toegeven dat het een inbreuk op mijn gewoonten is.'

'En dat is toch wel het laatste wat we zouden willen, of niet soms?'

'Het lijkt erop dat de discussie over Wilson Bridge gewoon doorgaat.'

En zo beweegt ons gesprek zich rondom de onderwerpen die in de krant aan de orde komen, terwijl Ben de thee bijschenkt en ik de ketel op het vuur zet voor een derde kop.

Wanneer de krant uiteindelijk opgevouwen terzijde wordt gelegd, rekt Ben zich een laatste keer uit om aan te geven dat het tijd wordt om te vertrekken. 'Ik moet mijn flirtvermogens oppoetsen voor de gang naar de Historische Vereniging.'

'Mevrouw Crow doet alles voor jou', merk ik op. Dan, plotseling en volkomen onverwacht, komt er een gevoel in mij op. 'Weet je, Ben, ik geloof dat ik eraan toe ben naar de stad te gaan.'

Het produceert de gebruikelijke, verbaasde glimlach op zijn gezicht. Ik denk dat hij nog steeds gelooft – of hoopt – dat een dergelijke uitspraak en het daarop volgende uitstapje een definitief einde zal maken aan mijn leven van afzondering, en dat ik op een dag klaar zal zijn voor tochtjes naar de bioscoop en naar restaurants, dat ik bezoek zal willen ontvangen en zelfs een mobiele telefoon zal aanschaffen. Je zou denken dat die stille hoop allang een even stille dood in hem gestorven zou zijn, maar dat is nog steeds niet het geval.

'En wat drijft de dame uit haar grot?', vraagt hij, in de wetenschap dat ik voldoende voorraden heb. 'Een nieuwe jurk voor Kerstmis of winkelen voor de feestdagen misschien?'

'Geen slecht idee, als we daar dan toch zijn. Maar ik wil die memoires graag zelf zien, behalve als je denkt dat mevrouw Crow de deur op slot zal doen wanneer ze mij ziet aankomen.'

'Ze zou het misschien wel willen, maar je blijft de plaatselijke beroemdheid.'

'Je had beloofd dat je die woorden nooit meer tegen mij zou zeggen.'

'Oeps. Ik denk nog altijd dat ik wel een kopie van de memoires kan loskrijgen van mevrouw Crow. En misschien kun jij je kleine vondst ook meenemen naar het museum, als we daar toch heen gaan. Ik geloof dat er een boete, zelfs gevangenisstraf, staat op het achteroverdrukken van vondsten van een archeologisch onderzoeksterrein.'

'Wie vindt, wint. Raak je wat kwijt, heb je spijt.'

'Maak dat de rechter maar wijs.'

'Het lag op mijn terrein. Hoe kan ik dan weten dat het van de schipbreuk afkomstig is? Misschien is het aangespoeld van een andere boot.'

'Hm', zegt hij, met zijn lippen afwijzend getuit, maar zijn wenkbrauwen als in een glimlach opgetrokken.

Holiday wacht al kwispelend bij de deur.

'En waarom wil je die memoires eigenlijk zo graag zien?'

'Weet ik niet. Het is gewoon een gevoel dat ik vandaag heb. Misschien uit nieuwsgierigheid of voor onderzoek. En ik wil zien hoe jij mevrouw Crow om je vingers windt.'

'Je zou de zaak kunnen bemoeilijken.'

'Dat kun jij wel aan, volgens mij.'

'Waar, heel waar', zegt hij, terwijl hij zijn kraag op een overdreven manier recht trekt.

Ik geef hem een tik met mijn opgevouwen deel van de krant en hij slaat dubbel van het lachen en de zogenaamde pijn.

Na bijna een jaar ga ik weer naar de stad.

Memoires van Josephine Vanderook

❦

Er zijn dagen voorbijgegaan voordat ik de hutkoffers kon openmaken. Mijn gedachten konden geen verklaring vinden voor hun aanwezigheid, terwijl mijn angst voor hun inhoud mijn nieuwsgierigheid een tijd lang overvleugelde. Misschien had Eduard wat aankopen vooruitgestuurd die hij had gedaan in de uren dat hij verdween in San Francisco. Bij nadere inspectie herkende ik echter een aantal koffers: het waren exemplaren met onze persoonlijke bezittingen, hutkoffers die we in Boston hadden ingeladen.

Het huishoudelijk personeel sprak zelden met mij. Meneer Alden was aangetrokken als hoofdbutler, en zijn gezag eiste perfectie van de anderen. Uiteindelijk gelastte ik de aanwezigheid van meneer Alden bij het openen van de koffers.

'Er staan ook nog kratten in het koetshuis, mevrouw', kondigde meneer Alden aan toen ik hem die morgen opzocht.

De kratten en koffers bevatten al onze persoonlijke bezittingen, huishoudelijke voorwerpen, kleding en andere spullen die we voor de scheepsreis hadden ingeladen. Hoe verheugd ik ook was dat ze niet aan de schipbreuk ten prooi waren gevallen, ik vroeg me wel af waarom er zo veel koffers over land vervoerd waren. Wat voor redenen had Eduard gehad om ze uit het ruim te halen en per koets te laten versturen? Ik herinnerde mij de onverwachte lading waarover hij in San Francisco had gesproken. Een lading waarover hij verder niets zei, en die een verrassing voor mij was. Misschien was er meer ruimte nodig geweest in het overvolle ruim, terwijl de inscheping van tientallen passagiers de ruimte nog verder beperkt had. Had hij onze persoonlijke bezittingen eruit gehaald om meer ruimte te creëren? Het waren vragen waarop de antwoorden met mijn man naar de bodem van de zee waren gezonken.

Wat een bitterzoet genoegen zijn geschenken open te maken. Een van de hutkoffers bevatte in papier verpakte rollen stof en een hoedendoos met twee bijna opzichtig te noemen hoofddeksels. Stellig had hij bedacht hoe we deze schatten samen onder opgewonden uitroepen zouden uitpakken – alsof de betere kringen van Boston Seattle hadden veroverd. Mijn ver-

ontrusting over zijn lange afwezigheid en stemmingswisselingen in San Francisco verdwenen enige tijd, nu ik hem in gedachten het schip zag verlaten om inkopen te doen en aan onze gezamenlijke toekomst te denken. Een toekomst die we niet meer hadden.

Later zou ik de documenten vinden. Eduard had er een kopie van zijn testament en papieren voor de scheepswerf en ons huis bijgevoegd. Waarom had hij deze belangrijke papieren toevertrouwd aan een koets die ze over land vervoerde, in plaats van ze in het schip te houden dat hij op zijn eigen scheepswerf had gebouwd?

Mijn geliefde Eduard. Op een of andere manier was de vriendelijke en vrijgevige man een hoek omgeslagen en bij een groot kwaad betrokken geraakt. Ik voelde het aan toen ik de documenten vond, ook al ontkende ik het aanvankelijk nog. Zijn gedrag die laatste dagen was de bevestiging. Toen de waarheid stukje bij beetje naar boven kwam, greep een enorme angst mij aan. De bewijzen stapelden zich op dat de extra lading en de aard van die lading ofwel de oorzaak waren van, of op z'n minst bijdroegen tot het afschuwelijke drama en het verlies van al die levens.

Sophia

Onze liefde is bekend, al bleef ze vaak onbesproken.

❦

Het pad van Bens vuurtoren naar de aanlegsteiger kronkelt tussen de kustgrassen door die de vruchtbare aarde verraden. Ben helpt me teder en voorzichtig van het houten plankier in zijn kleine vissersboot. Ik zit laag in de zetel die hij speciaal voor mij heeft aangebracht, ook al heeft hij dat nooit met evenzoveel woorden gezegd. Het is een comfortabele zitplaats die voorkomt dat ik me tegen de zijschotten stoot. Hij geeft me een dikke wollen deken die ik om mijn schouders kan slaan, maar ik zit al goed ingepakt in mijn eigen jas, met handschoenen aan en een hoed op die mijn haar vrijwel ontoonbaar zal hebben gemaakt wanneer we in de stad aankomen. Maar Ben neemt me niet mee als ik zijn aanwijzingen voor gepaste kleding niet opvolg.

'Je hebt een koude dag uitgezocht. Als de weg niet geblokkeerd was, zou ik met de Chevrolet gaan.'

'Maar de weg is wel afgesloten, en ik ben al heel lang niet meer op het water geweest. Misschien al een jaar niet meer? Vandaag is de juiste dag.'

'Afgelopen jaar was het een warme dag. Houd je goed ingepakt, want anders leg je het loodje.' Ik moet glimlachen om Bens zorgen over het weer. Ongetwijfeld denkt hij terug aan mijn bronchitisaanvallen van een paar jaar geleden.

Hij rommelt wat aan de motor, totdat die plotseling tot leven komt. Het water is tamelijk rustig in Bens smalle haven, dankzij een natuurlijke golfbreker in de vorm van een hoge, zwarte rots. Omkijkend neem ik het toneel in me op van de hoge, witte vuurtoren en de lichtflitsen uit de lampen aan de top. We laveren door een netwerk van rotsen die op waterniveau bezaaid zijn met zeesterren, zeeanemonen en wuivend zeewier.

Dan komen we op open water, met de eerste golven en windvlagen. Het verbaast me hoe goed het voelt op het water te zijn, met Ben aan het roer. We beuken op de golven, en de koude, zilte lucht blaast verfrissend tegen mijn gezicht.

Wanneer de wind onze haren grijpt, komen altijd weer de herinneringen boven aan onze jeugd. Dagen van zomerhitte en winterkoude, waarop wij over de golven dansten langs deze zelfde haven. Het is alsof ik het verloop van de tijd kan zien – kinderen die via hun adolescentie naar volwassenheid groeien – terwijl de herinneringen zich als filmbeelden voor mijn ogen afspelen.

Ben en ik namen deze route ook als tieners om aan de verveling van de Point te ontsnappen. Op die leeftijd stond de stad voor opwinding. Hij stond dan voor dag en dauw op om zijn taken te doen en aan zijn vader te ontsnappen. We troffen elkaar in de late middag met rugzakken om een weekend in het zomerhuis van de Turluccio's door te brengen. Ben probeerde er een 'wilde watertocht' van te maken, zoals hij het noemde, en mijn kleren en haar ondanks mijn woeste protesten nat te spatten voordat we in de haven arriveerden, waar Phillip en Helen op ons wachtten.

Ik zie Ben nu naar me kijken. Hij probeert mijn gedachten te raden, of hij controleert of ik het niet koud krijg.

'Herinner jij je Operatie Uitbraak nog?', schreeuw ik.

Hij knikt, en een glimlach lijkt zijn zorgen weg te nemen. Boven het motorgeraas uit, schreeuwt hij terug: 'Toen Phillip eenmaal *De Zwitserse familie Robinson* had gelezen, was ons lot bezegeld.'

We lachen beiden om die waarheid. Philip lanceerde het idee, maar we namen allemaal deel aan de uitvoering. Helen stond erop dat we plechtige geheimhouding zouden beloven over de expeditie – onze reputaties zouden eraan gaan, en nette meisjes deden niet wat wij deden. Helen was vaak de advocate van het fatsoen.

Maar ze kende ook de trucs om onze ontsnapping te plannen. Phillip en zij zouden zeggen dat ze een week naar de Point gingen – hij om bij de vuurtoren te werken en zij om bij mij te logeren. Ik zou het tegenovergestelde doen en zeggen dat ik een week bij Helen in de stad zou zijn. Ben had het altijd het moeilijkst onder de tirannieke tucht van zijn vader; hij dacht er zelfs over voorgoed weg te gaan. Maar Helen loodste hem terug naar het pad van de logica en kwam met een briljant plan op de proppen. Er was iets waar Bens vader nog meer in geloofde dan zijn zoon hard aan het werk zetten: het aanleren van ambachten. Ben zou vertellen dat hij in de stad een week de kans kreeg om wat bouwvaardigheden op te doen (hetgeen slechts het oprekken van de waarheid was, aldus Helen, die een hekel had aan liegen). Het was bijna bizar dat het zo eenvoudig ging. Onze enige zorg was dat twee ouders van verschillende kant elkaar wellicht in de stad zouden spreken, maar dat kwam zo zelden voor dat we het risico namen.

We vertrokken op een zondag, meteen na kerktijd, in de tweede week van de zomervakantie. De kerk riep enige schuldgevoelens wakker omtrent de leugens die we voor het welslagen van het plan moesten verkondigen. Maar zoals Ben ons voorhield toen we in de boot stapten: het was de laatste zomer waarin we echte vrijheid zouden kennen. We waren allemaal veertien jaar, het was de zomer tussen de kindertijd en de middelbare school. Phillips schoolvakantie zou bovendien worden ingekort door de rugbytraining, die al in augustus begon.

Binnen een halfuur hadden we de beschaving achter ons gelaten en stonden we op de kust met kilometers rotsen en bos voor ons. We legden de boot vast, laadden de voorraden uit en keken even om ons heen. Ben slaakte een indianenkreet, en de rest van ons viel hem bij.

We bouwden onderkomens in de schaduw van de dennen, met twee slaapvertrekken – voor de jongens en de meisjes. We groeven een vuurkuil, spietsten vis, plukten bessen, weefden grassprieten die we als indiaanse halskettingen en oorlogstrofeeën omhingen. We zwommen uren lang, en het water voelde als de meest bevrijdende ruimte op aarde. De golven maakten plezier met ons, en we konden hun kracht voelen in hun ongeremde spel.

Helens vlechten en die van mij kwamen de tweede dag los. Phillip had de inheemse planten bestudeerd en wist wat eetbaar was, maar niemand was zo dapper zich aan paddenstoelen te wagen. We besloten nooit meer naar huis terug te gaan; het leven in de natuur was ons leven. Onze huid werd bruin, het vuil hoopte zich op onder onze nagels, en blauwe plekken en sneetjes waren avontuurlijke verwondingen. We sloten pacten, werden bloedbroeders en -zusters en praatten over de dingen die we ooit zouden gaan doen. Gelach, zon, zout en water – dagen van zorgeloze jeugdigheid.

Een week later namen we afscheid van de bossen en de kust die ons thuis waren geweest. We kregen honger en begonnen te vrezen voor bezorgdheid van onze families. En het zou kunnen zijn dat het plan ontdekt was zonder dat wij het nog wisten. De beschaving voelde vreemd aan – alleen zijn, in een bed slapen, aan tafel eten. Ten slotte werd het schuldgevoel te groot, en biechtten Pillip en Helen alles op aan hun ouders. Hun ouders vertelden het aan die van mij, maar de volwassenen besloten het Bens vader niet te vertellen. De middelbare school begon voor drie van ons met maanden huisarrest. Maar die ene week in de wildernis had ons veranderd en een band voor het leven geschapen.

De boot stoot hard op een golf, en Ben kijkt weer met die bezorgde blik naar mij. Wij hebben heel wat jaren geleefd zonder de Turluccio's. We zijn te oud voor wildwatertochten; de botten zijn te broos. We zijn te oud om in het ongetemde water te zwemmen. Op onze leeftijd zouden we niet meer in een kleine vissersboot over de baai moeten varen. Maar Ben, zijn boot en de zee zijn zulke oude makkers. Voor hem is de route van de vuurtoren naar de haven even vertrouwd als mijn wandeling langs de zee, misschien nog vertrouwder. Er is weinig denkwerk meer voor nodig, alleen het gezicht in de wind en een bijna onbewuste peiling van golven en rotsen.

Ik vraag me af of hij zonder de zee zou kunnen. Ik vraag me af of hij vaarwel zou kunnen zeggen. Maar we zijn oud. Op een dag zou hij hier kunnen verdwijnen – de zee die oprijst en hem met huid en haar verzwelgt. Zou hij verder landinwaarts niet veiliger zijn? Dat soort overwegingen smeulen in mij.

De golven worden kleiner wanneer de boot om betonnen brekers heen en langs gemarkeerde boeien Brothers Harbor binnenvaart. Ik voel een nerveuze spanning wanneer ik mensen zie, de wereld om mij heen, en mijn behoefte erken daarin te bestaan.

We arriveren bij de aanlegsteiger en worden met de gebruikelijke nieuwsgierige en verwonderde blikken begroet. Vissers die Ben hartelijk groeten, vallen plotseling stil wanneer ze mijn wonderlijke verschijning opmerken. We knikken en zijn hartelijk, glimlachen zelfs nu en dan. Veranderingen gaan langzaam hier. Er ligt misschien een nieuwe boot aan de kade, of een van de pubs aan de havenkant heeft een verfje gehad, maar voor het overgrote deel is het de onveranderlijke omgeving van vissers, boten, netten, koffie, pompen die het ruimwater uitspuwen en de geur van zee, vis en werkende mannen.

'Hé daar, Ben', roept een visser van een grote boot. Hij houdt een krab in zijn hand en geeft een knikje met zijn hoofd wanneer hij mij ziet. 'Mevrouw.' Daarop gaat hij weer aan het werk.

Ben grijnst naar mij en wijst naar een opeenhoping van uitrustingsstukken, voertuigen en tijdelijke bouwsels die voor die lui van de televisie op de zuidelijke kade en de parkeerplaats zijn gezet. 'Dat is het grote evenement in de stad.'

Bij de poort staan rijen mensen en een aparte rij kinderen te wachten. 'Doen ze excursies?'

'De plaatselijke gemeenschap uitnodigen voor een excursie naar het onderzoeksterrein van het *Geschiedeniskanaal* is een goede reclamestunt', zegt Ben terwijl hij de motor afzet, en de boot zacht tegen de houten kade botst. Hij springt van boord met de veerkracht van een jonge man. De drijvende kade onder hem deint op en neer wanneer hij de boegtros vastmaakt. Dan steekt hij zijn hand uit. 'Je bent op een opwindend moment naar de beschaving teruggekeerd. Wil je een excursie aan je reis toevoegen?'

'Misschien op de terugweg.' Het is boeiend te bedenken dat het onderzoeksteam eigenlijk hetzelfde doet als ik, namelijk de verhalen terugzoeken van de mensen die nu van deze aarde verdwenen zijn. Ik vraag me af waarom we zo gefascineerd worden door anderen. Zijn we onbewust op zoek naar antwoorden op onze eigen vragen door het verleden te onderzoeken?

'Uw wens is mij een bevel, maar ik wil terug voordat het vanmiddag te veel afkoelt.'

'Op naar het museum dan', zeg ik in een poging mijn nervositeit te onderdrukken.

Ben heeft zijn oude Chevrolet bij de haven staan om in de stad te gebruiken. De wagen kreunt wanneer hij de motor start, maar bromt al snel tevreden onder ons.

Langs de weg van de haven naar het centrum van Harper's Bay wijst Ben op verschillende veranderingen: de nieuwe Taco Bell die vorige zomer werd geopend, de sluiting van verschillende kleine winkels, een appartementengebouw dat op een landbouwperceel verrezen is en het verbouwde bioscoopcomplex. Ik heb nooit bij een Taco Bell of een ander fastfoodrestaurant in de stad gegeten, en ik heb nooit een film gezien in de bioscoop die nu gemoderniseerd is. Merkwaardig wat het kloosterleven doet met iemand die geacht wordt een inwoner van deze streek te zijn.

We passeren borden die me altijd weer doen glimlachen. Het duurde totdat ik iets van de wereld had gezien en daarna was teruggekeerd, alvorens ik besefte dat een bordje met Vloedgolf-evacuatieroute toch ietwat merkwaardig is. De grote golven van 1925 die de centra van Crescent City en Harper's Bay verwoestten, en de minder zware, maar eveneens verwoestende vloedgolf van 1966 hebben geleid tot het inrichten van evacuatieroutes en het plaatsen van sirenes rondom de haven en de wijken in het centrum.

Het Harper's Bay Historisch Museum is gehuisvest in een oud wit houten huis dat ooit de residentie was van Doc Harper, die ook een groot deel van het centrum bezat. De vrouwen die vrijwilligerswerk doen voor de Historische Vereniging, nemen hun taken serieus. Er worden educatieve projecten opgezet, fondsenwervingsacties, theemiddagen en fancy fairs, en geschiedkundige discussies over het belang van het behoud van oude gebouwen.

De parkeerplaats van het museum is meestal zo goed als leeg, maar Ben zegt dat er in de zomer twee of drie auto's meer staan.

Hilda Crow is al dertig jaar conservatrice van het museum. Als kleindochter van Doc Harper en weduwe van de voormalige burgemeester voelt mevrouw Crow de zware verantwoordelijkheid de geschiedenis van de stad te hoeden en alle gebeurtenissen en geruchten zo accuraat en grondig mogelijk vast te leggen.

Hoewel Doc Harper de stad tot bloei heeft gebracht, kent zijn persoonlijke geschiedenis een duisterder kant dan mevrouw Crow in haar museum waar wil hebben. Een onverwachte erfenis in goud maakte van de jonge havenwerker plotseling de belangrijkste man in de stad. Hoewel hij niet echt dokter was, nam hij niettemin die naam aan en vernoemde hij de stad naar hemzelf. In die dagen kon een man met macht en vermogen vrijwel alles doen.

Mevrouw Crow heeft geen andere bezigheden; in haar aderen stroomt het bloed van Harper's Bay, en niets anders. Behalve dan dat zij er, naar ik meen, menige avond mee doorbrengt zichzelf voor te stellen als mevrouw Ben Wilson – iets wat ik tientallen jaren geleden al merkte en wat Ben bij hoog en laag bestreed.

Hilda Crow mag mij niet. Ik ben een pijnplek in haar leven – alleen al omdat ik Ben Wilson bij haar uit de buurt houd. Verder is er de pijnplek die *mijn* leven vormt – mijn relatieve beroemdheid, die uiteraard in de loop van de jaren aanzienlijk is afgenomen. Maar toch tast die roem op een of andere manier de nalatenschap van Doc Harper aan, en heeft hij haar gedwongen, in haar ogen althans, mijn leven en succes in het museum een plaats te geven. De laatste keer dat we elkaar hebben gesproken, zei ze: 'Het is mijn verantwoordelijkheid alle geschiedenis vast te leggen. Of je het leuk vindt of niet, Sophia, jouw boeken zijn aardig verkocht, en daarna maakte je mysterieuze verdwijning je beroemd. Als jij die roman in een fictieve stad had laten spelen, of ergens anders was verdwenen, zouden we dat probleem niet gehad hebben.' Het leek mij dat ze na vijftig jaar toch wel moest begrijpen dat mijn afzondering geen poging was om nog meer roem te vergaren.

De Chevrolet pruttelt een paar keer wanneer Ben de motor afzet op de parkeerplaats van het museum. Er staan nog een paar auto's, waaronder een vrachtwagen met *Bay Bouwbedrijf* op de zijkant. Ben loopt langzaam vooruit om de deur voor me open te houden. 'Aardig zijn', zegt hij fluisterend.

'Wat betekent dat?', antwoord ik, terwijl er ergens een bel rinkelt. Mijn hart klopt me plotseling in de keel. Ik krijg angst voor de muren van het museum, de mensen om me heen. *Rustig blijven. Je kunt het aan.*

'Welkom in ...', begint een hartelijke groet, die abrupt wordt afgebroken wanneer mijn gestalte in beeld is gekomen.

Mijn ogen moeten nog even wennen binnen. Hilda Crow lijkt ouder dan ik mij haar herinner, of misschien zijn het de kroeskrullen en de blauwige tint van haar haar, dat ze jarenlang in de vorm van een soort geelkoperen bijenkorf op haar hoofd droeg.

'Kijk aan, Sophia Fleming, welkom', zegt ze formeel. 'En Ben, fijn je te zien.' Zelfs Ben wordt formeler bejegend dan hij gewend is, misschien als straf omdat hij met mij is.

'Dag, Hilda', zegt Ben opgewekt en zonder acht te slaan op haar kribbigheid. 'Vanwaar al die drukte?' Hij gebaart onder een boog door naar verschillende werklieden die in de voormalige salon bezig zijn. Het is de ruimte waar speciale tentoonstellingen worden gehouden – mijn vitrinekast heeft er ook een poosje gestaan.

Het harde geluid van een cirkelzaag doorbreekt de normale stilte in het museum en doet mevrouw Crow en mij verschrikt opspringen.

'Ze hadden gisteren klaar moeten zijn met de montage van de toonkasten. Dat is dus de reden waarom je geen familie moet inschakelen. Mijn kleinzoon is soms zo onhandig. De nieuwe tentoonstelling gaat morgenochtend open, en dus zullen ze, als het niet anders gaat, nog de hele nacht moeten doorwerken.' De frustratie staat in diepe rimpels op haar voorhoofd getekend, en ze spreekt met stemverheffing. 'We hebben al een paar media die vandaag komen kijken, en het is nog niet echt gereed. Het spijt me dat ik jullie niet kan rondleiden, maar kijk gerust zelf rond. Maar kijk uit voor de werklui. Ik kom straks wel weer bij jullie.'

Met die woorden haast ze zich langs de trap die naar de kamers leidt met de moderne geschiedenis van Harper's Bay, inclusief de vloedgolf, de schipbreuk en zeer waarschijnlijk ook, naast andere, mijn vitrine. Ben en ik kijken elkaar aan en grinniken wanneer we mevrouw Crow in de andere kamer iemand de les horen lezen.

'Denk je dat Josephines memoires hier ergens liggen?', vraag ik.

'Ik denk niet dat we vandaag een kopie kunnen bemachtigen.'

'Dat denk ik ook niet. Het zou voor haar net de druppel zijn, vrees ik. Maar laten we even rondkijken, ik ben hier al in geen jaren meer geweest.'

'Ik vraag me af waarom', zegt hij, verwijzend naar mijn laatste bezoek, toen mevrouw Crow en ik ruzie hebben gemaakt over mijn vitrinekast en ik boos naar buiten ben gelopen, nadat ik haar had toegevoegd: 'Als ik geen christen was, had je nu op de vloer gelegen.'

'Zij had met opzet de vreselijkste foto's van mij uitgekozen.'

'Zij zei dat het kwam doordat jij geen foto's of informatie wilde geven. Die foto's waren alles wat zij had', legt Ben uit terwijl ik achter hem aan loop door de woonkamer en de keuken die replica's lijken van het leven in Harper's Bay in de late negentiende eeuw. We volgen het tapijt dat de bezoekers gescheiden houdt van de met touwen afgezette ensembles antieke meubelen.

In de oude salon worden tijdelijke tentoonstellingen gehouden met werk van plaatselijke kunstenaars. Er zijn vaak reizende tentoonstellingen te zien en projecten van schoolkinderen of van de Historische Vereniging zelf. De aanstaande honderdste verjaardag van de schipbreuk was aanleiding om de vitrines van de bovenkamers naar beneden te halen en een hele expositie te wijden aan de *Josephine* en de rampnacht. Sommige voorwerpen van het schip zijn al sinds de vroegste dagen na de schipbreuk in het museum aanwezig, en mevrouw Crow hoopt stellig dat de huidige onderzoekers met hun geavanceerde apparatuur nog meer ontdekkingen aan de vitrinekasten kunnen toevoegen.

We begroeten twee mannen die een deel van de reling van het schip aan de wand bevestigen, en lopen door naar de lange toonkast met vondsten uit het schip: gebroken brillenglazen, navigatie-instrumenten, stukken tuigage, een schoentje van een kind.

Ben geeft me een por wanneer we de voorwerpen bekijken.

'Je weet wel wat hier ook nog had moeten liggen.' Hij zegt het met een vleugje humor in zijn stem.

Ik por hem terug en vecht tegen de schuldgevoelens wanneer ik denk aan de stukjes porselein en het boek dat lang op mijn keukenaanrecht heeft gelegen – een tentoonstelling op zichzelf.

Het is een vreemd gevoel deze dingen binnen de muren van een museum te zien, deze bezittingen van mensen, delen van een schip, brokstukken van dromen. Ben loopt verder, terwijl ik bij de toonkast met resten blijf staan en de kaart met de fatale route van het schip bestudeer. De memoires van Josephine Vanderook zijn nergens te bekennen.

Ben loopt een hoek om en wordt begroet door een stem. 'Hallo, nogmaals bedankt voor de redding van laatst.'

'Geen dank. Is je auto nog weggesleept?'

'Ja, regelrecht naar Kenny's Cars. Hij rijdt nu weer als een zonnetje.'

Ik heb het gevoel dat ik een luistervink ben en weet niet of ik naar de volgende kamer moet vluchten of moet blijven staan. Maar de stemmen komen dichterbij.

'Sommige auto's zijn gewoon jonge juffers. Sophia', roept Ben.

Ik sta even als aan de grond genageld. Dan komen ze de hoek om, en kijk ik in het verbaasde gezicht van dat meisje.

'Ah, daar ben je', zegt hij, terwijl hij me aan mijn elleboog naar voren trekt. 'Je hebt Claire O'Rourke nog niet ontmoet.' Zijn vrolijke toon irriteert me.

Zij is nerveus in mijn nabijheid en staat er gespannen bij. Haar stem verliest de losse toon. 'Mijn excuses dat ik laatst bij uw huis aanklopte, maar ik wist niet wat ik anders moest doen. Ik was zo blij dat Ben kwam.'

Claire O'Rourke heeft een boeiend gezicht met donkere ogen die de wereld in kijken met een verlangen naar antwoorden en waarheid – dat denk ik althans, maar het kan ook de ontspoorde intuïtie van een oude vrouw zijn. Ze draagt haar haar in een paardenstaart en heeft een lange, interessante ketting om haar hals, die samen met de kleine oorbellen haar nonchalante spijkerbroek en zwarte trui leuk ophalen.

Ik voel meteen een zonderling soort band met haar – misschien door de twee ontmoetingen, en nu de derde, in korte tijd. Ik weet niet waarom precies, maar ik wil dit meisje leren kennen, hoewel dat natuurlijk nooit zal gebeuren. Ze houdt een notitieblok en een pen vast. Ja, zij is de nieuwe verslaggeefster – ook een schrijfster.

'Je was aan het juiste adres', hoor ik mezelf zeggen.

'Claire werkt nu voor de *Getijdenpost*. O ja ... dat weet je al.' Ben speelt een spelletje waarvan alleen hij geniet.

'Ja, ik vond dat artikel over de schipbreuk leuk. Goed gedaan.'

'Dank u wel', zegt Claire, die kennelijk echt blij is met mijn woorden. 'Ik schrijf vandaag een ander verhaal.'

'Echt?' Ben kijkt haar lachend aan. 'Over wat de duikers vinden?'

'Ja, een vervolg op het eerste artikel. Ik spreek straks de leider van het onderzoek, maar ik wilde eerst even op de nieuwe tentoonstelling rondkijken.'

'Daar zijn wij ook voor gekomen. Dingen die van het schip afkomstig zijn, boeien ons nogal.' Ben kijkt me aan op een manier die mij van irritatie regelrecht naar woede drijft.

Wat is hij van plan? Ik word heen en weer geslingerd tussen vrees dat hij Claire gaat vertellen wat we aan mijn kust hebben gevonden, en fascinatie voor dit meisje met een glimlach die haar hele gezicht laat oplichten. Er schuilt een energie in haar die me aantrekt, en zelfs het bloed in mijn eigen aderen sneller laat stromen. Om nog zo jong te zijn, zo vervuld van een visioen, met een toekomst die veroverd moet worden.

Wanneer het gesprek verflauwt, steekt Claire een hand naar mij uit. 'Het was me echt een eer u te ontmoeten, mevrouw Fleming.'

'Insgelijks. Je zou eens een keer thee moeten komen drinken.' De uitnodiging ontsnapt uit mijn mond alsof een soort oude etiquette na een lange winterslaap herleeft – vast de opvoeding van mijn moeder. We zijn allemaal verbaasd over mijn woorden. Bens glimlach is verdwenen, en hij kijkt me verbijsterd aan.

'Eh ... dat zou heel leuk zijn.' Claire hapert nauwelijks.

'Ja, dat zou geweldig zijn. Ik kan je wel meenemen met de boot', biedt Ben snel aan, voordat ik mij kan bedenken.

Maar het vreemde is, ik wil mij niet bedenken. Ik zou het echt leuk vinden thee te drinken met Claire O'Rourke. Wat is er met mij loos?

'Volgende week, misschien?', zeg ik, weer tot mijn eigen verbazing. 'Woensdag?'

Claire kijkt naar Ben en dan naar mij. 'Dat zou leuk zijn, echt heel leuk.'

GETIJDENPOST

FEEST IN HARPER'S BAY

De komende maand zijn er volop vakantiefeesten in de stad, te beginnen met de grote Kalkoenparade ...

Claire

❦

Mijn gedachten – beter: mijn zorgen – over mijn broer en Alisia werden onderbroken door de ontmoeting met Ben Wilson in het museum. Mijn voetstappen klinken, nu ik van Sophia Fleming wegloop, als echoënd geklak op de tegelvloer. Ik ga volgende week thee bij haar drinken. Ik ga theedrinken bij de romanschrijfster S.T. Fleming.

Misschien is het minder opzienbarend dan ik denk. Ik dacht dat mevrouw Fleming nog steeds de kluizenares was die ze altijd is geweest, die slechts zelden naar de stad kwam en nooit iemand uitnodigde om naar de Point te komen. Is er iets veranderd in de tijd dat ik de stad uit ben geweest? Mijn eerdere gesprek met mijn ouders bevestigde wat ik al dacht. En toch ga ik nu naar haar toe. Ik.

Ik staar naar het notitieblok in mijn hand en zie dat ik *volgende week woensdag* heb neergekrabbeld, nog meer bewijs dat het gesprek echt heeft plaatsgevonden. De klok van het museum slaat zacht en herinnert me aan mijn afspraak met Robert Carlisle van het *Geschiedeniskanaal*. Het notitieblok trilt in mijn handen, en ik probeer mijn kalmte te hervinden voordat Robert komt.

'Heb je alles gezien wat je nodig hebt?', vraagt een stem van achter de lege receptiebalie. Plotseling duikt er een hoofd op, en komt mevrouw Crow overeind, met een stapel papier tegen haar borst gedrukt. Misschien komt het door alle drukte, maar zij heeft mij nog geen seconde aangekeken sinds ik binnenkwam en haar mijn naam noemde.

'Ja, dank u.'

'Mooi. Heel goed. Kanaal 8 Nieuws komt over een uur. Als je nog vragen hebt, bel me dan even.'

'Zal ik doen. Dank u wel.'

'Heb je gezien dat we een plaatselijke beroemdheid in het museum hebben?' Ze legt grote nadruk op het woord *beroemdheid*, zodat ik me afvraag of ze het sarcastisch bedoelt of oprecht enthousiast.

'Ja. Ik heb mevrouw Fleming gezien.'

'Dat zou je ook in je artikel kunnen zetten. Het zal de aandacht voor de tentoonstelling goeddoen als de mensen weten dat zij er ook was. Misschien hopen ze dat ze nog een keer komt.'

'Mijn artikel gaat meer over de schipbreuk en de teruggevonden voorwerpen, maar dank u wel voor de tip.'

Het antwoord bevalt haar duidelijk niet, en ze neemt snel de benen, nadat ze wat zurig heeft opgemerkt: 'Nou, als ik je nog met iets kan helpen ...'

Ik besluit buiten op een bankje voor de ingang op Carlisle te wachten. Een briesje voert de geur van de zee mee, en in de verte loeit een misthoorn met regelmatige tussenpozen. De gedachte aan Sophia Fleming is een welkome verademing na de zorgen over mijn broer. Hoe zou het zijn als het raadsel van de stad door het leven te gaan?

Veel van de spelletjes uit onze kindertijd draaiden om het naspelen van gebeurtenissen en mensen om ons heen. De buurkinderen, Conner en ik speelden bijvoorbeeld kerkje of Indiana Jones in de dichte bossen achter ons huis. Nadat de buurkinderen naar huis waren om huiswerk te maken of televisie te kijken, en Conner ontsnapt was naar de eenzaamheid die wij beiden van tijd tot tijd nodig hadden, pakte ik mijn rugzak vol boeken, een pakje vla en een plastic lepel en trok ik me terug op mijn eigen stille plek, waar ik heel vaak de rol speelde van S.T. Fleming. Als een romanschrijver liep ik over de donkere paden waar de dennen en varens een dak boven mijn hoofd vormden en worstelde ik met de woorden die hun plaats niet wilden vinden op de bladzijde. Uren lang kon ik met de woorden in debat gaan, mijn eigen schuilplaats bouwen en me verbeelden dat televisieverslaggevers op de loer lagen om een glimp van mij op te vangen. Ik schreef poëzie – vreselijke gedichten, naar ik later ontdekte – en werkte aan verhalen in alle genres, afhankelijk van mijn stemming.

Eén keer heb ik haar gezien. Mijn moeder en ik kochten nieuwe sandalen voor de zomer, toen mevrouw Fleming in dezelfde zaak binnenkwam en een nieuwe strohoed kocht. Terwijl mijn moeder betaalde, bespioneerde ik haar van achter een kledingrek. Ze draaide zich naar me toe en knipoogde voordat ze de winkel uit liep.

Ik ben uitgenodigd om thee te komen drinken bij S.T. Fleming. Ook als het er nooit van zou komen, was de uitnodiging zelf al van betekenis.

❦

Alisia loopt heel bedachtzaam voor zo'n jong kind. De achtertuin trekt haar enorm. Ze staart naar een zwarte kever die over het rotspad kruipt en loopt dan door om een overschaduwd hol tussen de struiken en bomen in de tuin te inspecteren.

De middagzon verwarmt mijn gezicht terwijl ik op de onderste trede van de verandatrap zit. De schaduw is te koud, en het contrast tussen zon en schaduw is verbazend. Vanaf deze lage positie krijgt de tuin een weidser perspectief – het perspectief van een kind, van Alisia. Grote sequoia's omringen het grasveld, voorboden van het bos erachter. Ze zien eruit als een enorm leger van trage reuzen. Kleinere, onvruchtbare moerbeibomen zijn overwoekerd met wilde wingerd, en een grote varen lijkt wel de afmetingen van een boom te hebben; het gat tussen de struiken is een geheime doorgang naar verborgen schuilplaatsen. Ik vraag me af of deze groene schaduwrijke plek een kind bang maakt of juist fascineert.

Mijn weinig succesvolle optreden als oppas tijdens de kerkdienst heeft me nadien verre van kinderen gehouden. Die uitgestrekte armpjes naar moeders die zich naar de kerk haastten en erop vertrouwden dat het huilen wel zou stoppen; de eisen van de kleintjes die zo snel ontaardden in woedeaanvallen over onbenulligheden als crackers of een stukje speelgoed. Ik weet niet wat ik moet aanvangen met gekromde ruggen, hoog gegil en schoppende voeten. Mijn verstandelijke verhalen drongen nooit door tot de groep tweejarigen en jonger. Uiteindelijk hield een kraamverzorgster me voor dat mijn roeping tot dienstbaarheid zeker op een ander terrein lag, en werd ik van het schema verwijderd, tot mijn grote opluchting.

Kinderen fascineren me en maken me tegelijkertijd verlegen. Maar wanneer ik naar Alisia kijk, voel ik de gebruikelijke zorg verdwijnen. Zij heeft ons nodig. Al het onuitgesprokene over haar moeder en de omstandigheden van haar aankomst verraden dat dit kind problemen heeft gekend waarvan ik sommige waarschijnlijk nooit zal beseffen of kunnen begrijpen. Dit kind heeft meer overleefd dan ik in mijn hele beschermde leventje ben tegengekomen.

Ik wil dat mijn leven betekenis heeft, maar het *hoe* en *waarom* is altijd een vraag geweest. Nu ik hier zit en kijk hoe het meisje de blaadjes van een bloem aanraakt, komt deze vraag weer naar voren door wat een rookgordijn van drukte en vijfjarenplannen is geweest. Tot welk doel voelde ik mij voorbestemd? Op een of andere manier raakte ik het spoor bijster in San Francisco, hoewel ik al die tijd dacht dat ik goed op weg was op het pad naar mijn droom. Is de afzondering van Sophia Fleming betekenisvol voor haar? Greep de buitenwereld haar zo diep aan dat ze naar het huis van haar jeugd vluchtte om te herstellen, zonder dat het ooit lukte? Iets in dit kind en in die vrouw roept dergelijke gedachten op, maar de antwoorden lijken buiten mijn bereik te liggen.

De deurbel rinkelt. Er klinken geen voetstappen in huis. Mijn broer slaapt waarschijnlijk, in een poging een paar uur terug te winnen, en mijn ouders zijn naar de stad. Ik kijk naar Alisia en vraag me af of ik haar even alleen kan laten. Ze heeft niets in haar mond gestopt en zich niet gedragen als die peuters die altijd op de heup moeten worden meegenomen als ze niet binnen je blikveld spelen. Maar anderzijds lijkt ze niet oud genoeg om alleen te spelen, hoewel duizenden van haar leeftijdgenootjes waarschijnlijk overal uren in de achtertuin doorbrengen. En ik kan haar vanaf de voordeur in de gaten houden.

'Ik kom zo terug', zeg ik, en ik wil er een bevel aan koppelen in de geest van 'netjes daar blijven'. Maar ik heb me de rol van instructrice of opvoedster nog niet eigen gemaakt, waardoor het me niet makkelijk valt. Ik werp steeds blikken over mijn schouder terwijl ik me naar de voordeur haast en zie Alisia een beestje op een madeliefje volgen.

De bezorger staat voor de deur met een elektronisch klembord in zijn hand. 'Wilt u even tekenen?', vraagt hij, en hij tikt met een eveneens elektronische pen op het apparaat. De motor van de bruine bestelwagen staat te ronken op de oprit.

'Natuurlijk', zeg ik, met weer een blik over mijn schouder door de open schuifdeur in de achterpui. Ik zie Alisia niet meer, teken dus snel en neem het pakje aan. 'Bedankt.' Ik doe de deur dicht en ren naar de achtertuin terug.

'Alisia?' Ik spring over de trap en ren het gras op, laat mijn ogen van links naar rechts schieten, over bloembedden, gras, het zitje met fontein, het paadje naar de bungalow – de poort voor het lange pad naar de zee is nog steeds dicht.

'Alisia!' Alle posters van vermiste kinderen, de televisieprogramma's, de wanhopige oproepen schieten als wilde fantasieën door mijn hoofd terwijl als ik me weer naar het huis omkeer. Om een of andere reden kijk ik nog een keer en zie ik haar nieuwe rode schoenen, nauwelijks te onderscheiden, in de schaduw onder de veranda. Angst maakt plaats voor opluchting en een lichte boosheid. 'Alisia, wat doe je onder veranda?'

Ze zegt niets, en dus herhaal ik de vraag en buk ik om haar in haar donkere ogen te kunnen kijken.

'Verstoppen.'

'Verstoppen? Voor wat?'

'Pappa.' Ze zegt het rustig, maar ik voel haar angst. Er hangen spinnenwebben in haar haar, en er zit een vieze veeg op haar nieuwe overhemdje.

'Waarom wil je je verstoppen voor pappa? Is het een spelletje? Voor de grap?'

'Mamma verstopte me.' Plotseling begrijp ik dat ze zich vaker op deze manier voor 'pappa' verstopte, niet maar één keer. Ik steek mijn handen naar haar uit, en na een korte aarzeling komt ze onder de veranda vandaan. Haar dikke vingers glijden tussen de mijne, en wanneer ik haar meeneem terug naar het zonlicht, laat ze niet los. Ze laat heel lang niet meer los.

❦

'Ze is niet van jou, hè?' Het is een beschuldiging die ik onmiddellijk betreur.

Conner heeft zich geschoren, en zijn haar is nog nat van de douche. Hij zei te hopen dat Alisia niet bang zou worden als ze hem zonder zijn 'harige gezicht' zou zien, omdat ze de laatste tijd al zo veel veranderingen had doorgemaakt. Hij zit op de schommelbank op de veranda achter het huis en kijkt hoe Alisia in de tuin speelt. Ik spreek de woorden uit die ik nauwelijks kon binnenhouden toen hij naar buiten kwam. Alisia schijnt alweer vergeten te zijn dat ze zich had verstopt voor haar 'pappa'. En ik weet zonder een spoor van twijfel dat de vader over wie zij het had, niet mijn broer is.

Zijn halve glimlach verdwijnt onmiddellijk, en hij heeft een paar seconden nodig voordat hij mij aankijkt. 'Niet wat het bloed betreft, verder in ieder opzicht wel.'

'Waar zijn haar ouders?'

'Alles wat ik je over haar moeder verteld heb, is waar. Rosa's ex-man had hen verlaten voordat ik haar ooit ontmoette.'

'Was hij gewelddadig?', vraag ik, met het beeld van Alisia en de spinnenwebben voor ogen. Ze vertrok geen spier toen ik ze uit haar haar haalde.

'Hij zou haar ook hebben vermoord.'

'Wat bedoel je met *ook*?'

Hij zwijgt lang en zucht. 'Ik vond Alisia onder het bed, waar ze zich verstopt had.'

'Conner', fluister ik, plotseling banger dan ik ooit ben geweest.

'Rosa was dood. Haar ex was bewusteloos en wist niet eens wat hij had gedaan. Ik vond Alisia en belde de politie.' Hij leunt naar voren, met zijn ellebogen op zijn knieën en de handen gevouwen. Hij kijkt hoe Alisia naar een bal rent en schopt. *Bueno, Alisia, heel goed!'* Ze lacht en rent achter de gele bal aan. 'In de krant stond dat haar vader naar Canada was gevlucht.'

'Wilde hij Alisia niet?'

'Hij zei via de telefoon tegen Rosa dat hij nooit zou toestaan dat een andere man Alisia's vader zou worden. Daarom moest ik wachten totdat ze hem gearresteerd hadden voordat ik hierheen kon komen; ze hebben hem vorige week opgepakt.'

'Heeft hij jou bedreigd? Conner, helpt de politie je? Is er een contactverbod ingesteld om jou en Alisia te beschermen?'

Uit mijn ooghoek zie ik Alisia naar de bal trappen en achterover vallen. Ze geeft een kreetje dat mijn broer uit de schommelbank doet opspringen om naar haar toe te rennen. Wanneer hij mij voorbijloopt, zegt hij: 'We zijn drie maanden op de vlucht geweest. De politie weet niet dat ik haar heb.'

Sophia

Je moet in mij geloven.

❦

Het is alsof de nacht zelf me wekt. De stilte in de kamer, het blauwige licht dat door de ramen filtert. Het enige geluid komt van Holiday's rustige ademhaling op zijn kleed naast het bed. Hij hoort elk kraakje en elke ritseling buiten; geen eekhoorn of ree die zijn oren te slim af is. Maar hij heeft zijn kop niet geheven, en zijn sluimer werd niet verstoord. Ik trek de dekens weer over mijn schouders en wil verder slapen. Het moet al laat zijn, hoewel ik geen wekker in de slaapkamer heb. Ik heb de vorige nooit vervangen toen die het in de jaren zestig begaf. De tijd doet er niet veel toe in een leven in afzondering.

Nadat ik wat heb liggen woelen, het kussen heb opgeschud en dramatisch heb gezucht, ga ik ten slotte rechtop zitten, waardoor Holiday wakker wordt. 'Het is goed, jongen', zeg ik terwijl ik mijn voeten van onder de dekens naar de vloer naast hem laat zakken, op zoek naar mijn slippers. 'Rustig maar.'

De houten vloer kreunt in het holst van de nacht veel luider, merk ik wanneer ik naar de keuken loop. In het blauwe maanlicht vraag ik me af of ik nog slaap en in de ban van een droom verkeer. De zoom van mijn witte katoenen nachthemd zwiert om mijn enkels, en vannacht kan ik bijna geloven weer jong te zijn. De slippers vliegen uit, en ik voel het koude hout onder mijn voeten. Ik ben een meisje, in ditzelfde huis, en ik sta in mijn nachthemd voor het keukenraam naar de zee te staren. De buitenwereld trekt me aan, de kou daarbuiten. Het is dwaas, en ik zal er het loodje door leggen, zoals Ben zou zeggen. Tientallen jaren scheiden dat jonge meisje van deze oude vrouw. Maar hoe langer ik voor het raam sta, hoe meer drang ik voel om te gaan.

Ten slotte doe ik zonder sokken mijn losgeknoopte laarzen aan en trek ik de dikke deken van de bank om me heen. De achterdeur gaat als vanzelf open.

Een ogenblik lang zoek ik vergetelheid en sta ik mezelf toe met iedere stap verder terug te reizen naar een nacht, heel lang geleden, waarin ik over dit pad liep, aangetrokken tot deze plek door de golfslag op de rotsen. Het verlangen naar de eeuwigheid sloeg toen met hetzelfde ritme als nu, met dezelfde klaarheid en diepte als de golfslag. Het was een verlangen dat pijn deed, dat visioenen teweegbracht van wat er in de toekomst verborgen kon liggen. Zo veel hoop als ik had toen ik jong was. Hoe onbezorgd zond ik mijn wensen op naar de sterren, en hoe eenvoudig stelde ik me open voor wat God me schenken zou.

Nu zoek ik het meisje dat ik ooit was, en daarmee de jaren tussen ons. In een oogwenk herinner ik het me allemaal.

Jaren geleden verliet ik deze plek in een soortgelijke nacht, vastberaden. Ik zou gaan schrijven en mooie woorden op de bladzijden creëren. De jaren gingen voorbij, ik ging naar school en schreef en schreef, maar als er twijfels opdoken of maanden van schrijversonmacht, herinnerde ik me die nacht bij de zee en het geloof dat ik alles kon. En dan kwamen de woorden weer. De woorden en de werelden die ze schiepen. Ik vond er een zoete troost bij. Later kwamen New York, recepties, loftuitingen, mensen die het visioen tot leven leken te wekken. Maar het verkeerde al snel in desillusie en rusteloosheid. De schrijversangst die paragrafen uit mijn vingers had gehaald, verzuurde toen zij vermengd werd met verwachtingen.

Toen kwam er een nacht van vlammen, bijna mooi, afgezien van hun onheil. Een vuur en geschreeuw dat me al mijn dagen en nachten achtervolgd heeft. Een verlies dat de laatste resten wegnam van het meisje dat ooit op deze plek stond, het meisje dat ik bijna ben vergeten.

De golven slaan als een hartslag op de rotsen, de kou sluipt binnen vanaf de zee en grijpt om me heen. Ik besef dat ik huiver en verbaas me over de dwaasheid die me naar buiten heeft gedreven op het pad naar de zee. Ik haal mij nog de dood op de hals – woorden die alle oudere mensen zeggen wanneer ze eenmaal hun zorgeloze jeugd hebben afgelegd en het gevoeliger gewaad van de ouderdom hebben aangedaan. Hoewel ik huiver, blijf ik nog even staan om naar het schitteren en dansen van het licht op de golven te kijken. Alsof het verleden me roept en oude, ongrijpbare verlangens wekt en oprakelt, geef ik gehoor en voel. Ik wil weer in die wateren zwemmen, in het weerspiegelend maanlicht wentelen als in een met diamanten bezette jurk.

Eindelijk keer ik terug. Ik heb thee nodig en een bad om de verkilling kwijt te raken voordat ik weer in bed kruip. Misschien heb ik een verkoudheid opgelopen, maar dat geeft niet.

Eventjes was ik weer jong. Een groot geschenk en een wonder op mijn leeftijd. Een geschenk dat ook het verlangen weer wekt te dromen, te geloven dat ik een toekomst heb en dat er hoop is.

In een nacht als deze kan ik weer in morgen geloven.

GETIJDENPOST

POLITIEBERICHTEN HARPER'S BAY

De politie van Harper's Bay heeft in de week van 17 tot 23 november gereageerd op 231 oproepen.

Conner O'Rourke (26) werd op 21 november gearresteerd en in hechtenis genomen op verdenking van ontvoering.

Claire

❦

Een onpeilbare droefenis.

Dat is wat er van mijn broers wezen uitgaat, maar toch is er ook een zekere berusting in de treurnis, die ik probeer te begrijpen. We zijn gescheiden door glas, en onze handen raken elkaar zonder elkaar te raken, terwijl de telefoons tegen onze oren onze stemmen verbinden. Conner ziet er jonger en kleiner uit in het te grote oranje gevangenistenue onder het harde, fluorescerende licht.

'Het was juist wat je deed', zeg ik op een ondersteunende toon, maar ondertussen betwijfelend of het werkelijk juist was. Hij gaf zichzelf aan. Het besluit was genomen en uitgevoerd voordat ik er weet van kreeg. Maar was er geen andere weg mogelijk geweest? Moest hij het echt zo snel doen? De mensen van de kinderbescherming zullen Alisia vrijwel zeker bij ons weghalen, zeker wanneer Conner op borgtocht vrij kan komen.

'Ik weet het. Ik weet het zeker. Ik had niet zo lang verstoppertje moeten spelen, maar ik wist niet wat ik moest doen. Ik wilde Alisia alleen maar bij pap en mam brengen zonder dat het gevaar voor hen zou opleveren.'

Ik deel zijn zekerheden niet.

'Kun je het een beetje uithouden hier?', vraag ik, terwijl alle films en verhalen over gevangenissen door mijn hoofd spelen. Hij heeft geen blauwe plekken, althans geen zichtbare.

'Met mij gaat het goed. Ik heb nu een eigen cel. Het is voor mij een goed moment om hier te zitten. De county heeft kennelijk een wat slappe week, wat de misdaad betreft.' Zijn stem galmt vreemd door de telefoonhoorn. 'Luister, Claire, maak je geen zorgen. Dat meen ik. Wat er ook gebeurt, ik red me wel. Dat is misschien moeilijk uit te leggen, maar het punt is dat ik al zo lang rondzwerf. Ik zou willen dat ik bij Rosa was gebleven toen we elkaar ontmoetten. Maar ik wist toen niet of ik de vader kon zijn van het kind van iemand anders, en ik had gemengde gevoelens bij trouwen met iemand die dezelfde beloften al eens eerder had uitgesproken. Het duurde jaren voordat ik eruit was, verspilde jaren, die we samen hadden kunnen doorbrengen. En misschien zit ik nu precies waar ik moet zijn. Grappig, hè?'

"Grappig' vind ik niet helemaal het juiste woord. Ik hoop dat je jezelf niet de schuld geeft van wat haar is overkomen.'

'Nee. Niet echt. Maar soms zou ik wel willen dat ik haar ex had gedood, en dat had ik wellicht ook gedaan als Alisia er niet was geweest. Ik begrijp God niet, of waarom Hij toestaat dat zulke dingen gebeuren. Het is moeilijk niet vervuld te raken van woede en verbittering. En toch is het nu zo eenvoudig. Ik heb niets. Ik zit in de gevangenis zonder ergens controle over te kunnen uitoefenen. Ik las de zaligsprekingen in Matteüs. 'Zalig zijn de armen van geest' en al die andere wonderlijke paradoxen. Voor het eerst begrijp ik ze een beetje. Hier zit ik, een arme van geest. Een andere interpretatie geeft: 'Gezegend zijn zij die hun behoefte aan Hem beseffen.' Of in nog weer een andere interpretatie: 'Je bent gezegend als je aan het eind van je Latijn bent.' Dat lijkt me een tamelijk accurate beschrijving voor mijn situatie.'

Ik kijk naar hem, wil in tranen uitbarsten, wil zo graag mijn armen om hem heen slaan, aan de andere kant van de glazen afscheiding. Hij lijkt tegelijkertijd zwak en sterk, verloren en gevonden, arm en gezegend.

'Wat kan ik voor je doen?', fluister ik, en ik leg mijn hand weer tegen het glas.

'Zorg alsjeblieft voor haar. Ze heeft veel te veel gezien voor haar leeftijd. Geef haar haar kindertijd terug. Weet je, ik ben zo blij dat jij er bent.'

'Gods ingewikkelde planning', zeg ik tamelijk futloos. Conner staat steviger in zijn geloof dan ik in jaren van hem heb meegemaakt, ook al draagt hij een oranje gevangenispak en vecht hij in zijn cel tegen de verbittering.

Later, wanneer ik over de parkeerplaats bij de gevangenis loop, dringt het tot me door: mijn opgesloten broer verbaast me. Hij ziet in dat hij God nodig heeft.

Memoires van Josephine Vanderook

❦

Een verwaaide wereld.

Dat was de plek die ik iedere morgen bij het ontwaken voor ogen had. Seattle betekende niets voor mij. Ik was er met geen mogelijkheid toe te bewegen de straat op te gaan of me in de nieuwe kringen te mengen die in de stad ontstonden.

De komst van mijn schoonvader drukte me nog dieper in de gapende afgrond. Hij sprak meelevende woorden, maar ik begreep uit indirecte termen dat mijn overleven hem als een vorm van verraad trof. Mijn leven echode de dood van zijn zoon. Binnen een week viel het besluit dat ik zou terugkeren naar Boston. En na mijn terugkeer zou ik alles wat ik over die nacht had ontdekt, geheimhouden.

John en Karen Vanderook wachtten mij op toen ik per trein op het station arriveerde. Een ogenblik trok er iets als een vaag meeleven over het gezicht van Karen, de vrouw die mij van het begin af aan had veracht en het uitermate betreurde dat ik door mijn huwelijk haar schoonzuster was geworden. Karen Vanderook droeg de nieuwste mode, met een hoed die bij haar op maat gemaakte reiskostuum paste. Ze nam mij met een verbaasde blik op. Ongetwijfeld liep ik er haveloos bij door de reis en door het verdriet dat mij dag en nacht kwelde.

De volgende weken kwam Karen met tegenzin naar mijn kamer, waar ik uren lang voor het raam zat en naar het park en de straat staarde. Ze bracht me thee, die we dan samen en in stilte opdronken. Jaren lang waren mijn pogingen om haar als zus te winnen op haar verachting gestuit, maar nu bestond er een onuitgesproken bestand tussen ons.

Op de grijze dag van mijn tweede huwelijk borstelde ze mijn haar en zei ze eenvoudig: 'John heeft nooit van mij gehouden. Niemand heeft ooit van mij gehouden.' En jaren later, toen ik haar tijdens de laatste maanden van haar ziekbed verzorgde, huilden Karen Vanderook en ik om de verloren jaren van onze vriendschap.

Ik voelde dat ook mijn geliefde Boston beroofd was van leven en hoop. Het dagelijkse overleven werd een uitdaging. Verlies brengt een diepe verkilling met zich mee. Ik had nooit geweten of geloofd hoe groot de kracht

van verlies kon zijn – hoe makkelijk je erin kunt verdrinken, hoezeer je
kunt wensen erdoor te worden weggevaagd.

Nu, zo veel jaren later, weet ik niet wanneer de storm begon of hoe
lang hij al in Eduard aanzwol. De jaren gingen voorbij, en andere stor-
men kwamen en gingen. Niets blijft onaangeroerd wanneer de zon een-
maal terugkeert.

Ik ben niet langer onschuldig. Te veel doodskreten vullen mijn oren in
de nacht. Het dode gezicht van mijn man verschijnt makkelijker voor
mijn geest dan het gezicht van de jongeman die ik ooit liefhad. Mijn vra-
gen stapelden zich op zonder antwoorden. De wijsheid van de jaren is de
wetenschap van wat we niet weten. De dromen en visioenen van mijn
jeugd liggen buiten mijn bereik. Ze zijn onvervuld gebleven en aan de
kant gegooid. En toch is mijn arme geest gezegend – o, hoe gezegend is
hij. De almachtige God heeft mij gevonden. Pas wanneer alles is weg-
gesneden, en onze zielen wanhopig zoeken naar Hem, zullen we het vi-
sioen zien van God zelf.

Sophia

Er is geen verklaring voor de band tussen ons.

❧

Ik heb mijzelf de hele dag de les gelezen. Waarom moest ik niet één-, maar zelfs tweemaal iemand uitnodigen om inbreuk te maken op de eenzaamheid van mijn huis? Ik worstel al met de rusteloosheid die altijd gepaard gaat met mijn schaarse bezoeken aan de stad. Het zien van de buitenwereld verstoort mijn rust hier. En nu komt Bens zoon op theevisite. Ik heb op en neer gelopen, afgestoft, kussens op de bank geschikt. Holiday volgt me met zijn ogen, maar zijn kop rust op zijn uitgestrekte poten, en hij kijkt zo verbaasd als een hond maar kan kijken.

Ik heb zicht gekregen op Bradley Wilsons leven door Bens bril van vaderlijke trots en angstige bezorgdheid. Ik stel me hem nog steeds voor als een jongeman, ook al is hij al in de vijftig. Hij heeft er geen idee van wat ik van hem weet. In de jaren zestig verruilde Bradley zijn afstuderen voor het leven in een commune in San Francisco. Later leende hij geld van Ben om een kleine zaak op te zetten: cakekraampjes overal in de stad. Het project mislukte, net als zijn eerste huwelijk. Toen hij in de veertig was, voltrok zich een verandering in zijn leven. Hij hertrouwde en opende een succesvolle broodjeszaak in een kleine stad in het noorden van Californië – volgens Ben zijn het de beste broodjes die je vinden kunt. Een paar jaar geleden betaalde Bradley al het geld terug dat hij in de loop van de jaren van Ben had geleend, tot de laatste dollar.

Ik heb foto's van Bradley gezien die de veranderingen documenteerden: door de verschillende tijdperken en haarstijlen heen, en door zijn leeftijd, een langzame metamorfose naar een ietwat kalende man met licht overgewicht en blauwe ogen die als twee druppels water op die van Ben lijken.

Ben als vader. Ondanks de foto's, verhalen en de tijden dat hij verdwijnt om op bezoek te gaan, dringt het niet echt door. Van de duizenden herinneringen die ik aan hem heb, heeft er niet één betrekking op zijn rol als vader of grootvader. Bradley zat op de universiteit toen onze vriendin Helen overleed, en Ben keerde een paar jaar na haar dood terug naar de Point. Ik woonde hier toen al bijna twintig jaar en had in die tijd mijn ouders verloren. Wat voor vader was Ben? De keren dat we over die jaren spraken, gaf Ben zijn tekortkomingen toe. Hij moest worstelen om de schaduw van zijn eigen vader te boven te komen, waardoor hij misschien al te toegeeflijk werd. Op een keer zei hij dat de oorzaak van Bradleys problemen bij zijn opvoeding lagen: 'Ik gaf hem allerlei betekenisloze rommel, maar kon hem mijn liefde niet laten zien.' Misschien heeft zijn overweging naar het binnenland te verhuizen te maken met het goedmaken van fouten uit het verleden.

Wanneer er op de deur wordt geklopt, springt Holiday op van naast de haard en begint te blaffen. Ik kijk nog een keer om me heen; er zijn drie vrije zitplaatsen aan tafel, en de ketel staat op het vuur. Er liggen allerlei soorten thee op het tafelkleed, genoeg om een heel reisgezelschap te bedienen.

Ik haal diep adem en doe de deur open voor Ben en zijn zoon. De blik op Bens gezicht verbaast me – zoveel pure trots heb ik nog niet eerder bij hem gezien. Plotseling besef ik dat zijn twee werelden eindelijk bij elkaar komen, en dat zijn dierbaren elkaar eindelijk ontmoeten.

'Hallo, Bradley', zeg ik, mijn hand uitstekend.

'Fijn eindelijk kennis te maken, mevrouw Fleming.' Hij glimlacht, en ik verbaas me hoeveel warmte er uit dat gezicht straalt. De foto's hebben zijn vriendelijkheid niet kunnen vangen.

Bradley volgt zijn vaders voorbeeld en trekt zijn laarzen uit, hoewel ik probeer hem van dat idee af te brengen. Ben heeft zijn eigen huisslippers hier staan; zijn zoon lijkt kleiner met de helderwitte sokken onder zijn pantalon.

We gaan zitten, en Bradley neemt zonder het te weten Bens vaste plek in, wat mij een vreemd gevoel geeft, alsof er iets pijnlijk verkeerd zit. *Rustig blijven*, zeg ik tegen mezelf.

'Ben je weer zeeziek geworden?', vraag ik.

'Nee, die pillen helpen echt.' Hij neemt de theesoorten door. 'Mijn vader vertelde dat u schrijfster bent.'

Ben en ik kijken elkaar aan en glimlachen. Het is op een vreemde manier verfrissend, zelfs ontnuchterend, dat er iemand is die niets van mij weet, die me niet als een zonderling beschouwt en wie het zelfs niet kan schelen dat ik ooit literair iets voorstelde.

'Ja, hoewel ik niet meer zo veel doe als vroeger.'

'Ik zou ook ooit een boek willen schrijven.' Bradley zegt wat iedere schrijver van andere mensen te horen krijgt.

'Dan moet je dat doen.' Ik zeg het en ik meen het. Het is heerlijk te zien dat er nog dromen in iemand leven. Misschien voelde ik me daarom zo aangetrokken tot die Claire – alsof de toekomst aan de horizon van haar blikveld kleefde. Mijn toekomst voelt vaak aan als een bal aan een ketting die ik met iedere stap moet meeslepen.

Bradley heeft fotoalbums meegebracht, waarmee we bijna een uur bezig zijn. Dan heb ik zijn gezin gezien, hun vakantie in nationaal park Grand Teton, zijn broodjeszaak en hun huis in het kleine stadje Cottonwood. *Nee, daar ben ik nog nooit geweest. Misschien zou een bezoekje wel leuk zijn. Hoe warm wordt het daar in de zomer?* Een golf van vermoeidheid overspoelt me, en ik besef hoeveel energie dit soort bezoekjes me kost.

De immer waakzame Ben merkt de verandering bij mij op, hoewel ik het probeer te verbergen achter nog een kopje thee en een plak cake. Hij staat op. 'Ik zag dat het brandhout op de veranda bijna op is. Ik zal wat voor je naar boven halen; het zou weleens kunnen gaan stormen. Daarna moeten we dan ook terug.'

'Ik help wel even', zegt Bradley, die het laatste album dichtslaat.

'Nee, nee, hoeft niet. Het is maar een paar minuutjes werk. Drink jij je thee maar op. Dan heb je nog wat warms binnen voordat we het water weer op gaan.' Ben loopt de deur uit, met zijn laarzen al aan.

Even heerst er een ongemakkelijke stilte tussen Bradley en mij, en dan beginnen we tegelijkertijd te praten.

'Ik vind het leuk ...'

'Welke soort thee ...'

We grinniken om de botsing.

'Ik hoopte al dat we elkaar even onder twee ogen zouden kunnen spreken', zegt Bradley.

Ik begrijp welke kant dit gesprek op zal gaan. 'Is er iets wat je niet kunt zeggen terwijl Ben erbij zit?'

'In zekere zin, ja. Weet u, mijn vader is erg op u gesteld.'

'Echt?' Ik neem een slok thee uit mijn kopje met gele rozen erop – een paar verjaardagen geleden van Ben gekregen.

Hij schuift in zijn stoel. 'Hij praat bijna uitsluitend over u wanneer hij bij ons op bezoek is.'

'Nou ja, er is ook niet veel meer waarover hij kan praten. We hebben hier niet zo veel opwindends buiten elkaar op de Point.'

'Juist. Precies. Dat was ook mijn idee. 'Mijn vader heeft hier zo goed als niets.'

Dat bedoelt hij beslist anders dan hij het zegt, houd ik mezelf voor, terwijl mijn maag krampt.

'Mijn vader heeft het er met u over gehad, nietwaar? Dat ik denk dat het beter voor hem zou zijn als hij bij ons kwam wonen?'

'Jouw vader is heel goed in staat zijn eigen beslissingen te nemen.'

'Hij gaat niet weg omdat hij het gevoel heeft dat hij u in de steek laat.' Bradley gooit vier scheppen suiker in zijn thee onder het praten. 'Ik wil u op alle mogelijke manieren helpen om hier wat ondersteuning te krijgen.'

'Waarom wil je hem hebben?', vraag ik, de beleefdheid opzij zettend. Ik wil de waarheid.

'Wat ... wat bedoelt u?'

'Waarom wil je dat hij hier weggaat?'

'Wij houden van hem. Ik houd van hem. Ik wil in deze latere jaren tijd met mijn vader delen. Hij zou bij onze kerk kunnen gaan. Het is een goede kerk, en het beviel hem prima toen hij bij ons was.'

Bradley werkt een lijst af die hij, naar ik vermoed, ooit echt heeft opgeschreven. Hij is waarschijnlijk een van die mensen die alle plussen met betrekking tot een onderwerp aan de ene kant op een vel noteren, en alle minnen aan de andere kant. De langste lijst wint. Wat zou er aan de minkant kunnen staan? Zijn vader als een constante factor in zijn leven? Toekomstige beslissingen aangaande zijn gezondheid? Wie hem moet bezighouden? Wie hem wast wanneer hij het niet langer zelf kan? En welk rusthuis betaalbaar is en de beste zorg biedt? Ik wil hem naar de lijst vragen, en naar zijn drijfveren om Bens toekomst voor hem uit te stippelen.

'En ik wil zeker weten dat hij veilig is.'

Het is de laatste druppel. Ik spreek langzaam maar nadrukkelijk en moet mijn best doen om mijn stem niet te verheffen. 'Jij wilt. Jij wilt weten dat hij veilig is, en jij denkt dat hij die kerk leuk vindt, waarmee hij trouwens niet zo veel opheeft. Jij wilt hem in een gecontroleerde omgeving hebben zodat jij je geen zorgen over hem hoeft te maken en je niet schuldig hoeft te voelen omdat hij alleen woont in de vuurtoren. Jij wilt dit allemaal. Maar hoe zit het met Ben? Wat wil *hij* eigenlijk?'

Mijn sociale gedrag is nu geheel verdwenen.

Bradley staart me even aan, maar niet kwaad, zoals ik verwacht. Hij knikt en zegt zacht: 'Wat u zegt, is allemaal waar. Ik wil die dingen. Maar ik heb ook geprobeerd rekening te houden met zijn gevoelens. Maar weet u zeker dat mijn vader niet wil verhuizen? Weet u dat echt zeker, mevrouw Fleming? Of wilt u mijn vader hier houden omdat *u* dat nodig hebt en *u* dat wilt?'

De voordeur gaat open, en Ben brengt een vlaag kou mee naar binnen. 'Als we jou nog in dat hotel willen krijgen vanavond, moeten we nu weg.'

Wanneer we afscheid nemen, merkt Ben kennelijk dat er spanning tussen ons hangt. Hij kijkt mij vragend aan, maar ik kijk weg.

'Dan kom ik morgen weer langs', zegt hij.

'Het was heel fijn kennis met u te maken, mevrouw Fleming', zegt Bradley, en ik verbaas me over de oprechte klank in zijn stem. 'Als het erop aankomt, wil ik alleen maar wat het beste is voor ons allemaal.'

'Goed', fluister ik. Dan is het huis weer leeg, en zo leeg heeft het in lange tijd niet gevoeld.

Het middaglicht is vervaagd tot donkere schaduwen. Ik zit in mijn stoel en krijg het koud wanneer de nacht nadert. De wind rammelt aan de luiken buiten, en Holiday tilt nu en dan zijn kop op om zich te verbazen over mijn roerloze pose.

Mijn stabiele leven stort in rondom mij. Hoe meer ik mijn best doe om de muren overeind te houden, de pleister bij te werken, de beschadigde constructie te herstellen, des te sneller valt het bouwsel om en verpulvert het in mijn handen. *God, help mij.*

In de loop van de tijd is veel van mijn geloof tot de kale kern teruggebracht. Ik houd zo diep en volledig van God dat het wonderbaarlijk is. Ik weet dat ik Hem nodig heb. Ik besef het volkomen en uit de grond van mijn hart. Ik weet dat ik alleen door de genade van Christus vrijheid ken in deze wereld. Maar niets anders is zeker. Is het genoeg? Ik behoor te zeggen van wel.

Er drukken te veel jaren op mij. Hadden leeftijd en jaren van gebed geen diepe wijsheid moeten opleveren die mijn pad kon verlichten? Maar ik heb het gevoel dat ik ieder jaar minder weet. De onwetende zekerheid waarom het in het leven draait, is verdwenen. Mijn behoefte aan God en zijn genade is groter geworden.

Soms worden we tot niets gereduceerd, en verliezen we zelfs nog meer. Al mijn verhalen gaan daarover – over de noodzaak van en het zoeken naar genade – wonderbaarlijke genade, mysterieuze genade, verwarrende, verlangde en pijnlijke genade.

Ik trek de deken strakker om mijn schouders en denk met mijn dagboek en de Bijbel op schoot na over dit leven van afzondering en eenzaamheid. Toen ik hier kwam, was het een tijdelijke ontsnapping aan de wereld. Mijn moeder, die nooit wist hoe ze genegenheid en troost moest laten blijken, gaf me gezegende tijd voor mijzelf. En op een of andere manier ben ik gewoon gebleven.

Maar heb ik dit leven verspild, het talent begraven, de luiken gesloten om maar aan mijn eigen verlangen naar afzondering tegemoet te komen? Zijn we allen bestemd voor grootheid? Zijn

sommigen van ons voorbestemd de werkmieren te vertegenwoordigen? Kunnen we allemaal uit onze zelfgenoegzame sluimer ontwaken en de wereld veranderen? Ik wil nog steeds in
zulke ideeën geloven en verbaas me erover dat ze zo lang hebben
liggen sluimeren.

Alle grote mannen en vrouwen hebben grote fouten gemaakt.
Moet ik mijn eigen levenspad in de waagschaal stellen tegenover
die' paar succesvolle levens met eeuwigheidswaarde – ongeveer
zoals bij de plus-minlijst die ik bij Bradley vermoedde? Of is het
onze menselijkheid, en zijn het onze fouten, die ons dichter bij
dat hoogste goed brengen en ons verlangen daarnaar versterken:
genade. Genade. Waarachtige genade te ontvangen.

Vandaag werd ik met mijzelf geconfronteerd. Bradley hield mij
een spiegel voor, en ik zag mijzelf. Hoezeer heb ik soms gewenst
aan mezelf te kunnen ontsnappen.

Hij had gelijk. Meer dan de helft van mijn verlangen dat Ben
zou blijven is uit eigenbelang. Ik wil dat hij blijft. Ik wil dat hij
mij nodig heeft. Maar ik ben degene die hem al die tijd nodig
heeft gehad. Ik weet niet hoe ik zonder hem zou moeten leven.

Maar toch is het mij nu heel duidelijk. Ik zal Ben moeten loslaten.

GETIJDENPOST

Kerknieuws

SPECIALE GEBEDSBIJEENKOMSTEN

De Vine Creek-gemeente begint met speciale gebedsbijeen-
komsten voorafgaand aan de zondagse erediensten. De inten-
ties variëren van week tot week, maar zullen zeker de bijzondere behoeften van de gemeente en de noden van de wereld omvatten. Iedereen is welkom.

Claire

❦

De afgelopen dagen hebben me meer dan genoeg excuses opgeleverd om vanmorgen niet naar de kerk te gaan: gevangenisbe-
zoek bij Conner, gesprekken met advocaten, een maatschappelijk
werker en politiemensen, mijn opdrachten van de *Getijdenpost* en
– het moeilijkste van alles – de tijd die ik met Alisia heb doorgebracht. Alisia is weer iemand in haar leven kwijtgeraakt. Ze mag
mijn broer niet bezoeken, omdat hij ervan wordt beschuldigd
haar te hebben ontvoerd, en ze geeft mij de schuld. Ik vertegen-
woordig kennelijk het verlies, en ze lijkt te denken dat ik ervoor
heb gezorgd dat hij wegging.

Als door een wonder – minder kan ik het niet noemen – hebben mijn ouders de tijdelijke voogdij over Alisia gekregen, die
goedgekeurd werd op grond van hun officiële erkenning als
pleegouders en het feit dat Conner zijn kans om op borgtocht vrij
te komen opgaf om de voogdij mogelijk te maken. Mijn broer
blijft in de gevangenis. Misschien wordt hij overgebracht naar de
staat Washington voor het proces.

Stel dat ik nog steeds in de stad had gewoond. Mijn ouders en broer hadden me nodig bij al de papieren rompslomp en de vergaderingen, en ik heb hen nodig gehad. Terwijl de uitputting als teer aan mijn hele lichaam kleeft, lijken mijn ouders juist op te leven door het kleine meisje dat in ons bestaan is gekomen. Ze geeft hun niet de schuld voor Conners verdwijning.

Mijn moeder komt om halfacht mijn slaapkamer binnen en maakt me wakker met de vraag of ik naar de kerk ga. Ze is vrolijk, te vrolijk voor het vroege uur en de omstandigheden. Met haar vriendelijke stem herinnert ze eraan dat oom Artie gebeld heeft en hoopte dat we de speciale gebedsbijeenkomst voor Conner zouden bijwonen. Oom Artie is de voorganger van de Vine Creek-gemeente.

Ik weet niet zeker of ik het wel aankan.

Met mijn hoofd onder mijn kussen probeer ik terug te keren naar dromenland. Maar algauw moet ik het opgeven. Mijn overactieve brein overdenkt – *maakt zich zorgen over* is preciezer uitgedrukt – de gebeurtenissen van de dag. Hoe zal het zijn naar mijn oude kerk terug te gaan nadat ik zo lang in stad heb gewoond? Dit is niet het gebruikelijke kerkbezoek tijdens een bezoek, met handen geven, omhelzingen en woorden van afscheid. Dit is de terugkeer naar de kudde, misschien voorgoed. Ze weten natuurlijk dat Conner is gearresteerd, en ze zullen Alisia aanstaren, ondanks alle goede bedoelingen. Moet zij naar de kindernevendienst? Wanneer ik denk aan de lijst met voorwaarden waarvoor mijn ouders moesten tekenen om de tijdelijke voogdij te krijgen, vraag ik me af of zij haar wel buiten hun blikveld mogen laten komen, ook al is het in een kerk. Het lijkt mij het beste het deze week voorbij te laten gaan.

Ik kijk naar hen door de boog die de doorgang naar de keuken vormt. Mijn vader aan het fornuis, met zijn rug naar mij toe. Alisia, gekleed in een jurk met roesjes, zit te woelen aan de tafel. Mijn moeder zag het jurkje in een speciaalzaak in het centrum en kocht er de bijbehorende accessoires bij: broekje, panty, schoenen en leuke haarspelden.

'Alsjeblieft', zegt zij terwijl ze voorzichtig een grote theedoek over Alisia's jurk legt en de uiteinden om haar nek knoopt. Het doet me denken aan de talloze keren dat ik in mijn ondergoed aan de zondagse ontbijttafel zat, of omwikkeld met een grote badhanddoek. Mijn vader heeft vanmorgen de pannenkoeken gebakken; de wiebelende toren staat op een bakplaat voor koekjes, midden op tafel. Mijn moeder zet ze altijd in een kleinere, nettere stapel op een wit bord, met een beetje poedersuiker erover, voor het gezicht. Die van mam zien er beter uit, maar die van mijn vader zijn lekkerder.

Ik zie een Spaans woordenboek open en op z'n kop naast mijn vaders koffiekop liggen. Hij maakt van verschillende formaten pannenkoeken een lachend gezicht op Alisia's bord.

'Pappa is grappig', zegt Alisia, gevolgd door een stroom Spaanse woorden die ik niet kan ontcijferen. Op school heb ik Frans gedaan, hoewel iedereen zei dat Spaans ooit nuttiger zou blijken te zijn.

'Goedemorgen', zeg ik terwijl ik de keuken in loop. Alisia's glimlach verdwijnt, en ze kijkt op haar bord wanneer mijn moeder stroop over de pannenkoeken laat lopen. Het is haar vaste reactie geworden op al mijn pogingen tot vriendelijkheid. Ik buig naar haar toe. '*Buenos días*, Alisia.'

'Goedemorgen', antwoordt ze met een uitdagende frons die wil zeggen: *Ik ben misschien nog maar vier, maar ik ken wel wat Engels.*

'Zo, dus het ziet ernaar uit dat we allemaal naar de kerk gaan.' Mijn vader grijnst.

'Behalve Conner', zeg ik, en ik heb meteen spijt wanneer ik het effect van mijn sarcasme op mijn ouders zie. De vrolijke maskers vallen van hun gezichten. 'Het spijt me. Ik denk dat ik maar ga douchen.'

'Neem een kop koffie', zegt mijn vader en houdt mij samen met de beker zijn vergeving voor.

Koffie, douche, de gebruikelijke routine met mijn kapsel en het uitproberen van verschillende alternatieven voordat ik de juiste kleding vind. Dan ben ik gereed voor de kerkgang. Op de achterbank van de auto staart Alisia me aan vanaf haar kinderzitje.

'Ze mag me niet', zeg ik wanneer ze fronst naar mijn glimlach. Het is verbazingwekkend dat de opgetrokken wenkbrauwen haar nog liever maken en me tegelijkertijd enorm kunnen irriteren. Ik heb mijn broer beloften gedaan met betrekking tot Alisia, maar ik heb er geen flauw idee van hoe ik die moet nakomen.

'Doe niet zo gek.' Mijn moeder draait zich om op haar stoel. 'Zij voelt alleen maar dat jij niet helemaal op je gemak bent met kinderen. Ik had je vroeger meer moeten laten oppassen.'

'Ik hield niet van oppassen.'

'Je was er misschien wel van gaan houden.'

'Maar zouden de kinderen dat leerproces hebben overleefd?'

'Daar zeg je zoiets.' Mijn moeder denkt ongetwijfeld aan de kleine Tony en het eerstehulpincident, mijn laatste confrontatie met de wereld van de kinderzorg. Sinds hij zijn zus met nagellak beschilderde terwijl ik de ingekleurde tekening van zijn slaapkamermuur boende, droeg hij de bijnaam Ellende Junior. Een bezoek aan de eerstehulppost, twee doorgedraaide ouders en een lange nacht later, was voor mij het pleit beslecht in deze stad, of ik nu op kinderen wilde passen of niet. Wat ik trouwens niet wilde. Ellende Junior zit nu op de middelbare school en werd onlangs gearresteerd wegens diefstal. Sommige dingen worden pas in de loop van de tijd bewezen.

'Waar is pappa Conner?', vraagt Alisia, zoals ze de laatste paar dagen om de paar uur heeft gedaan.

'Hij moest even weg', zeg ik. 'Maar hij komt terug.'

'Nee!', huilt ze wanhopig, met een verloren blik in haar donkere ogen. 'Ik wil pappa!' Er volgen woorden in het Spaans.

'Het komt goed, Alisia. Wil je je pop?', vraag ik, terwijl ik de stoffen pop van de stoel pak en die aan haar geef. Ze gooit hem tussen de twee voorstoelen en blijft huilen. Mam en pap proberen haar tevergeefs te kalmeren. Ik wil ook wel huilen en mijn broer terugeisen. Hij is al zo lang uit mijn leven weg, maar plotseling heb ik hem nodig – voor Alisia en voor mezelf.

Net iets buiten het centrum, tussen de kaler wordende heuvels bij de baai, verwelkomt de gemeente van Vine Creek bezoekers en geeft zij reizigers heilwensen mee op borden langs de snelweg.

Er staan altijd wonderlijke teksten op, en deze week lees ik: 'Laat uw dag verlichten door wat Zoneschijn.' Hoewel dit soort kreten mij ergeren, moet ik toegeven dat anderen ze met groot plezier lezen. Ik vraag me altijd af waar mijn oom ze vandaan haalt. Is er ergens een website, haalt hij ze uit een boek, of zou hij ze soms zelf bedenken? Ik moet eraan denken hem dat eens te vragen; dat zou een interessant artikeltje voor de krant kunnen worden, valt mij in.

Mijn vader rijdt langzaam over de lange gravelweg door een kom met een bosopstand, totdat de door de wind verweerde heuvel de kerk prijsgeeft aan onze blikken. Het oorspronkelijk witte houten gebouw is omringd door allerlei aanbouwsels waarin de klassen van de zondagsschool, de keuken en een algemene vergaderzaal zijn ondergebracht. Een kleine voorplaats en speeltuin liggen tussen de oude en de nieuwe kerk in.

Wanneer we naar de ingang lopen, wil ik Alisia dicht naast me hebben. Ze fronst weer wanneer ik een hand op haar rug leg. De ontmoeting voor de dienst vindt plaats in de overdekte passage tussen de kerk en de bijgebouwen. We worden door een paar gemeenteleden hartelijk begroet. Mensen komen glimlachend, maar met een bezorgde blik informeren hoe het met ons gaat.

'Claire, wat fijn je te zien', zegt mijn oom Artie. De broer van mijn moeder is al vijfentwintig jaar voorganger in deze kerk. Zijn dikke armen vangen me in een bijna letterlijk adembenemende omhelzing. Wanneer we elkaar loslaten, voelen we beiden de tranen branden, omdat we zonder woorden beseffen wat de laatste dagen voor onze familie hebben betekend. Hij buigt om Alisia een hand te geven, die zich in de plooien van mijn moeders rok verbergt.

'Niet te geloven!', zegt een stem, en ik voel een tikje op mijn schouder. 'Claire!'

Het is de stem van Jill Watley. Ze is een paar jaar ouder dan ik, en we zijn met elkaar bevriend geraakt via kerkelijke activiteiten, uitstapjes en de jeugdgroep die geleidelijk overging in de jongevrijgezellenclub. Jill werkt nu als secretaresse en hoofd van de kerkactiviteiten en springt in het gat wanneer er een vrijwilliger ontbreekt voor een activiteit – en dat gebeurt vrij vaak, vermoed ik. Ze is in de loop van de jaren een paar pond aangekomen, maar kleedt zich zo perfect dat ze met haar smetteloze make-up en kapsel zo als model in aan catalogus zou kunnen staan.

'Ik hoorde al dat je in de stad was. Wat leuk je te zien.'

'Dank je. En jij ziet er geweldig uit, zoals altijd', zeg ik. Uit mijn ooghoek zie ik dat mijn ouders, die met een paar gemeenteleden en oom Artie staan te praten, Alisia trots voorstellen alsof het om hun bloedeigen kleinkind ging.

'Dank je. Maar dat kan ik ook van jou zeggen. Ik hoorde dat je misschien voorgoed teruggekomen bent?'

'Dat weet ik nog niet zeker.'

'Als je een woonruimte voor jezelf nodig hebt, laat het me dan weten. Ik hoor zo vaak dat soort dingen. Zou je in Harper's Bay willen blijven of naar Crescent City gaan?'

'Ik weet het echt nog niet.'

'En zou je een kamergenote willen hebben?'

'Nog niet over nagedacht.'

'Ik hoorde het over je broer.' Ze praat plotseling aanzienlijk zachter.

'Wat heb je dan gehoord?' Mijn stem krijgt iets defensiefs.

'O ... eh ... ja ...' Ze klinkt nu spijtig. 'Nou, dat hij dat kleine meisje heeft meegenomen om haar leven te redden, uiteraard, en dat hij gearresteerd is. En dan is er de gebedsbijeenkomst van vandaag. Die heb ik mee helpen organiseren.'

'Hij heeft zichzelf aangegeven.'

'Echt? Nou ja, je weet hoe dat soort dingen verandert bij het doorvertellen.' Ze lacht geforceerd. 'Als je in de stad blijft ... ik zou wel wat hulp kunnen gebruiken met het kerstprogramma. Het is nog maar vijf weken. Onze vrijgezellengroep komt nog steeds op woensdagavond bij elkaar, en over een paar weken hebben we een karaoke-avond. Jij bent toch ook nog alleen?'

'Ja.'

'Geweldig. We raken de goede altijd kwijt.'

Wil je daarmee zeggen dat ik geen goede ben?, wil ik vragen.

'Claire, onthoud dat wij aan jou kant staan', zegt Jill, en haar vriendelijke glimlach vermurwt me.

'Het spijt me. Het is allemaal een beetje te veel. Dat is alles.'

'Daar zijn we voor, in moeilijke tijden zoals je nu doormaakt. Het is makkelijk te vergeten, maar in tijden van nood is de familie van de kerk er hopelijk nog.' Ze rent weg in de richting van de tafel met verfrissingen: de plastic bekertje raken snel op.

Ik blijf staan en wil me niet bij mijn ouders voegen, die inmiddels het middelpunt zijn geworden van een groepje dat vriendelijk en druk om Alisia heen staat. In plaats daarvan loop ik naar de tafel met frisdrank. De kerkklok luidt en geeft aan dat het tijd is voor het gebed. De groepen lopen in de richting van de ingang.

'Wil je dat ik je vasthoud?', vraag ik aan Alisia, en ik verwacht een snel 'nee'. Ze schudt haar hoofd, maar geeft me wel een hand, kennelijk even nerveus door alle blikken als ik ben.

'Zie je wel, het heeft alleen even tijd nodig', zegt mijn moeder.

Maar ik ben er niet van overtuigd dat het zo makkelijk zal gaan.

De gebedsbijeenkomst gaat over in de dienst. Ik blijf een beetje aan de zijkant om te vermijden dat mensen in de pauze naar me toe komen. Iedere ontmoeting met sociaal gebabbel kost me veel energie, merk ik, maar de gebeden voor mijn familie stel ik wel op prijs. Vooral hier, in deze gebedsruimte, waar banken staan voor tweehonderd mensen, met glas-in-loodramen aan de zijkanten, een kruis aan de voorzijde, eveneens van glas-in-lood, een verhoging met kansel, kunstbomen en -planten, en met microfoons en een piano.

Ik ben hier weer, maar nu niet meer als bezoeker. Mijn broer zit in de gevangenis, en er zit een klein meisje bij mijn vader op schoot. Hoe kan het dat ik zo opging in mijn eigen bestaantje dat ik niets van Conners leven wist? Ik had nooit gehoord over Rosa, de vrouw die zijn leven zou veranderen – al onze levens. Conner spreekt veel over haar, vertelt dat ze van plan waren te trouwen. Maar hun plannen om Alisia door Conner te laten adopteren wanneer ze eenmaal getrouwd waren, bracht Rosa's ex als een razende storm terug in hun levens – wat ze pas beseften toen het al te laat was.

De bank is harder dan ik mij herinner, de kerkzaal warmer. Ik merk de woorden op die mijn oom steeds herhaalt. Hij noemt tot zes keer toe de 'vrede van God.'

Ik moet om vergeving vragen. Mijn oren proberen te luisteren en mijn ogen staken hun beoordelingen. Terwijl ik om me heen kijk naar de mensen in de banken, vraag ik God mijn hart te verzachten en de kritiek weg te nemen die steeds in me wil opborrelen. Ik wil van deze mensen houden. Tot mijn verrassing en schuldbewuste verbazing hoor ik dat de preek van mijn oom over genade gaat. Als de genade nu eens kwam zonder die wanhopige behoefte eraan.

❦

De gebruikelijke nervositeit die ik voel wanneer ik bij de gevangenis aankom, is vandaag verdwenen. Ik praat met de bewaker tijdens de bezoekersprocedure en neem plaats op een plastic stoel in de kubus van glas en staal. Aan de andere kant van het dikke plexiglas zie ik mijn broer.

'Een gebedsdienst voor mij en Alisia? Dat is ongelooflijk.' Hij lijkt oprecht verbaasd te zijn dat mensen zich die moeite zouden getroosten.

Ik merk dat zijn gezicht al iets begint in te vallen, hoewel ik er iedere dag op aandring dat hij genoeg blijft eten. Hij belooft het me, maar ik vraag me af of de beperkingen van zijn cel zijn geestelijke gezondheid niet aantasten. De muren van een schoollokaal en zelfs van ons eigen huis benauwden hem vroeger al. Maakt deze gevangenschap hem niet kapot?

'Het halfuur was volledig aan jou gewijd, en er deden ongeveer veertig tot vijftig mensen aan mee.'

'Rosa zou het heerlijk hebben gevonden dat te weten', zegt hij, en er valt een sombere schaduw over zijn gezicht. 'Zij bad regelmatig voor mij en Alisia, zelfs wanneer we niet bij elkaar waren. Ik zou willen dat je haar had kunnen ontmoeten. Je had haar beslist gemogen. Ze was altijd vrolijk en optimistisch ...' Zijn stem sterft weg, en ik zie zijn kaak verstrakken.

'Ze zou er gelukkig mee zijn dat jij Alisia hebt.'

Hij knikt. 'Alisia geeft me de kracht om door te gaan.' Zijn gezicht klaart op wanneer hij over iets heel anders begint. 'Heb jij deze week niet een ontmoeting met de beroemde S.T. Fleming?'

'Ja, wat vind je daarvan?'

'Ik wil er alles over horen. Ik heb haar boek nooit gelezen.'

'Boeken. Ze heeft er twee geschreven, maar is vooral bekend van haar eerste werk.'

'Ik heb zo'n vermoeden dat jij ze allebei hebt gelezen.'

'En niet maar één keer.' Ik glimlach.

'Waar gaan ze over? De mensen hebben het erover hoe vreemd ze is, maar er zijn er maar weinig die iets over haar boeken zeggen.'

'In literaire kringen praten ze er wel over. Ikzelf vond het tweede boek beter dan het eerste. Het leek me dat ze naar iets anders reikte, terwijl het eerste boek meer een verhaal was over wat ze had meegemaakt. Althans, dat vermoed ik.'

'Ga je het haar vragen?'

'Ik weet het niet. Stel dat ze het niet prettig vindt dat mensen naar haar boeken vragen. Misschien is dat wel de reden voor haar afzondering.'

'Volgens mij vindt iedere schrijfster het heerlijk over haar werk te praten.' Conner zet zijn voorhoofd tegen de scheidingswand, met de telefoon tegen zijn oor gedrukt. 'Claire, dit is misschien een heel vreemde vraag op dit moment, maar waar droom jij van?'

'Waar ik van droom? Dat is inderdaad een vreemde vraag', antwoord ik verrast. Volgens mij heeft niemand me die ooit eerder gesteld.

'Griffin Anderson vroeg me dat vandaag.'

'Wat deed Griffin hier?'

'Hij kwam samen met Ben Wilson. Kennelijk gaan ze samen regelmatig op bezoek bij bajesklanten als ik.'

'Dat is heel aardig, in principe.' Ik weet niet precies wat ik ervan vind dat ze mijn broer bezoeken alsof hij een misdadiger is die behoefte heeft aan geestelijke bijstand.

'Ik vind het fantastische mensen. Het was goed eraan herinnerd te worden dat je moet blijven dromen, ook hier binnen.'

Deze zorgelijke, maar toch hoopvolle uitspraak maakt me plotseling dankbaar dat de twee mijn broer hebben opgezocht.

'Ik weet nog heel goed dat jij altijd een droomster was. Ik maakte daar vaak grapjes over.'

Ik glimlach en herinner me zelf ook hoe makkelijk mijn geest in de wolken kon verwijlen. 'Maar je kunt er ook het contact met het hier en nu door verliezen.'

'Maar wat houden ze in?'

'Mijn dromen? Nou ja, tot een paar weken geleden was ik van plan een paar jaar te investeren om verslaggeefster in de grote stad te worden en artikelen te schrijven die rijp zouden zijn voor een Pulitzerprijs. En daarnaast zou ik in mijn vrije tijd romans schrijven. Zoiets.' Ik lach er nu om hoe ver dat allemaal weg lijkt, en hoe onbelangrijk als je het vergelijkt met gevangeniscellen, oranje bajeskleding en het redden van een kinderleven.

'Maar waar *droom* je van. Ik bedoel niet je doelen.'

Ik begrijp niet precies wat hij bedoelt. 'Zijn mijn doelen dan niet ook mijn dromen?'

'Doelen zijn de voertuigen voor de reis.'

'Zei Griffin dat?'

'Ja. Wat zijn jouw dromen?'

'Ik wil graag het gevoel hebben dat mijn leven betekenis heeft, net zoals iedereen, denk ik. Maar mijn leven lijkt om woorden te draaien; woorden zoeken mij vaak op. Ik heb ooit over woorden gedroomd.'

'Echt?'

'Dit klinkt wel dwaas, maar al die woorden vlogen als wild dansende vlinders rond in mijn hoofd. Ik probeerde ze te grijpen en zou willen dat ik een net had om er grote hoeveelheden van te vangen.'

'Je bent soms een beetje vreemd ... Besef je dat, zussie?'

Ik glimlach terug naar zijn lach. Conner lijkt vandaag iets rustiger, hoewel de zorgen hem voordurend achtervolgen. 'Ja, weet ik. En waar droom jij van, mijn zelfs nog vreemdere broer?'

'Zwemmen.'

'Zwemmen?'

'Om een of andere reden is dat hetgeen waaraan ik bijna de hele nacht denk. Ik wil alleen maar zwemmen. Het is iets wat ik niet kan uitleggen.'

'Wacht eens even. Is dit een doel of een droom?'

Er klinkt een zoemer, en ik ben bang dat onze tijd al om is. Maar het enige wat er gebeurt, is dat de bewaker bij de deur opzij stapt en een tweede bezoeker binnenlaat. De oudere man loopt langzaam naar de kubus naast mij, terwijl aan Conners kant van de scheidingswand een jongeman in oranje kleding binnen wordt gelaten. We kijken beiden even toe voordat we elkaar weer aankijken. De telefoon is warm tegen mijn gezicht en ik vraag me af hoeveel mensen het apparaat per dag gebruiken. De oude man in de kubus naast me begint zich op te winden en scheldt in de hoorn.

'Zwemmen. En dan ben ik vreemd? Je hebt wat te lang zitten dromen hier, broertje.'

Conner wil antwoord geven, maar op dat moment begint de gevangene naast hem te schreeuwen. Ik hoor hem door het glas heen. De man naast mij schopt zijn stoel omver en schreeuwt terug: 'Wat mij betreft, blijf je hier dan maar zitten!'

Bewakers rennen op de gevangene af, en aan mijn kant wordt de oude man bij zijn arm gepakt. Een van de bewakers geeft mijn broer een teken, waarop hij onmiddellijk op de grond gaat liggen met gespreide armen en benen. Een korte schermutseling volgt, waarin de bewakers de woedende gevangene afvoeren, die blijft schreeuwen, maar zich niet echt verzet. Een andere bewaker loopt naar Conner toe. Ik verwacht dat hij ook wordt meegenomen, maar na een paar ogenblikken en een kort gesprek tussen de twee staat mijn broer op van de vloer. Langzaam pakt hij de hoorn weer op, zichtbaar geschokt. 'Alles in orde?'

'Prima. Niets aan de hand', probeert hij mij gerust te stellen.

'Conner, ik maak me zorgen om je.'

'Ik niet minder. Maar in ieder geval heb ik hier de tijd om te dromen, moet je maar denken', zegt hij met een wrange grijns die schril afsteekt bij zijn woorden.

Sophia

Wat moet ik verder nog zeggen?

❦

Ben komt voor de dinsdagse *Getijdenpost*. Het eerste wat hij vraagt, is of het goed met me gaat of niet. Vrij vertaald: wil je praten over wat er tijdens het bezoek van Bradley gebeurd is of niet? Ik vraag van mijn kant of het artikel over hem en Griffin is geplaatst.

Met een zucht geeft hij me het eerste katern. 'Het is niet geworden wat wij ervan gehoopt hadden.'

GETIJDENPOST

Mensen van hier

CHRISTENEN STELLEN VRAGEN BIJ CHRISTENDOM

Ben Wilson en Griffin Anderson, twee inwoners van Harper's Bay, komen iedere maandag bij elkaar bij Blondie's, maar niet alleen voor de koek, koffie en maaltijden, maar om over de Bijbel en hun christelijk geloof te praten.

'We houden deze ontmoetingen nu al twee jaar', zegt de 77-jarige Ben Wilson. 'We hebben over alles gepraat, van profetieën over de eindtijd tot de vraag of Jezus water in wijn veranderd heeft of in druivensap.'

'Ons leeftijdsverschil deed er niet toe', vult de 24-jarige plaatselijke kunstenaar Griffin Anderson (van Rooftop Road) aan. 'We voelen beiden de behoefte ons geloof in de diepte te verkennen en niet alleen maar klakkeloos te aanvaarden wat tot de christelijke traditie behoort. Wij willen echt weten waar het bij God en Christus om draait.'

Het zijn interessante uitlatingen van twee van de bekendste christenen in onze streek. Griffins prijswinnende beelden hebben alle een zekere spirituele lading, hoewel dat vaak op het eerste gezicht niet zo lijkt. Zijn bekendste werk is Superman, een soort superheld die een rood-zwarte wereldbol torst. Er zijn spirituele thema's te over, zegt Griffin, die de aard van zijn werk soms vergelijkt met de gelijkenissen uit de Bijbel.

'Ik weet niet op welke manier ik de wereld beïnvloed. Op dit moment drink ik gewoon koffie met Ben op maandagmorgen en vraag ik God ons beider levens te leiden.'

'We hebben meer over God en over ons geloof gezegd dan dit', merkte Ben op terwijl hij de krant opvouwt.

Ik grinnik om zijn ontevreden frons. 'En als je een preek in drie punten had gehad, zouden ze die dan hebben afgedrukt? En zou dat levens hebben veranderd? Ik betwijfel het. Lezers worden geboeid door de waarachtigheid van je woorden. Jij bent een christen die niet precies weet hoe het allemaal in elkaar zit ... alsof er onder ons zijn die dat wel zouden weten. En je probeert uit te vinden wie God nu werkelijk is – hoe zou het beter gezegd moeten worden?'

'Jij probeert me alleen maar op te beuren.'

'En dat werkt.'

'Misschien een beetje.'

'Maar bereid je maar voor op lieden die jullie op maandagmorgen met de Bijbel in de hand de 'waarheid' komen vertellen.'

'Denk je? Ik vind het tot nu toe juist heel prettig alleen met Griffin te praten.'

'Het zou kunnen gebeuren. Misschien moeten jullie een andere morgen kiezen.'

'Misschien.'

Terwijl we theedrinken en de krant lezen, krijg ik een ingeving: *hoeveel dinsdagen zal ik nog hebben met hem?*

'Ben je nog steeds van plan haar te ontvangen?', vraagt Ben. Het herinnert me eraan dat Claire O'Rourke morgen zou komen. 'Wil je dat ik haar bezoek op een andere dag zet, of het helemaal afzeg? Ik heb achteraf spijt van mijn rol daarin.'

'En terecht.' Ik doe een poging om te fronsen en neem een bedachtzame slok van mijn thee, genietend van het lichte aroma van earl grey. 'Ik denk dat ik maar eens een bezoekersrecord ga vestigen, als dat tenminste niet breed uitgemeten gaat worden in de krant van volgende week.'

'Dat zal heus niet.' Bens gezicht vertrekt. 'Dat is misschien iets om onderweg aan de orde te stellen bij de jongedame, voor de zekerheid.'

'Heb jij het tweede katern?', vraag ik, de bladzijden omslaand.

'Ja, nu je het zegt, inderdaad', zegt hij met een verdacht enthousiasme. 'Alsjeblieft.' Hij geeft me het opgevouwen stuk krant onhandig aan en houdt de onderkant dicht.

Wanneer ik hem openvouw, glijdt er een dikke bruine envelop uit. 'Wat is dat?', vraag ik terwijl ik de klep opensla. Plotseling schiet het me te binnen. 'Ben je bij mevrouw Crow geweest?'

'Jazeker.'

De papieren glijden naar buiten, pagina's en pagina's handgeschreven tekst. En ik heb het. De datum geeft aan dat het een van de laatste dingen was die Josephine schreef.

'Maar denk niet dat ik vergeten ben dat jij die artefacten uit het scheepswrak hier hebt.' Hij gebruikt zijn vaderlijk afkeurende toontje weer.

'Welke artefacten?', vroeg ik quasionnozel.

'Ga je mij nog vertellen wat dat boek nu eigenlijk is? Ik heb bij mijn laatste bezoeken gemerkt dat het verdwenen is.'

'We hebben bezoek gehad, en het was gewoon erg druk', zeg ik glimlachend. 'En het duurt enorm lang voordat het droog is. Maar het lijkt een soort grootboek of register te zijn, misschien van de lading of iets dergelijks.'

'Ik zal je niet nog eens vragen het in te leveren', zegt hij, maar zijn woorden impliceren de vraag al.

'Zodra het droog genoeg is om te lezen. Het gaat zo gruwelijk langzaam.'

'Ja, als je er halve dagen naar zit te kijken wel, natuurlijk. Maar ik stap maar weer eens op', vervolgt hij terwijl hij zijn kop leegdrinkt. 'Jij hebt het een en ander te lezen.'

Ik neem de bladen na Bens vertrek mee naar mijn makkelijke stoel en begin nieuwsgierig te lezen:

Memoires van Josephine Vanderook

Ik zou hem naar het eind van de wereld zijn gevolgd ...

GETIJDENPOST

TEGENSTREVER SLAAT WEER TOE

Op de bouwplaats van Wilson Bridge zijn een graffitiboodschap en beschadigd zwaar materieel de meest recente bewijzen voor het feit dat de zelfbenoemde Tegenstrever weer heeft toegeslagen.

De graffitiboodschap luidt: 'Red de Wilson Bridge. Sluit je aan bij de Tegenstrever.'

Drie jaar lang is de oude Wilson Bridge onderwerp van plaatselijke strijd geweest. De beslissing of de brug wordt afgebroken of niet, zal tijdens een komende vergadering van de gemeenteraad worden genomen.

De politie zet het onderzoek naar de sabotage op de bouwplaats voort.

Claire

❧

Bezorgdheid. De zorgen werpen een schaduw over de uren van mijn dagen.

Alisia heeft nachtmerries. We worden allemaal wakker van haar geschreeuw. Mijn moeder haast zich naar haar kamer, en ik sta machteloos bij de deuropening. Ondanks tijdelijke doorbraken blijf ik het symbool van mijn broers verdwijning.

'Waar is pappa Conner?' Ze richt die vraag nu vrijwel uitsluitend nog tot mij.

'Hij moest ergens naartoe', is een van mijn krachteloze antwoorden.

Dinsdag op het werk kreeg ik de krant met mijn bijdragen. Een bitterzoete ervaring: het is ook de krant waarin Conners arrestatie wordt gemeld.

Ook al heeft Rob me een paar opdrachten gegeven, het werktempo is in het begin van de week lager. Terwijl ik bezig ben met een eerste opzet voor de twee verhalen, gaat de telefoon.

'Griffin brengt het beeld tijdens de lunch', zegt mijn moeder. 'Jij bent er dan toch ook, hè?'

'Natuurlijk', zeg ik glimlachend.

Een paar uur later zien mijn moeder, Alisia en ik hoe Griffin achteruit de oprit op rijdt.

Alisia geeft de beste beschrijving: 'Wauwie!'

De kunstenaar lacht wanneer hij de achterklep van zijn pick-up laat zakken. Hij springt in de bak en begint de banden en touwen los te maken waarmee het metalen gevaarte op zijn plaats werd gehouden.

'Hij is perfect', zegt mijn moeder. 'Beter dan ik me kon voorstellen.'

Ik moet haar gelijk geven.

'Griffin heeft een tuinmeneer gemaakt', zegt Alisia, en ze probeert in de bak van de wagen te klimmen.

Ik sta achter haar en overweeg haar weg te trekken, maar in plaats daarvan til ik haar juist op. Ze lijkt verbaasd dat ik haar help. Het beeld is twee keer zo groot als zij. De tuinman houdt een zak zaad in zijn ene overgrote hand en vijf bloemen in de andere. 'Die daar is Alisia.'

'Dat ben ik', zegt ze trots.

Het beeld is een wonderlijke mengeling van het ouderwetse, eigentijdse en creatieve. Bij nadere inspectie herken ik onderdelen in zijn kunstwerk: wekkers als ogen, fornuispitten als knopen, en de koperen wingerd met bladeren die zich om het been van de tuinman slingert, is van oude koffiepotten gemaakt. Het is verbluffend hoe weggegooide dingen hier gecombineerd zijn tot zoiets schitterends. Maar nog afgezien van dat feit boezemt vooral de waarheid die erin is uitgedrukt, mij ontzag in.

Nadat Tuinmeneer, zoals hij nu officieel heet, op zijn plaats is gezet voor de terugkeer van mijn vader vanmiddag, gaat Griffin op de schommelbank op de veranda zitten, terwijl ik de schommelstoel bezet. Het beeld maakt nu deel uit van het decor van onze voortuin. Mijn moeder maakt warme chocola, en Alisia tekent aan de tafel tussen ons in. Haar wenkbrauwen trekken samen van de concentratie.

'Bevalt jouw kerk in Crescent City je goed?' Ik vraag me af waarom hij niet meer naar de gemeente van Vine Creek gaat.

'Ja, het is een fantastische groep, en ik vind de autorit prettig – autorijden levert me ideeën op voor beelden. Maar ik ga nog wel naar de vrijgezellengroep in Vine Creek. Voordat mijn vader stierf, werd hij uitgenodigd door de kerk van Crescent City. Hij was niet meer in een kerk geweest sinds mijn moeder ons verliet, toen ik in de brugklas zat. Ik ging met hem mee en ben daar na zijn overlijden gebleven.' De schommelbank piept wanneer hij achterover leunt. 'Jouw oom is zeker heel blij dat je terug bent?'

'Ik heb eigenlijk nog niet zo veel met hem gesproken. Wanneer ik eenmaal gewend ben aan het gevoel weer thuis te zijn, zal het wel beter gaan.'

Hij glimlacht en vat mijn woorden niet als kritiek op, en zo zijn ze ook niet bedoeld.

'Ik heb het artikel over jou en Ben gelezen.'

Hij knikt en lijkt zich een beetje te generen. 'Uiteraard heb je het gelezen: jij werkt daar. Een paar mensen hebben het niet helemaal begrepen, maar het heeft een heleboel discussie opgeleverd.'

'Waarover?'

'Een paar van mijn vrienden begrijpen niet waarom ik met Ben omga. Maar hij is zo'n ongelooflijke man. En wij zitten op één lijn, proberen beiden dingen te doorgronden die je als christen ook maar klakkeloos kunt aannemen. Wat Ben en ik zoeken, is volgens mij het verschil tussen naar de zee kijken vanaf het strand en in het water duiken en overal om je heen zoeken. Ik wil zwemmen en zo veel mogelijk leren. Je kunt jaren naar de oceaan kijken en denken dat die steeds hetzelfde is, maar wanneer je erin gaat zwemmen, besef je pas hoe enorm groot en onkenbaar die is. Ik hoop steeds nieuwe dingen over God te ontdekken, ook al doet het pijn, en maak ik fouten; ook al heb ik het gevoel dat ik verdrink.'

Iets in zijn woorden, in de hartstocht die uit zijn ogen spreekt, raakt me op een bijna verontrustende manier. Ik kan mijzelf op het stand zien staan, met mijn tenen in het zand, terwijl de golven daaronder spoelen; Griffin zwemt verder, duikt dieper en roept over ontdekkingen die zich aan mijn waarneming onttrekken.

'Je broer en ik hebben erover gepraat.'

'Aha, nu begrijp ik die opmerking van hem over zwemmen.' Ik glimlach.

'Conner en jij moeten aardig lang met elkaar hebben gepraat.'

'Ik ben er vanmorgen weer geweest. Wanneer hij vrijkomt, denk ik dat hij met Ben en mij aan de maandagmorgengesprekken gaat meedoen.'

'Om het over zwemmen te hebben?'

'Onder andere. Maar vooral zijn we bezig geweest met zoeken naar wie Jezus is.'

Wie is deze persoon?, vraag ik me af. 'Iedereen heeft nu en dan twijfels.'

'Het gaat niet om twijfel. Ik wil het echt weten, niet alleen maar wie Jezus is in de ogen van de een of de ander. Dat is de manier waarop de mensen kijken ... bijvoorbeeld naar de president of een beroemdheid. Ze verzamelen informatie uit het nieuws, kranten, interviews, en scheppen dan hun eigen beeld, dat vaak in geen enkel opzicht op de desbetreffende persoon lijkt. Maar die kennen ze dan ook niet echt. Ik wil echt weten wie Jezus *is*.'

Zijn woorden brengen me in verwarring. Als er iets in mijn leven een zekere basis is, is het wel dat ik weet wie Jezus is. Jezus is de Zoon van God, die mens werd en de wereld verloste. Jezus is de zaligsprekingen en het kind in de kribbe. Hij is de opgestane koning over wie ik op zondagmorgen zing.

Natuurlijk weet is wie Jezus was – en is – toch?

'En ik wil die dramatische kwestie van het eindexamenbal rechtzetten.'

'Welk drama?', zeg ik, me goed bewust waarover hij het heeft.

'Ik wilde het jaren geleden al uitleggen, maar jij wilde niet luisteren. Dat maakte me boos. Maar in de loop van de tijd dacht ik: waar ging het eigenlijk over?'

'En waar ging het over?'

'Het punt was dat jij die avond een verkeerde indruk kreeg.'

'Echt? En in welk opzicht zag ik dan verkeerd dat jij mij dumpte voor een ander meisje op het eindexamenbal?'

'Dus je herinnert je het toch wel?'

'Vaag.' Ik frons, en hij glimlacht.

'Ik heb je zeven jaar geleden mijn excuses aangeboden.'

'Nou ja, 'sorry' was een beetje een mager excuus.'

'Je had het me moeten laten uitleggen. Nu heb je het mij al die tijd kwalijk genomen.'

'Nee, dat heb ik niet ... Misschien een beetje.'

'Wil je weten wat er die avond is gebeurd?'

'Dat is al duizend jaar geleden.'

'Ja, vertel mij wat. Zoals je misschien nog weet, ging jouw interesse voor mij niet verder dan een afspraak voor het bal. Je praatte nauwelijks met me. Tijdens het dansen kwam ik toen Nicki Carpenter tegen, die gedumpt was door Randy Blake. Nicki en ik waren al jaren bevriend, en dus probeerde ik haar een beetje op te vrolijken. Jij zat in je eigen roze zeepbel en merkte mij totaal niet op, tot, natuurlijk ...'

'De laatste dans.' Vreemd hoe snel de herinnering aan die avond terugkomt. Ik had Griffin helemaal niet als partner willen hebben op het bal; de jongen in wie ik echt geïnteresseerd was, nam een meisje van een andere school mee. Sterker nog, ik was Griffin al bijna vergeten, toen de oproep voor de laatste dans kwam. Een paar vriendinnen wezen me erop dat mijn partner al voorzien was en dat Nicki Carpenter aan zijn schouders hing.

'Nicki bleef huilen, zelfs toen ik haar met een dans wilde opvrolijken.'

'Ze zag er anders behoorlijk opgevrolijkt uit.'

Alisia staat op van de tafel en gooit een paar kleurpotloden op de grond. 'Dit ben jij', zegt ze met een verlegen glimlach terwijl ze Griffin het papier geeft.

Hij trekt haar op schoot en praat met haar over de tekening van de kunstenaar naast zijn Tuinmeneer.

Even later glijdt ze weer van zijn schoot af en pakt ze een tweede vel van tafel. Ze houdt het achter haar rug en loopt naar mij toe. Haar donkere ogen kijken in de mijne, en ze lijkt even te aarzelen, hoewel verwachting haar gezicht vervult op het moment dat ze mij het papier geeft. 'Voor tante Claire.'

Ik krijg tranen in mijn ogen van de tekening, maar ik vecht om ze tegen te houden, omdat ik haar niet bang wil maken. Het witte papier staat helemaal vol bloemen in verschillende maten en kleuren, met in het midden een klein meisje dat de hand van een groter meisje vasthoudt. Alisia heeft een tekening gemaakt van ons beiden.

Kijkend naar de tekening denk ik aan mijn oude levensdoelen en toekomstplannen. Alles wat ik dacht te willen. Plotseling is er niets zo verbazingwekkend en groots als een tekening van een kind en een gesprek over wie Jezus echt is.

❦

Mijn opdracht luidt de voortgang bij de nieuwe brug in de gaten te houden en foto's te maken. Deze keer zie ik de oranje borden die de wegafsluiting aankondigen wel wanneer ik naar Wilson Bridge rijd.

De bijna voltooide nieuwe brug zal de scherpe afdaling van snelweg 7 veranderen in een eenvoudige oversteek van de brede kloof die door de rivier de Wilson is uitgeslepen. Eronder, maar niet helemaal op de bodem van de kloof, is de strook van de oude brug te zien, het onderwerp van strijd in de gemeente. De county wil de brug opblazen omdat mensen hem anders gaan gebruiken voor toegang tot de rivier, in plaats van over te steken naar natuurpark Edgewood. De plaatselijke bevolking zegt dat het de county en de staat alleen om geld te doen is. Om het park binnen te komen moet entree worden betaald, terwijl de oude Wilson Bridge gratis is. En de oude brug wordt natuurlijk beschouwd als een historisch monument.

Weken geleden stak ik in de vroege morgen vermoeid deze brug over, terwijl de morgenmist de hoogte ervan (ruim veertig meter, ontdek ik nu) boven het wilde water verborg. Ik stop langs de kant van de weg en besef dat ik op dezelfde plek sta waar mijn auto het begaf, naast het zwarte rotsblok. De aarde trilt van zwaar materieel. De meestal slapende gele dinosaurussen zijn nu wakker en grommen tijdens hun werk van graven, grijpen, duwen en dumpen.

Een bouwvakker die mijn perskaart ziet, geeft me een veiligheidshelm die veel te groot is en onmiddellijk over mijn oren zakt.

'Bedankt', zeg ik. Hij knikt en lijkt mijn cynisme niet op te merken. Ik bedoel, er is helemaal niets boven ons dat het dragen van een helm zou rechtvaardigen, maar de wettelijke veiligheidsvoorschriften enzovoort ... Ik weet het.

Een gezette man die zijn oranje overhemd in zijn broek heeft gestopt, waarboven een triomfantelijke buik uitpuilt, haalt de oordopjes uit zijn oren terwijl hij naar mij toe komt. Hij duwt ze in zijn zak en geeft me een hand. 'Mevrouw O'Rourke, ik ben Reagan Montgomery, opzichter. Leuk iemand van de plaatselijke pers te ontmoeten', zegt hij wrang, terwijl ik mijn hand discreet aan mijn broekspijp afveeg na de ferme greep van de man. 'Schrijf jij dit verhaal?'

'Ja, ik neem het tijdelijk over van de redactrice die gewoonlijk deze onderwerpen doet – zij is een poosje weg.'

'Laat me eens raden. Heeft Margie Stinton je gestuurd om ons weer eens zwart op wit te kwellen? Het is alweer bijna een maand geleden, dus het wordt hoog tijd.'

'Ik begrijp niet wat u bedoelt.'

'Ben je nieuw hier?'

'Nieuw bij de *Getijdenpost.*'

'Aha, vandaar. Nou, mevrouw Stinton heeft haar mening over ons project al klaar en schrijft artikelen zonder ons ook maar iets te vragen. De eerste kop bij aanvang van het project was iets in de geest van: 'Afscheid van het kleinsteedse leven'. Dat bracht burgers ertoe hun vreedzame morgens op te geven en hierheen te komen om ons te beloven dat ze zich van begin tot eind tegen ons zouden verzetten. Ik probeer hier alleen maar mijn werk te doen. Het maakt mij niet uit of ik hier een brug moet bouwen of in Oregon. Ze zeggen mij waar, en ik bouw de brug. Maar goed, wat wil je weten? Ik moet terug om de compensatiebalken van de westelijke reling te controleren.'

'Goed. Allereerst graag de laatste raming met betrekking tot de voltooiing van de brug. Hier staat dat u hoopte het lint voor de opening op 17 december te kunnen doorknippen.'

'Ja, een maand geleden hoopten we dat nog. Nu gaat het meer richting na Kerstmis. We moesten er een week tussenuit om een andere ploeg in Eureka te helpen en hadden wat materiaalproblemen toen we terugkwamen – sabotage om precies te zijn. Maar daarover is volgens mij geen letter in jouw krant verschenen.'

'We hebben één verhaal over sabotage gedaan. Was dit de tweede keer?'

'Derde keer. De politie patrouilleert zelfs al een paar keer per dag. De laatste keer was 's nachts. De politie is net weer vertrokken.'

'Kunt u me de schade laten zien?', vraag ik, het notitieblok uit mijn schoudertas halend.

Montgomery duwt zijn helm met een grijns verder naar achteren. 'Natuurlijk. Ik heb nog steeds een kapotte bulldozer. Wil je foto's maken?'

🍒

Nadat ik een rolletje heb volgeschoten over de voortgang van de bouw van de brug en de gesaboteerde bulldozer, met doorgesneden banden en bedrading, kijk ik over de brug naar de weg door het bos in de richting van natuurpark Edgewood en, aan het eind van de weg, Orion Point. Sophia Fleming is daar op dit moment, niet meer dan een stevige wandeling verderop. Ik ga morgen bij haar theedrinken.

Op kantoor gaat de telefoon wanneer ik met de ontwikkelde negatieven uit de donkere kamer stap.

'Claire, iemand voor jou op lijn twee; hij wilde zijn naam niet geven', zegt Loretta, die over de balie van Katt hangt.

'Geef maar', zeg ik. 'Misschien is het die geheime bewonderaar die ik probeer te verschalken.'

'Mijn idee, of misschien een leuke stalker.' Ze zegt het iets te enthousiast. 'Ik zou willen dat ik een stalker had, iemand die er goed uitzag en aardig was, niet zo'n eng type.'

'Zijn stalkers niet allemaal eng?'

'Degene die ik in gedachte heb, niet', zegt ze met een ondeugende glimlach.

Ik moet mijn lachen inhouden wanneer ik de telefoon opneem. 'Met Claire O'Rourke.'

'Bedankt dat je mijn gesprek aanneemt', zegt een mannenstem.

'Met wie spreek ik?'

'Ik wil graag anoniem blijven.'

'Anoniem?' Ik kijk in Loretta's richting, die snel naar mij toe komt lopen.

'Ik heb een verhaal voor je.'

'En ... wat voor verhaal is dat?'

'Jij was laatst bij de bouwplaats van de brug toen er mensen kwamen die het materieel hebben gesaboteerd, nietwaar?'

'Eh ... ja.'

'Ik weet wie die acties organiseert.'

'En dat wilt u mij vertellen?'

'Ik weet dat er afgelopen nacht weer schade is aangericht. Ik weet heel veel over wat er gebeurt. Staat er een beloning op? Kunnen we elkaar ontmoeten om erover te praten?'

'Het spijt me, maar ik kan geen anonieme afspraken maken over een verhaal waar ik niets van weet.'

'Misschien betaalt die bouwploeg wel een beloning voor de informatie.'

'Dat weet ik niet, maar u zou hiermee naar de politie moeten gaan.'

De verbinding wordt verbroken.

'Dat is vreemd', zegt Loretta. 'We krijgen wel vaker vreemde telefoontjes, maar dit is er een waarover we hulpsheriff Avery moeten inlichten.'

Ik leg de hoorn neer.

'Ga je de anonieme vreemdeling noemen in je artikel over de

brug?', vraagt ze. 'Misschien is dat precies wat hij wil – een een-zame vent die een beetje aandacht zoekt.'

'Er is afgelopen nacht weer een incident geweest bij de brug; iemand heeft een stuk zwaar materieel gesaboteerd. De opzichter wilde eerst niet met me praten, omdat hij dacht dat ik net zo zou zijn als Margie. Die man aan de telefoon leek er meer van te weten.'

'Ik vraag me af wat die bouwers dachten toen ze haar ont-moetten', flapt Loretta eruit terwijl ze op de rand van mijn bureau gaat zitten.

'Wie?'

'Margie.'

'Ze hebben haar nooit ontmoet. De opzichter zei dat ze nooit met hen heeft gesproken toen ze die artikelen over de bouw van de brug schreef. Wat vind jij van haar?'

'Ik heb haar ook nooit ontmoet. Ik ben al nieuwsgierig sinds ze een paar jaar geleden voor ons begon te schrijven, maar ik heb haar echt nog nooit gezien. Ze doet alles als freelancer. Het was heel vreemd. Ik heb een poosje echt geprobeerd haar te ontmoe-ten, stuurde e-mailtjes dat we gingen lunchen, dat soort dingen. Maar ze zei altijd weer af, of het kwam haar niet uit enzovoort. Uiteindelijk heb ik het opgegeven.'

'Ze heeft e-mail?'

De deur gaat open, en Leonard komt binnen.

'Hé, Leonard, jij hebt Margie Stinton toch wel eens ontmoet?'

'Nee. Ik heb nooit begrepen waarom zij die privileges heeft gekregen. Ze mailde haar artikelen alleen maar hierheen, en wij deden de rest.'

'Dat is wat je freelance schrijven noemt', merkt Loretta op.

'Ja, maar zij is de enige die er de kans toe krijgt.'

'Maar waarom heeft ze dan een bureau hier?', vraag ik.

'Het enige wat er staat, is haar naamplaatje. Bij mijn weten heeft ze dat bureau nooit gebruikt.'

Ik draai me om met mijn stoel en doe de laden en kasten van haar werkplek open. Op een dode spin in de dossierla na zijn ze leeg.

'Heeft iemand Margie hier ooit gezien?'

Loretta en Leonard halen hun schouders op en lijken voor een even groot raadsel te staan als ik.

Wanneer Rob later op kantoor komt, staan we allemaal te wachten. 'Wie is Margie Stinton?', klinkt het beschuldigend als uit één mond.

'Hoho, rustig. Wat is er aan de hand?' Hij houdt zijn tas beschermend naar voren.

'We hebben het erover gehad,' zegt Katt van achter haar balie, 'maar niemand van ons heeft Margie ooit gezien.'

Loretta gaat op de hoek van Katts bureau zitten en slaat haar cowboylaarzen over elkaar. 'En toen Claire vandaag op de bouwplaats van de brug was, vertelde de opzichter daar dat hij haar ook nooit had ontmoet, ook al schreef ze verschillende artikelen over het project.'

'Laat nooit freelancers toe tot een plaatselijke krant', vult Leonard aan.

'Wie is zij eigenlijk?', vraagt Loretta nogmaals.

'Ze is een plaatselijke freelance schrijfster die haar artikelen op tijd inlevert. Verder weet ik niets van haar. Ik heb haar nooit persoonlijk ontmoet.'

Nog meer vragen:

'Wat zeg je?'

'Heeft niemand haar ooit ontmoet?'

'Hoe kun je nu iemand inschakelen die je nooit hebt ontmoet?'

Rob zet zijn tas neer. 'Goed, een paar jaar geleden vroeg iemand uit de gemeenschap mij haar in te schakelen. Ze boden aan extra te adverteren in de krant. Het was op tijdelijke basis, en ik mocht ieder artikel weigeren dat me niet aanstond. Een mooi aanbod. Het is nooit nodig gebleken haar op te zoeken. Ik dacht dat ze uiteindelijk wel vast bij ons in dienst zou willen komen, en ik heb zelfs een bureau voor haar neergezet, maar tot nu toe loopt het allemaal prima zoals het loopt.'

'Maar vind je het niet vreemd dat niemand weet wie zij is?', vraagt Katt, die naast Loretta is komen zitten. 'We hebben geprobeerd haar via het telefoonboek en internet te achterhalen. Niets, op een Margie Stinton in Florida na.'

Ik leun tegen een dossierkast en probeer niet te grinniken wanneer ik het verbijsterde gezicht van Rob zie.

'Ik ga het een en ander natrekken en houd jullie op de hoogte.'

En nu vragen we ons dus allemaal af: wie is Margie Stinton?

Ontwerpen

Sophia

Onthoud …

❦

Ik heb het hele huis weer nagelopen, op zoek naar iets om af te stoffen. Bezoek, laat staan tweemaal bezoek in dezelfde maand – hoe kon ik het bedenken? De woensdagmorgen bracht een nieuwe ronde huisinspectie, en ik ben moe omdat ik tot diep in de nacht de memoires van Josephine Vanderook heb zitten lezen. Ik heb wat geraniums afgeknipt en in een vaasje op tafel gezet. Het boek en de scherven porselein zijn veilig weggestopt op mijn boekenkamer.

Claire O'Rourke komt hier. Het is anders dan de voorbereiding op Bradleys bezoek. Ik probeer het onderscheid voor mezelf helder te krijgen en te begrijpen wat mijn gevoel daarbij is.

Bradley kwam naar Orion Point om zijn vader te laten zien dat hij bereid was te kijken waar hij woonde en leefde. Maar zijn eigenlijke doel was meer steun te krijgen om zijn vader voor zich te winnen. Ik houd mezelf voor dat het geen concurrentiestrijd is, maar toch zal één van ons winnen, en de ander verliezen. Ik weet al wat de uitkomst zal zijn.

Telkens wanneer ik langs het keukenraam loop, werp ik er een blik door om te zien of ik een glimp kan opvangen van Bens boot, met dat meisje Claire in een wollen deken gewikkeld. Bij ieder geluid van buiten krijg ik opnieuw een zenuwachtig gevoel. Zij beschouwt me ongetwijfeld als een curiositeit. Heeft ze veel mensen verteld over onze ontmoeting en het komende bezoek? Zal het gevolgen krijgen in de vorm van uitnodigingen en groeten uit de gemeenschap? Ik besluit dat Ben haar weer weg moet brengen als ze te opvallend zit te staren of aantekeningen wil maken.

Mijn leven heeft lang bestaan uit een routine van alledaagse bezigheden, vermengd met gedachten en gebeden. De contemplatie is mijn gezelschap geweest. Maar toch zal mijn naam het meest verbonden blijven met een boek dat ik ooit geschreven heb. Een boek over twee jongens en twee meisjes tijdens de zomer in hun vijftiende levensjaar. Belangrijke mensen uit de wereld van de uitgeverij en de media doken onmiddellijk op mijn schrijverij. Sommigen citeren het werk nog steeds als lievelingsboek en verwijzen naar de karakters alsof het vrienden zijn. Daardoor blijft het op de boekenplanken staan, maar ieder jaar worden er minder en minder verkocht.

En het schrijven van het boek lijkt zo lang geleden. Ik denk na over de woorden die ik zo zorgvuldig koos, de karakters die ik op de bladzijden achterliet. Ik ben nooit naar hen teruggekeerd – ze zijn als verlaten wezen in de literaire wereld. Maar ze wilden niet weg. Ze wilden die zomer niet verlaten, of de plek die ik bedacht voor de echte wereld waarin zij leefden.

En dus zal mijn naam verbonden blijven met een boek. Slechts weinigen weten van mijn leven hier, de tijd die ik in gebed op mijn knieën doorbreng, het wieden en snoeien in mijn tuin, mijn voetstappen langs de kust. Mijn grafschrift mag de woorden vermelden die ik schreef, want het is alles wat mensen van mij hebben. Zij weten niet dat ik voor hen heb gebeden, uren en dagen. Voor de gezinnen over wie ik in de krant las, die een dierbare hebben verloren of een tragedie of schandaal meemaken. Voor de inwoners van Harper's Bay wier namen ik één voor één heb genoemd. Dan de namen van de mensen die ik nooit zal kennen, maar voor wie ik niettemin bid – voor ons land en alle landen op de wereld. Voor soldaten, buitenlandse werknemers, hoogleraren, veroordeelden, eenzamen en verdrukten, eenzamen en rijken ... Ik bid voor iedereen die mijn naam nog nooit heeft gehoord, en voor degenen die hem wel kennen. Mijn afzondering begon met een gebroken hart, maar veranderde door een leven van gebed – misschien is het kloosterleven in termen van eeuwigheidswaarde wel een van de waardevolste levensvormen.

Hoe ziet het leven van Claire O'Rourke eruit? Ik denk aan haar dagelijkse bezigheden, haar dromen, haar favoriete ijssmaak. Hoe zal het zijn haar stem in mijn huis te horen? Hoe zou het zijn haar vriendin te zijn?

Eerst Bradley en nu Claire – hun komst lijkt de buitenwereld mee te brengen. Dat oude leven is niet dood voor mij. Terwijl ik mijn stoel ga zitten, roep ik die complexe buitenwereld weer in herinnering. Aanvankelijk was ik enorm geïntimideerd toen ik als kleinsteeds meisje pardoes van de universiteit in het vreemde en wonderbaarlijke New York terechtkwam, in een kunstenaarsmilieu waarin plaats was voor afwijkingen, schandalen en verscheidenheid, maar niet voor religieuze devotie. Grootse feesten waaraan ik geen deel had. Het deed pijn dat er aan iedereen uitnodigingen werden uitgedeeld, behalve aan mij, hoewel ik mezelf voorhield dat het geen pijn mocht doen. Ik was tenslotte nog zo jong en kwam uit een heel andere cultuur (maar waarom kan het hart nooit het verstand gehoorzamen?). Niettemin waren er diners, soms ter ere van mijzelf, met kussen op beide wangen, handen schudden en omhelzingen voor de woorden die ik alleen, en in diepste eenzaamheid, had geschreven.

Ik begon eraan te wennen. Beter gezegd: ik veranderde in het beeld van wie ik zou moeten zijn – niet langer aarzelend over mijn kleding en soms alleen maar uitnodigingen afwijzend omdat ik dat kon. Het reizen werd minder beangstigend, vooral na het rondreizen door Europa, de ontmoetingen met boekenmensen en het idee dat Phillip tijdens de oorlog in een aantal dezelfde steden was geweest. Toen mijn tweede boek uitkwam, waren de kritieken niet mals, maar het deed er niet toe; anderen (degenen die meer contracten aanboden) vonden de roman prachtig.

En toen die korte reis terug naar huis, de klassenreünie en de dag die mijn leven voor altijd veranderd heeft. Het weekend begon met ons vieren weer samen. Het eindigde met de dood van Phillip. Phillip, die een oorlog had overleefd, op wonderlijke wijze gespaard bleef tijdens gevechten en als held terugkeerde. Eén eenvoudige beslissing nam hem weg.

De wind vlaagt om de deur van de veranda en haalt me terug naar het heden. Ik besef weer dat er iemand mijn ruimte zal binnendringen. Plotseling wil ik het niet meer. Misschien ga ik op de afgesproken tijd wel wandelen, leg ik een briefje neer.

'Nee, ik mag niet vluchten. Nietwaar, Holiday?'

Hij tilt zijn kop even op en gromt voordat hij hem weer op zijn dikke kleed laat zakken.

Ik ben al eerder gevlucht. New York verloor zijn luister. De stad bleek wreed en onvriendelijk na mijn terugkeer. Zij trok zich niets aan van mijn afwezigheid, de extra dagen die ik nodig had om een begrafenisdienst bij te wonen. Afspraken, feesten en evenementen waren verzet, en nu raakte het geduld langzamerhand op. Er moest een promotietour voor het boek beginnen, want ondanks de slechte kritieken graaide het publiek mijn laatste boek van de planken. Ik stond definitief in het schema van de toekomstplannen van mijn uitgever.

Buiten mijn New Yorkse woning ademde en bewoog de stad. Mensen liepen van hier naar daar; gele taxi's raasden om Buicks en Cadillacs heen; de caissières hamerden op toetsen en stopten kleding en voedingsmiddelen in tassen en dozen; op een straathoek stond een muzikant te zingen; en ik was niet meer dan een stipje in die metropool.

Met mijn geperste mantelpak en hoed strak op het hoofd was ik naar buiten toe het model van de professionele schrijfster. Mijn tournee begon in een boekwinkel in Manhattan. Binnen walmde het tussen de losse wandpanelen van de sigaren- en sigarettenrook, en er lagen stapels boeken klaar.

Nadat ik een stuk uit het boek had voorgelezen, gebruikelijke vragen had beantwoord — waaronder de vraag hoe je een schrijfster kon worden als ik — en halverwege de rij handtekeningenvragers was, begon ik te huilen. Eerst was het niet meer dan één traan. Eén lange, langzame, verrassende traan die me met de pen in een boek liet stoppen en uitbarstte in een tranenpoel op het papier.

De vertegenwoordiger van de uitgever was het gladde verkoperstype dat een wereldcrisis kon verhelpen, maar met de handen in het haar stond zodra er een vrouw begon te huilen. Ik verontschuldigde me en zocht de toiletten op — nog meer houten panelen en een plafond bruin van de rook. Nadat ze zacht had aangeklopt, kwam er een verkoopster uit de boekwinkel binnen, die me haar zakdoekje gaf. Later bracht ze me naar een achteruitgang, waar de taxi stond te wachten die ze had gebeld.

Zonder te bellen of uitleg te geven nam ik een vliegtuig naar huis, naar Orion Point. Ik heb kennelijk een week liggen slapen terwijl mijn moeder me eten bracht en stille troost, en de bezorgde vragen van buitenaf verder afhandelde.

Weken later keerde ik stilletjes naar de stad terug – dankbaar voor de anonimiteit die daar mogelijk is, als het moet. Ik pakte mijn spullen in en gaf de verhuizers instructies voor hun tocht dwars door het land. Mijn agent, die gewend was aan schrijvers die in sanatoria belandden of zwaar aan de alcohol raakten, las me de les omdat ik hem niet had gebeld, en moedigde me aan terug te gaan naar wat er aan mogelijkheden lag; hij hield me voor wat ik op het spel zette en wat hij had weten te voorkomen – de gevolgen van een afgezegde boekentournee en een woedend uitgevershuis. Hij dacht dat de critici weer een kwetsbare schrijversziel hadden beschadigd of dat een nieuw idee me naar de wildernis aan de kust trok, waarover ik al eerder had geschreven.

De weken en maanden gingen over in jaren. Van tijd tot tijd maakte iemand de reis om te kijken hoe het ging – mijn agent of iemand van de uitgeverij – maar ik vertelde niet hoe het erbij stond. Later werden de reiskosten ingeruild voor aangetekende brieven. En toen ik die niet beantwoordde, hielden die uiteindelijk ook op.

Het verleden is als een mantel die ik iedere morgen aantrek en die mij in veel opzichten bepaalt. Het zal niet lang meer duren voordat de toekomst zal aankloppen. Deze theevisite, hoe simpel ik die ook wil afschilderen, is verre van eenvoudig. Claire gaat iets betekenen in mijn leven – dat weet ik op een of andere manier. Zal haar aankomst een poging inhouden om de mantel van het verleden weg te halen?

❦

Claire

Ben wachtte al in de haven en glimlachte om mijn thermosfles. Hij hief de zijne omhoog om te laten zien dat hij dezelfde gedachte had gehad. Het is vanmorgen te zacht voor de tijd van het jaar, en er staat een vrolijk zonnetje boven de haven. Bens kleine vissersboot passeert de grotere schepen en hij zwaait naar een visser die het zachte weer benut om kussen en dekens te luchten op het dek.

Wanneer we eenmaal over de golven stuiteren, voorbij de laatste boeien, grijpt de bries mijn neus en wangen. De beboste, rotsachtige bocht van Orion Point verschijnt tegen de morgenglinstering van de zilveren zee. Onze bestemming.

Wees jezelf, wees jezelf. Het zijn de woorden die ik steeds herhaal in mijn hoofd, al vanaf het begin van de morgen. Voordat ik het huis verliet, klom Alisia bij me op schoot terwijl mijn moeder me instructies gaf alsof ik weer een klein kind was: *Noem haar mevrouw Fleming. Ik wil alle details horen. Neem deze schaal koekjes mee. O, je hebt truffels. Dat is lekker. En denk eraan dat je je netjes gedraagt.*

Ik ga op bezoek bij S.T. Fleming. In de afgelopen vijftig jaar heeft hooguit een handvol mensen deze reis gemaakt van de haven naar de vuurtoren, en dan verder naar haar huisje.

❦

Sophia

Ik zal altijd bij je zijn.

Voetstappen op de veranda, Holiday's waarschuwende blaffen, de deur die opengaat. Ben ziet aan mijn uitdrukking dat hij erbij moet blijven. Stel je voor dat we niet met elkaar zouden kunnen praten, of dat het gesprek stokt. Of misschien vraagt ze ook iets waarop ik niet weet te antwoorden, of waarop ik niet antwoorden wil.

Maar Claire is hier de zenuwachtigste, ze is nerveuzer dan ik. Ze geeft me een ingepakte geschenkdoos uit de delicatessenzaak van Harper's Bay en verontschuldigt zich voor haar vrijetijdskleding, spijkerbroek en trui. Als ze met de auto was gekomen, in plaats van per boot, zou ze zich beter hebben gekleed, zegt ze. Volgens mij ziet ze er leuk uit, met haar roze wangen van de zeelucht. Ik heb mijn gebruikelijke pantalon aan, maar heb voor de gelegenheid wel mijn blouse gestreken en mijn haar beter in model gebracht. Ik vraag naar hun tocht over de baai. Was het koud? Is ze nat geworden. Ze lacht zacht – vreemd te bedenken hoe lang het geleden is dat er een andere vrouw in dit huis lachte.

'Hij noemde het de wildwatertocht', zegt ze wanneer ze uitlegt hoe Ben haar op de open zee bang probeerde te maken. Ik lach erom, en plotseling doet haar aanwezigheid me denken aan de eerste warme dag van de lente, wanneer ik de ramen opendoe om licht en frisse lucht naar binnen te laten.

'Je zou haar het huis kunnen laten zien', zegt Ben, en inderdaad, dat is iets wat mensen met bezoekers doen. Ik heb de andere kamers niet gestoft, en de boekenkamer is de plek waar de memoires en porseleinen scherven op het ogenblik zijn ondergebracht.

Na de boekenkamer in het geheel te hebben overgeslagen keren we terug naar Ben, die ons verwachtingsvol staat op te wachten.

Claire lijkt aangetrokken te worden door de foto's die op de porseleinkast staan. 'Is dat ...' ze aarzelt, staart naar een foto en dan naar mij. 'Mag ik?'

'Natuurlijk.'

Wanneer ik zie dat ze de groepsfoto oppakt, verschijnt er een glimlach om mijn lippen. Hij staat er al zo lang en heeft zijn luister een beetje verloren, maar ik benader de foto nu vanuit Claires optiek en grinnik een beetje.

'Ja, dat is Hemingway, en dat is Evelyn Waugh. De anderen zijn niet zo heel bekend, maar dat zijn ook uitstekende schrijvers.'

'En dat bent u?', vraagt ze, wijzend op het meisje dat ik ooit was. Een meisje wier gedachten en dromen gegroeid zijn en veranderd ten opzichte van het zaad waaruit ze ontsproten.

'Ja, dat ben ik.'

'Dat moet geweldig zijn geweest, te midden van een groep beroemde schrijvers.'

'Het was behoorlijk onthutsend voor mij. Een meisje van de Point dat plotseling als gelijke kletst met dit soort lieden – niet dat we ooit erg nauwe banden hebben gekregen, maar niettemin, daar stond ik, met de verkeerde kleding op de juiste feesten. Soms liep ik rond als een olifant in een porseleinkast, op andere momenten voelde ik me onzichtbaar, maar niet genoeg om me er prettig bij te voelen. Op weer andere momenten was ik het middelpunt van al te veel ogen. Het vergde tijd ertussen te passen.'

Mijn eerlijke antwoord aan Claire verbaast me, maar ik vind het makkelijk met haar te praten.

Er straalt een heerlijke naïviteit uit haar ogen. Het zijn ideeën die haar aanspreken en trekken – ze heeft ook zulke dromen gedroomd. Hoe goed herinner ik me nog die verheven gedachten over ooit succes hebben, mijn woorden in druk lezen en een boek met mijn naam erop in de boekwinkel zien. Ze kunnen uitgroeien tot het verlangen het nog een keer mee te maken. Ik zou wat van mijn schrijfwerk tevoorschijn kunnen halen, meer dan genoeg voor een paar verhalenbundels, en misschien ligt er ook meer dan één potentiële roman tussen de berg uiteenlopende geschriften. Een uitgever zou het alleen al nemen vanwege de ophef eromheen, en de verkoop die ophef genereert, of de zinnen nu voldoende samenhang vertoonden of niet. Opnieuw zou ik midden in de literaire wereld van New York kunnen verblijven, waar de sociale netwerken even talrijk zijn als winkels op de hoek van de straat.

Ik vertel Claire over de feesten, de gesprekken en denkwijzen in de verschillende kringen, die ik weer voor me zie terwijl ik erover praat. Ben stookt het vuur op, legt een nieuw blok op het vuur en is waarschijnlijk verbluft dat ik mijn verhalen aan haar vertel, zelfs een paar die hij nog nooit eerder heeft gehoord.

'Hoe was hij?', vraagt ze, naar Hemingway wijzend.

'Een flirt', zeg ik. Ben komt overeind bij de haard en kijkt onze kant op. 'Die foto is gemaakt in 1954. We waren op een feestje dat door de uitgever werd georganiseerd. Het korte verhaal van Hemingway had net de Pulitzerprijs gewonnen.' Ik herinner me dat de critici in de jaren daarvoor zeiden dat hij over zijn hoogtepunt heen was; toen kwam *De oude man en de zee.* 'Ik was zo onder de indruk van de gedachte dat ik hem zou ontmoeten. Maar hij riep me zelf en kende mijn naam al. 'Nou, S.T. Fleming, hoe vind je deze feestjes?', vroeg hij.'

Ik moet onwillekeurig glimlachen om de herinnering die ik zo lang heb weggestopt. Hemingway zat met zijn armen uitgespreid over de rugleuning van een bank, zijn witte baard perfect getrimd en in zijn ogen een mengeling van droefheid en flirtzin. Hij was een grote man, zeiden sommigen, met een nog groter ego; volgens anderen werd hij dag en nacht belaagd door de afgrijselijkste angsten. Ik was geïntrigeerd en bang tegelijkertijd. Zijn vrouw was in gesprek met een groepje rondom een redacteur, keek op en maakte opmerkingen over een kunstwerk aan de muur. En Ernest Hemingway, die hier tussen twee mooie vrouwen zat als de winnaar van een belangrijke literaire prijs, en die kort daarna de Nobelprijs zou krijgen, begon met mij te flirten.

Ik moet u binnenkort eens op een glaasje trakteren, juffrouw Fleming. Denk aan de toekomst die u voor u hebt – maar kijk een beetje uit voor al die woorden. Laat ze u niet kwellen zoals ze de meesten van ons doen. De herinnering overspoelt me, en ik zwijg even. 'Nog geen tien jaar later, toen ik hier al een paar jaar woonde, meldden de krantenkoppen dat Hemingway dood was.'

Hemingway, de grote avonturier die op exotische plaatsen zijn domicilie had gekozen, en die het leven in zijn wildste vormen ervaren had, had de hand aan zichzelf geslagen.

'Het was niet allemaal glans en glitter', zeg ik, wetend hoe beschadigend het leven daar kon zijn. 'Ik zou waarschijnlijk dezelfde ontwikkeling hebben doorgemaakt als zovelen. Ik zou een snob zijn geworden, een alcoholiste of een kunstenares die vond dat de wereld maar voor haar opzij moest. Succes en een beetje beroemdheid kunnen vreemde dingen doen met een mens.'

'Hebt u het daarom achter u gelaten?'

Ik aarzel en voel plotseling dat ik haar wel heel snel in vertrouwen neem. 'Je zou kunnen zeggen dat het er iets mee te maken had.'

'Maar toch is het fascinerend', zegt Claire zacht. Dan kijkt ze naar de ingelijste foto van mijn Phillip. Mijn hart slaat letterlijk over wanneer ze de vraag stelt: 'Wie is die knappe man?'

Ben en ik hebben in de loop van de jaren onbeholpen pogingen gedaan om over Phillip te praten. Meestal vonden we soelaas bij de herinneringen aan de humoristische kanten van onze jeugdige ontdekkingstochten. Maar zodra we uiterst omzichtig de visioenen over zijn oorlogstijd of van die laatste avond samen aanstipten, raakten we verstrikt in de gevoelens van verlies en schuld omdat wij overleefden. Behalve met God en Ben heb ik met niemand over Phillip gesproken in de afgelopen vijftig jaar.

Ze kijkt me oplettend aan en lijkt me te willen begrijpen.

'Hij was een heel speciaal persoon voor mij ... voor ons', zeg ik, hoewel Ben weer druk lijkt met het vuur. 'We zijn samen opgegroeid, maar hij is jong overleden.'

'O, dat spijt me', zegt ze, starend naar Phillips zwart-witportret.

Op de foto is maar zo weinig van hem te zien. Een knap gezicht, ogen die je vanuit het verleden aankijken, een trotse Amerikaanse soldaat. Maar niet zijn maniertjes en zijn vrolijkheid, zijn zo verlegen glimlach, zijn handen die zo sterk waren en toch zo teder wanneer hij de mijne pakte, zijn manier van omhelzen alsof de rest van de wereld niet meer bestond.

'Vertel me eens over jouw terugkeer naar Harper's Bay', zeg ik om van onderwerp te veranderen.

We gaan aan tafel zitten om thee te drinken. Terwijl ze alles uitlegt vanaf haar eenzame nacht in de auto tot haar baan bij de *Getijdenpost*, merk ik dat ik van iedere minuut geniet, vragen stel, alle details wil weten. Een ogenblik lang leef ik in haar wereld. Het is zo vreemd en nieuw voor mij. We praten over haar broer, en het verbaast me dat ze mij al die dingen vertelt.

'Waarom is het leven zo verwarrend?', zucht ze.

'Ik zou willen dat ik je daarop antwoord kon geven, maar ik heb mezelf die vraag ook al gesteld, vooral de afgelopen tijd. En bovendien sta ik een beetje buiten de wereld.'

'Eventjes buiten de drukte van alledag staan klinkt mij wel goed in de oren. Maar misschien toch niet voor de volgende vijftig jaar', zegt ze lachend. Dan kijkt ze op of ze mij niet heeft beledigd.

Ik lach met haar mee. 'Dat zou ik je ook niet aanraden.'

Wanneer Ben bij ons komt zitten voor een kop thee, praten we over Claires familie en de vuurtoren van Ben. Het is verbazingwekkend hoe ongedwongen we met elkaar praten en theedrinken, alsof we het al jaren zo doen. En volkomen onverwacht wil ik hier een gewoonte van maken en het niet bij een los bezoek laten. Ik besef echter dat die oude jas me niet loslaat. Ik ben het verleden. Maar misschien heeft de toekomst toch meer in petto dan mijn angst me toestaat te zien.

❧

Claire

Een oververzadigde spons. Het huis van S. T. Fleming, het gesprek, de poging me al die jaren van afzondering voor te stellen – ik probeer het wanhopig allemaal op te nemen, maar het is gewoon te veel.

Terwijl ik op de comfortabele, sleetse bank bij het vuur zit, besef ik dat veel meubels in het huis waarschijnlijk ouder zijn dan ik. Je kunt je de tijd moeilijk voorstellen wanneer je vierentwintig bent, en ik kan het weten. Vijf jaar zijn voor mij een tijd van beloften en veranderlijkheden, terwijl ze voor Sophia een korte tijdspanne vertegenwoordigen. Tenminste, dat denk ik.

Ze laat me nonchalant het huisje zien, alsof ze niet meer echt kan zien hoe het er vanbuiten uitziet. Ik voel me zenuwachtig en klein, alsof ik een groot museum na sluitingstijd bezoek. Stel je even voor dat je een schilderij van Van Gogh aanraakt. Zo voelt het wanneer ik die ingelijste foto van Hemingway en Waugh oppak, met in hun midden deze vrouw in haar jeugd. Alles lijkt hier bijzonder en waardevol, en de schrijfster zelf is mijn gids.

De keuken kijkt uit op de achterveranda en de tuin met onderhouden paden. Ik blijf even staan om te zien wat zij ziet. Een klein doorkijkje biedt uitzicht op de baai, en witte koppen staan op de golven als kleine zeilen. Op de vensterbank staat een rij verschillende vazen, met planten in diverse stadia van ontwikkeling: een verse spruit die door de aarde omhoog steekt, een miniatuur rozenstruikje met gele knoppen en een stekje van een geranium in water. In het afdruiprek staan een schoon theekopje, een heldere glasplaat, een zilveren vork en een lepeltje.

Aan de gang aan de voorkant van het huis ligt een slaapkamer; Sophia's slaapkamer ligt aan de achterkant. In het voorbijgaan noemt ze de slaapkamer aan de voorkant haar rommelkamer, waaraan we voorbijlopen zonder dat ze hem openmaakt. Natuurlijk is dat de kamer die ik het liefst zou willen zien. Mijn verbeelding gaat met me op de loop, en ik stel me van alles voor, van tientallen verborgen manuscripten tot het versteende lijk van een vroegere indringer.

Haar kleine slaapkamer is leuk en netjes – een koperen bed met een handgemaakte sprei erop en een donzen dekbed. De geur van leeftijd en stof is hier sterker, alsof de jaren in de hoeken zijn gekropen en aan het gisten zijn geslagen. Misschien hebben de dikke muren en gesloten deur het allemaal opgeslagen. Een dressoir en openslaande deuren die uitkomen op de veranda aan de achterkant, die vol planten in potten staat. Op het nachtkastje ligt een stapel boeken, waaronder de Bijbel, *Scheepswrakken van Noord-Californië, Popcultuur, Wat is er zo wonderlijk aan genade?* en *Contemplatief gebed.* Ernaast nog een stapeltje romans, met onder meer een titel van Sherwood Anderson, een van Franz Kafka, en *Peter Pan.*

De in afzondering levende Sophia Fleming hecht kennelijk meer waarde aan tuinieren en boeken lezen dan aan wandversiering. De oude schilderijen aan haar muren hangen er blijkbaar al jaren, want ze is verbaasd wanneer ik ze aanwijs. Haar oudoom schilderde ze – een schip in de baai van Harper's Bay, een vliegende zeemeeuw en een bloem tussen de rotsen bij zee.

Niets past echt goed bij elkaar en niets lijkt te beantwoorden aan een plan of een doordacht interieurontwerp. Maar alles heeft een eigen plaats gevonden, waar het waarschijnlijk al jaren staat, hangt of ligt, gebruikt of ongebruikt. Foto's om naar te staren wanneer je je herinnert dat ze er staan: een directe reis naar het land van herinneringen. De meest recent ogende foto is die van

Ben en Sophia, misschien in haar tuin. Aan kleding en leeftijden te zien stamt het plaatje uit de jaren zestig. Haar huis is een bruikbare, ietwat melancholieke omgeving, waarin de tijd is blijven stilstaan, of althans even pauzeert.

Eventjes spreekt het ascetische ervan me aan.

De kwestie met de tijd opgelost, dagen die zich voor me uitstrekken, boeken die ik zou kunnen lezen, tijd te over voor God. Rust, o, rust en stilte, vanbinnen en vanbuiten. Als kind stelde ik me korte tijd voor dat ik non was, en mijn ouders maakten zich er vagelijk zorgen over dat ik wellicht katholiek zou worden. Het had waarschijnlijk meer te maken met Julie Andrews in *The Sound of Music* en de hoop dat ik van daar naar de liefde van mijn leven zou worden geleid.

Er waren dagen dat ik nadacht over de aantrekkelijke kanten van zo'n beperkt en vredig leven. Ik was alleen niet erg gesteld op de regels, verplichtingen en werktaken die eraan vastzaten. *Als ik nu eens een onafhankelijke non zou kunnen zijn*, dacht ik dan. Mijn bossen werden mijn eigen klooster waarin ik rondliep en in alle rust en ernst kon bidden, totdat mijn broer als Rambo uit de struiken tevoorschijn sprong en me schreeuwend naar huis liet rennen. Misschien heeft deze zonderlinge kluizenares op Orion Point het bestaan gevonden dat we allemaal op een of andere manier zoeken.

Ik heb hier geen televisie gezien, of er moet een thuistheater in de afgesloten kamer staan, maar ze heeft wel een radio, en overal liggen stapels kranten en tijdschriften in de woonkamer – de *Getijdenpost*, *USA vandaag*, *Kustleven*, de *New Yorker* en *Mooiere tuinen & huizen*.

Sophia's goudgele labrador kijkt me aan, niet wantrouwig, eerder nieuwsgierig, zou ik zeggen. Hij blijft dicht bij zijn bazinnetje, volgt ons van kamer naar kamer en lijkt nu aan haar voeten te slapen, hoewel hij soms een ooglid in mijn richting optrekt en weer laat zakken.

'Hoe krijgt u uw boodschappen hier?', vraag ik wanneer zij een blok in de haard legt en het vuur bevallig oprakelt totdat het om het nieuwe hout grijpt.

'Ben is mijn verbindingslijn met de beschaving', zegt ze, zich met een glimlach omdraaiend.

Ik vraag me af hoe haar zout-en-peperkleurige haar eruit zou zien als het los over haar rug hing. Plotseling hoop ik er even mooi en gracieus uit te zien wanneer ik in de zeventig ben. Ik vraag me af of het Ben ook opvalt, en wat zij eigenlijk met elkaar delen.

De morgen gaat over in de middag, en ik bespeur een zeker vermoeidheid bij Sophia, hoewel haar glimlach en gesprek nog moeten afvlakken. Ze schijnt evenzeer van dit samenzijn te genieten als ik, maar de waarschuwing van mijn moeder over mijn manieren vertelt me dat het tijd wordt om te gaan.

Ik doe het met tegenzin. Deze vrouw heeft een wonderlijke aantrekkingskracht op mij. Waarschijnlijk trek ik later de haren uit mijn hoofd vanwege alle dingen die ik vergeten ben te vragen. Misschien mag ik nog een keer komen, kunnen we elkaar schrijven, of ... Op een of andere manier hoop ik haar beter te leren kennen.

Sophia

Als we geen morgen hebben, hoop ik dat je weet dat ik van je houd.

❧

'Alles in orde?' Ben staat met zijn hoed in zijn handen, en het late avondlicht valt over hem heen als een motregen. Hij komt zo zelden na zonsondergang naar mijn huis, en nog minder snel als hij overdag al is geweest.

'Natuurlijk. Kom binnen. Ik heb kippensoep met vermicelli gekookt.'

'Uit een blikje?', vraagt hij grinnikend en met opgetrokken wenkbrauwen.

'Zelfgemaakt, op het potje bouillon na.'

Wanneer we achter de dampende kommen en brood zitten, merk ik dat hij me opneemt. 'Als er iets is, kun je het vragen.'

'Ik wil gewoon dat je het mij zo vertelt. Er is heel veel gebeurd bij jou in heel korte tijd. En het is niet je sterkste kant sommige dingen aan mij op te biechten.'

'Alsof jij dat zo graag doet.' Ik weet waarop hij doelt. Het is nu meer dan tien jaar geleden, misschien al bijna twintig jaar, dat mijn leven tijdelijk zeer duister werd. 'Ben, maak je geen zorgen. Ik kan het niet uitleggen, maar ik weet dat God alles in handen heeft.'

Na twee kommen soep vertrekt Ben weer, hoewel ik graag wil dat hij blijft. Ik had hem voor deze keer zijn pijp binnen laten roken en had hem met kaarten verslagen, maar zijn avondtaken roepen hem.

Nadat hij vertrokken is, denk ik weer aan die tijd van mijn diepste depressie, uitgelokt door herinneringen die ik tot die tijd niet had aangeraakt. Ik kan ze nu hanteren, hoewel er nog steeds pijn aan kleeft. Herinneringen als Phillips begrafenis, met de gebruikelijke ernst, maar ook met een gevoel van eer in het verdriet. Hij was een oorlogsheld en een jongen die geboren en getogen was in deze stad. Hij had levens gered en had moed getoond in het heetst van de strijd. Toen werd zijn leven afgebroken bij een volgende heldendaad, en ik voelde me schuldig dat ik nog leefde.

Phillips ouders hielden mij dicht tegen zich aan; zijn moeders omhelzing was krachteloos door het verlies. Phillips zuster Helen was ontroostbaar en werd door Ben uit de dienst weggeleid.

'Ik had altijd gedacht dat jullie tweeën …', zei mevrouw Turluccio in mijn oor. Ze streelde mijn haar en gezicht alsof ik de toekomst belichaamde die ze nooit zou hebben met Phillip.

Iedereen dacht dat wij bij elkaar hoorden, inclusief Phillip en ikzelf. Er waren anderen in onze levens geweest, mensen die we op de proef stelden om te proberen elkaar uit ons systeem te krijgen, of als experiment om te zien of een ander wellicht niet alleen zou voldoen, maar zelfs iets meer zou bieden. We dachten dat soms eventjes. Ik geloofde dat ik in New York de ware liefde had gevonden, maar het was niet meer dan bewondering en de behoefte bewonderd te worden. Phillip ging in Oostenrijk met iemand om, maar ik vermoedde dat het meer een operatie was uit medelijden met een dame in nood, en ik had nooit echt een held nodig gehad – althans dat dacht ik.

Toen was er plotseling helemaal geen hoop meer voor ons. Hij was dood. Onmogelijk even een ogenblik terug te gaan. Ik had me mijn leven nooit zonder hem voorgesteld. Ook als onze liefde niet tot een huwelijk en een lang en gelukkig leven onder een dak zou leiden, dan nog zou Phillip altijd van wezenlijk belang blijven in mijn bestaan – dat geloofde ik rotsvast, en ik kon me geen wereld zonder hem voorstellen.

Dag na dag moest ik die wereld onder ogen zien. Mijn afzondering op Orion Point zou de jaren laten verstrijken en het verdriet verzachten. Tot de restauratie van de klokkentoren, tientallen jaren nadat de oorspronkelijke in vlammen was opgegaan. De voltooiing ervan raakte iets in mij. Het werd een concreet symbool van het feit dat het leven doorging, dat het verleden voorbij was, dat Phillip vergeten was. Zelfs een held van de stad verdwijnt uiteindelijk uit beeld.

Al die tientallen jaren van gemiste momenten, de restauratie van de klokkentoren, de vergeten zoon van de stad. Toen kwam

Phillips verjaardag, met het besef dat hij inmiddels een oude man zou zijn. Maar in mijn herinnering zou hij altijd jong blijven. Ik kon me hem niet voorstellen als vijfenzestigjarige. Ik wilde dat ik hem hier had, stond mezelf toe te fantaseren over al die jaren samen, hoe zijn spullen in mijn huis zouden passen – ons huis – en hoe ontspannen we zouden leven. Er zouden natuurlijk ook ergerlijke gewoonten zijn en kleine woordenwisselingen, maar dan zouden we gaan wandelen, theedrinken bij het vuur, over boeken en films praten, samen reizen, misschien zelfs in een camper, naar de kerk gaan en meedoen aan gemeenteactiviteiten.

Ik had niets van dat alles.

Ik kreeg geen leven met hem.

Al die dingen die ik nooit had gehad, kwamen me weer voor de geest. Weken lang at of sliep ik nauwelijks. Het lezen van Phillips oude brieven werd een obsessie, en ik kende ze uiteindelijk vrijwel letterlijk uit mijn hoofd. Ik hield eenzijdige gesprekken – de gesprekken die ik zo graag met hem had gevoerd. Mijn verbeelding ging de realiteit bijna overvleugelen. Dagen en dagen bleef ik in huis. De duisternis van het leven voelde niet langer als een vijand, maar was troostrijk als een omhelzing.

Toen kwam Ben laat op een morgen aan de deur. Hij zei dat hij niet langer geloofde dat ik 'een griepje' had, zoals ik had gezegd. Hij stond erop binnen te komen. De paar bordjes die ik had gebruikt, stonden onafgewassen in de gootsteen, de kilte van de open haard verried dat die niet aan was geweest, en hij schrok ongetwijfeld van mijn verschijning – ik was wel in bad geweest, maar had niets met mijn haar gedaan. Hij ruimde op, maakte vuur, zette thee en probeerde met me te praten. Ik zat naast hem in een stoel met een dekbed om me heen, nu er een kilte in mijn botten leek te ontwaken.

'Je kunt je niet zo laten meeslepen', zei hij in een van de weinige hard ingrijpende acties van zijn leven.

'Wat bedoel je?', vroeg ik, terwijl ik probeerde de energie te verzamelen om toneel te spelen. Maar in plaats daarvan begon ik te huilen en te huilen. Ben hield me lang vast. Het leken dagen of weken, maanden misschien. De tijd leek te verdampen.

Hij had post meegenomen, een heel pakket brieven. De onderwijzeres van groep zes van de basisschool in Harper's Bay leerde haar leerlingen ieder jaar brieven schrijven. Dat jaar was ik degene die de brieven kreeg, en nauwgezet beantwoordde ik ze allemaal, zelfs als de vragen van een kwaadaardige botheid getuigden: 'Bent u gek, zoals mijn vader zegt?' Meestal stelde de onderwijzeres dergelijke vragen bij.

Die avond las Ben ze allemaal hardop voor, en op een of andere manier werden Bens liefdevolle verzorging en de brieven van de kinderen mijn weg naar genezing.

Vanavond is er iets in mijn geheugen wat me dwarszit. Ik ga naar mijn slaapkamer en rommel in de talrijke stapels papier die ik heb bewaard. En ten slotte vind ik de stapel brieven uit dat jaar, met een elastiek eromheen. En inderdaad, het haakje in mijn geheugen heeft gelijk. In de bundel vind ik een brief van Claire O'Rourke.

Beste mevrouw Fleming,

Hallo. Mijn naam is Claire O'Rourke, en ik zit in groep zes. Mijn onderwijzeres heet juf Murdoch. Ik heb twee katten en een hond, maar mijn hamster is gisteren weggelopen, en we kunnen hem niet terugvinden. Ik woon in Harper's Bay. We hebben over de geschiedenis van onze stad geleerd. En we leerden dat u op Orion Point woont; dat is bij onze stad.

Ik houd van lezen en van verstoppertje spelen en ik maak kastelen in het bos. Maar boeken lezen vind ik het allerleukste. Maakt u ook graag kastelen? Hebt u een huisdier? Mijn poes krijgt twee jongen, en als u wilt, mag u er een hebben. Ik wil later ook schrijfster worden, net als u. En misschien kan ik dan bij u wonen. Dan ben ik niet zo ver van pappa en mamma, maar kan ik wel veel nadenken en schrijven en hen gaan bezoeken.

Dat is alles. Mijn juf zegt dat ik schrijfster moet worden, omdat ik veel meer schrijf dan de meeste kinderen van mijn leeftijd. Dit is een lange brief. Mijn juf leert ons brieven schrijven en schuin schrijven.

Hoogachtend,

Claire O'Rourke

Ik houd de blaadjes van Claires brief tegen mijn borst, en de tranen springen in mijn ogen. God heeft dit meisje al eens in mijn leven laten komen, en nu, jaren later, brengt Hij haar weer bij mij.

Ik bedenk dat God soms mensen bij elkaar brengt, misschien vaker dan wij beseffen. We kunnen er geen acht op slaan, tegen onszelf liegen of redenen verzinnen waarom het niet praktisch is. Maar iets wat hun is ingeschapen, sluit aan. Ik ben er bang voor geweest. Er is iets beangstigends in het onthullen van ons ware zelf om anderen zo intiem bij ons binnen te laten. Daar is een groot vertrouwen voor nodig, en we zijn geen van allen volkomen betrouwbaar. Het is een risico, en er zullen teleurstellingen komen, tegengestelde meningen, onenigheden, maar de samenvoeging van twee niet perfecte levens is iets goddelijks.

Durf ik het? Het idee klinkt romantisch en zweverig, en zo'n band kan losgescheurd worden. Dat heb ik de eerste keer nauwelijks overleefd. In werkelijkheid weet ik eigenlijk niet zeker *of* ik het wel overleefd heb.

Maar Claire is nu in mijn leven, en ik voel me tot haar aangetrokken, tot haar geest en het onuitgesprokene dat tot mij spreekt, de band die ik niet kan uitleggen. Zij is een gevonden schat, en ik hoop haar echt te leren kennen.

GETIJDENPOST

Claire

❦

De hele middag loopt over van taken: foto's maken in de bibliotheek, teksten redigeren, aan een artikel werken.

Ik ben merkwaardig terughoudend over mijn bezoek aan Sophia. Die middag bespreken mijn moeder en ik het, en zij wijst me erop dat ik Sophia's privéleven moet beschermen, ook al vroeg ze dat niet rechtstreeks. Het was niet bij me opgekomen dat deze dag, met die fantastische ontmoeting met Ben en Sophia, beschermd zou moeten worden. Ik ben nu ook onderdeel van de afscherming die Ben haar al jaren lang biedt.

Terwijl ik zit te kleuren met Alisia, zie ik mijn vader met een matras in de richting van de bungalow worstelen. Hij lijkt niet zeker te weten waarom hij doorgaat met het opknappen: voor mij, voor mijn broer of voor iemand anders.

'Soms zegt God dat je een ark moet bouwen of een tuin moet planten of de studio van een uitvinder moet opknappen. Dan vraag je niet verder, maar je doet het', zegt hij wanneer ik hem help het grote bed naar de studio te dragen, die naar verse verf ruikt. 'Er werd voor je gebeld door die ongetrouwdengroep die 's woensdags bij elkaar komt.'

'Ongetrouwdengroep ... Wat is dat voor betiteling?'

'O, misschien heet het wel vrijgezellenclub. Ik raak in de war van al die groepen: jonggetrouwden, getrouwden, vrijgezellen, alleenstaanden ... Hoe dan ook, het heeft me aan het denken gezet. Jij zou dingen moeten doen met kinderen van je eigen leeftijd.'

'Pap, zei je *kinderen* van mijn leeftijd?'

'Sorry. Je zult altijd mijn kind blijven.'

Ik ben op weg naar de 'ongetrouwdengroep'. Ik heb al eerder in dergelijke groepen gezeten, en in een bepaald opzicht zijn ze allemaal hetzelfde. Een groep alleenstaanden, in leeftijd variërend van studenten tot mensen van middelbare leeftijd. De gesprekken draaien vaak om het vinden van een partner, onthouding tot het huwelijk of hernieuwde onthouding tot je tweede huwelijk, hoe je je leven als vrijgezel kunt vormgeven, hoe je je erop voorbereidt een goede partner te zijn enzovoort. Sommigen komen er de liefde van hun leven zoeken, anderen vervelen zich en moeten kiezen: of dit of het clubleven dat ze al hebben geprobeerd en opgegeven. Weer anderen zijn gescheiden of proberen hun gebroken hart te helen, troost te zoeken, vriendschap of de belofte van iets meer dan de eenzaamheid en mislukking van het moment. Ik weet niet precies waar ik in het plaatje pas.

'Je bent toch gekomen', zegt Jill Watley met een oprechte glimlach. Ik word voorgesteld aan Beatrice en Maryanne, twee andere leden van de groep. We ontmoeten elkaar op de parkeerplaats van de kerk en wachten op Charles, een man van in de veertig die ik bij de bank heb gezien. We stappen allemaal in de minibus van Beatrice voor de trip naar het evenement van die avond. Niemand heeft me verteld wat dat evenement inhoudt, totdat we in de wagen zitten.

In mijn computer heb ik een map aangemaakt met als titel TE DOEN. Samen met een paar mappen met de titel PLAATSEN OM TE BEZOEKEN en VOORDAT IK DOODGA is die te vinden in de hoofdmap LEVENSDOELEN. Maar nergens in die mappen, en zeker niet in TE DOEN of VOORDAT IK DOODGA, staat de activiteit waaraan we ons vanavond gaan overgeven.

Karaoke.

En niet zomaar karaoke, hetgeen wellicht op zichzelf nog leuk kan zijn in – bijvoorbeeld – New York of Hollywood. Maar niet in Harper's Bay. Dit is karaoke in Harper's Bay met het ietwat wonderlijke gezelschap van een vrijgezellenclub, op woensdagavond in de Shamrock Bar & Grill, die de groep voor deze avond heeft gehuurd. In Harper's Bay kun je op één plaats aan karaoke doen, en daar zijn wij.

Het verhaal achter deze avond, zo ontdek ik, is begonnen op hun oudejaarsfeest. Iedereen koos iets wat hij of zij voor het eind van het nieuwe jaar wilde doen. Maryanne koos karaoke.

'Weet dominee Artie hiervan?', vraagt Charles mij wanneer Beatrice op een lege parkeerplaats stopt.

'Ik weet hier helemaal niets van', zeg ik, mijn handen afwerend geheven.

'Het was de enige plek waar je een karaoke-avond kon houden', merkt Beatrice op, die haar positie als activiteitenplanner verdedigt. 'We doen dit voor Maryanne, weet je nog?'

'Ik ben heel opgewonden!' Maryanne wiebelt op haar stoel als een uitgelaten kind.

Ik kom uit de ingewanden van Beatrices minibus tevoorschijn en veeg de koekkruimels van mijn verschoten spijkerbroek en de rug van mijn zwarte trui – ik zat kennelijk op de plek waar normaal het zitje van haar tweejarige kind gemonteerd is. En aldus maakte de Vine Creek-vrijgezellengroep zijn opwachting bij de Shamrock. We slepen schalen met pizzapuntjes, quiches en andere lekkernijen mee naar binnen.

Het gedempte licht vult de grote, rechthoekige ruimte met een waas. De zaal is ingericht als een Iers restaurant, met veel donker hout, een ingelijste kaart van Ierland, klaverbladen en visnetten en een paar prijswinnende vissen die vereeuwigd werden op gedenkplaten boven de trofeeënkast.

'Aha, daar zijn ze', zegt Griffin, opkijkend van het poolbiljart waar hij overheen hangt. Ik herken zijn tegenspeler. Het is Andy, die een paar jaar geleden is teruggekeerd naar Harper's Bay nadat hij aan de oostkust had gestudeerd.

'Een heel goede avond, meissie', zegt Andy met gemaakt Iers

accent. Hij wrijft blauw krijt aan de top van zijn keu. 'Welkom in de Shamrock.'

'Leuk accent. Maryanne dacht dat je ons bij de kerk zou op-wachten', zeg ik, terwijl ik jas en tas op de toog zet. Ik begroet de barkeeper, die eruit ziet als een lid van de Hell's Angels; hij heeft een vriendelijke glimlach ondanks zijn ontbrekende twee ondertanden.

'Waarom zouden ze die paar straten mee moeten rijden? Ik heb Raul en Andy gezegd gewoon hierheen te komen', zegt Grif-fin. Hij stoot een gestreepte bal in een hoekpocket. Raul bekijkt de foto's van de plaatselijke sportteams langs de wanden. 'We kon-den niet verdwalen.'

'Beatrice wilde waarschijnlijk dat we als groep zouden aan-komen', merkt Andy diplomatiek op. Hij begrijpt de groepsdyna-miek beter, of hij heeft zich eraan geconformeerd, anders dan Griffin.

Wanneer ik Andy en Griffin samen zie, valt me op hoe tegen-gesteld ze zijn, maar ook hoeveel overeenkomsten ze vertonen. Beiden geloven oprecht, zijn al jaren lang bevriend en spelen, zo te zien, behoorlijk goed poolbiljart. Maar toch is Andy meer het balletje, de stereotiepe ideale schoonzoon die je graag aan je ouders voorstelt. Griffin is veel raadselachtiger, met zijn warrige haardos – een kunstenaar, iemand met veel meer vragen dan ant-woorden. Afgaand op de manier waarop hij een cola bestelt, zijn de barman en hij kennelijk ook bevriend.

'We gaan beginnen!' Maryanne rent naar het podium en kijkt ernaar alsof het een wonder der natuur is. 'Ik kan gewoon niet ge-loven dat we dit echt gaan doen!'

'Ik ook niet.' In het openbaar zingen is voor mij ongeveer even aantrekkelijk als een solo-optreden als komediante. Het is niet mijn ding. Geef mij maar papier en een beetje tijd om iets moois of slims op te schrijven, dan wordt het misschien nog wat. Geef me een maand of twee om een liedje te repeteren – onder de douche, in de auto, in mijn woonkamer – en dan, misschien ... Mijn stem is niet vreselijk, maar wel onbetrouwbaar. Soms schiet ik plotseling vreselijk uit als ik midden in een lied een crescendo moet uitvoeren. Dan gaat het piepen en kraken.

'Mensen, mag ik jullie even voorstellen aan Smokey', zegt Griffin tegen de hele groep. Hij wijst naar de barman. Smokey de barman. 'Hij gaat de installatie klaarzetten, Maryanne.'

Van onder een gekleurde lamp kijkt Griffin naar mij, en onze ogen houden langer contact dan redelijkerwijs verwacht mag worden. Ik begrijp absoluut niet waarom zijn ogen zo makkelijk in de mijne kijken, en waarom ik steeds dat nerveuze gevoel krijg wanneer hij in de buurt is. Ik moet toegeven dat ik teleurgesteld zou zijn geweest als hij er niet was geweest. Mijn verstand zegt dat Andy de voor de hand liggende keus zou zijn als ik voor altijd in Harper's Bay opgesloten zou blijven en gedwongen zou zijn een keus te maken uit de vrijgezellen in de stad. Maar mijn gevoel is het daar niet helemaal mee eens.

Griffin glimlacht, en ik vraag me af of hij soms mijn innerlijke worsteling kan zien.

Maryanne, Raul, Charles en Jill staan op het podium om Smokey heen, die hun uitlegt hoe de karaoke-apparatuur werkt.

Ik loop naar Beatrice aan de lange houten toog, waar ze hapjes klaarzet.

'Heb je al van die pittige pizzasaus al geproefd?', vraagt ze, terwijl ze het cellofaan verwijdert van een schotel met stukken hartige taart.

'Nee, maar het ruikt goed.' Mijn geestdrift komt mezelf nogal geforceerd voor.

Beatrice lijkt de ondertoon niet te merken; ze doopt een stukje brood in de pittige kaassaus. 'Hier ga je van smullen.' Ze houdt mij het brood voor.

'Mmm. Lekker.'

'Ik zal je het recept geven. Het is een doorslaand succes op alle feesten en partijen. Charles vraagt altijd of ik mijn specialiteit meeneem naar de groep.' Ze glimlacht en kijkt in de richting van Charles.

Terwijl we over de ingrediënten doorpraten, dreunt plotseling de geluidsinstallatie door de ruimte. Smokey grijnst wanneer de anderen op het podium geschrokken naar hun oren grijpen.

'We gaan beginnen', zegt Raul, die de rol van presentator op zich neemt. 'Pak iets lekkers te eten en bereid je voor op een avond van plezier en vermaak.'

Griffin en Andy zetten hun keus weg en beweren beiden gewonnen te hebben. We dragen de schotels met hapjes naar de ronde tafels en draaien de stoelen bij, zodat we het podium kunnen zien.

'Dames en heren, ik stel u voor aan Maryanne Tyler, die Natalie Cole zal vertolken', kondigt Raul aan.

Met het strak om haar gezicht getrokken haar, overgewicht en mantelpak voor de gelegenheid is Maryanne een ander mens wanneer ze begint te zingen. Ze legt haar hart erin. Het spotlicht verblindt haar en hult haar in een cocon van licht, waarin ze de zangeres wordt die ze wil zijn. Het zou misschien grappig kunnen zijn haar daar zo te zien swingen en zingen: *L is for the way you look at me*. Maar het is niet grappig. Ik verbaas me eerder over haar.

Beatrice vertelde me dat er bij Maryanne kanker in een vroeg stadium is geconstateerd. Hoewel de artsen een volledig herstel verwachten na de chemokuur en bestraling, moet ze met angst te kampen hebben. Maar toch is er een schoonheid in haar die me aan mijn broer doet denken. Oog in oog met dergelijke problemen lijken ze God duidelijker dan ooit te zien. Hun nood is duidelijk, en God is er voor hen.

Geloven is voor mij altijd makkelijk geweest, zonder tegenslagen of bedreigingen. Maar nu kunnen de zorgen over mijn broer en Alisia me parten spelen. Mijn twijfels over de toekomst achtervolgen me in het heden. Zelfs het bezoek aan mevrouw Fleming is een soort uitdaging, omdat het goeddeels geheimgehouden moet worden. Wat betekent dat allemaal? Tijdens mijn laatste bezoek vroeg Conner of ik er ook op lange termijn zou zijn voor Alisia. Hij weet dat mijn vader en moeder er zeker zullen zijn, maar hoe zat het met mij? Zal ik een vast baken in haar leven zijn als hij veroordeeld wordt en de gevangenis in gaat? Maar wat kan ik haar bieden? Wat schiet zij op met mij?

Vragen die over elkaar heen buitelen.

'Alles in orde?' Griffin komt naast me zitten.

Ik knik omdat ik even niets kan zeggen. 'Ik stort alleen een beetje in.' Ik verbaas me erover en voel me een beetje beschaamd dat ik zoiets zeg.

Hij kijkt me niet aan; we kijken beiden naar Maryanne. Maar zijn aanwezigheid naast me geeft kracht en troost. Ik besefte niet dat mijn vingers om de leuning grepen, totdat ik Griffins hand op de mijne voel. Voorzichtig trekt hij mijn vingers los en neemt hij ze even in zijn hand. Ik zou zo opzij kunnen vallen en mijn hoofd op zijn schouder kunnen leggen. Ik zou mijn ogen dichtdoen en een paar minuten, of uren, verdwijnen. Ik zou wel duizend jaar kunnen slapen.

Raul kondigt zichzelf aan als de volgende artiest. Hij heeft zijn ogen dicht en begint te swingen terwijl hij met zijn indiaanse accent een hit van Culture Club ten gehore brengt: *Do you really want to hurt me*. Raul, onze immigrant uit het Midden-Oosten, is opgegroeid met Amerikaanse muziek. Zijn neef stuurde hem oude cassettebandjes, zodat hij in de jaren negentig naar de muziek van de jaren tachtig luisterde. Hij is er nooit meer mee opgehouden.

Plotseling geef ik om al deze mensen. Het is een gevoel alsof er een wolk voor de verzengende zon langs drijft. De kritiek die ik zo makkelijk spui, wordt verzacht. Beatrice, die bij de bar de hapjes herschikt, haar teken van genegenheid voor ons. Charles en Andy, die zich bij Raul voegen en achter hem meeswingen – drie mannen met verschillende achtergronden en van verschillende leeftijd, ieder van hen uniek en pretentieloos. Maryanne, de liefhebster van karaoke, die voor haar eerste chemokuur staat. De gedreven Jill, met haar grafieken en plannen en haar verlangen iets te betekenen in de levens van anderen – ze lijkt nu eindelijk een beetje te ontspannen wanneer ze naar me lacht. En zelfs Smokey, die met een grijns op zijn gezicht de tafels schoonveegt. Ik zie de schoonheid van genade hier en daar door hun levens heen schijnen, ondanks alle moeilijkheden. Schitterende mozaïeken, gevormd van gebroken stukjes.

'Houd eens op met de betekenis van alles te willen ontleden en word eens wat vrolijker', zegt Griffin terwijl hij me een por in mijn ribben geeft.

'Ik ben niet aan het ontleden. Althans niet alles', zeg ik.

Hij staat op en komt bij me terug met een keu. 'Ik herinner me vaag dat jij tamelijk goed was in poolen.'

'Ben ik nog steeds', zeg ik voor de grap, wel wetend dat over een paar tellen zal blijken dat ik in geen jaren meer heb gespeeld. Wanneer had ik als gedreven journaliste-in-wording ooit tijd om te biljarten? 'Maar jij mag wel afstoten.'

'Wat aardig van je.' We lopen ieder naar een kant van de tafel. Met een snelle en vloeiende beweging stoot hij de driehoekige formatie open, en de ballen vliegen naar alle kanten over het laken.

'Ik denk dat je hier eigenlijk wel van geniet', zegt hij.

'Wat? De karaoke?'

'Alles.'

'Misschien wel.'

'Dat zou tijd worden.' Hij legt zijn keu op tafel. 'Weet je wat? We gaan Maryanne eens laten lachen.'

Voordat ik kan vragen hoe, zijn we al onderweg naar het podium om een lied voor haar te zingen.

Memoires van Josephine Vanderook

❧

Een tijd van zorgen en moeilijkheden kan een toekomst op z'n kop zetten. Ik trouwde met Walter nadat ik hem tweemaal had gezien. Het was op aandringen van mijn schoonvader, en ik trouwde met hem omdat ik te moe was om me ertegen te verzetten.

Hij was een invloedrijk man in Boston, een gevestigde man in de beste kringen, en hij zou de rest van mijn leven voor mij zorgen. Dat waren de beloften van mijn schoonvader. Na de ontdekking van de documenten en mijn verhaal over de gebeurtenissen voorafgaand aan de schipbreuk, meende hij dat Eduard zich van iets bewust was geweest wat wellicht had bijgedragen aan de ramp. Hij praatte er niet over met mij, ondanks mijn pogingen dat wel te doen. En al snel na onze terugkeer naar Boston kwam hij met Walter aan de deur.

Nooit in mijn dromen als jong meisje zou ik met een man als Walter zijn getrouwd. Alleen al zijn leeftijd – hij was even oud als mijn schoonvader – verhinderde mij te geloven dat zijn interesse meer kon inhouden dan ridderlijke bezorgdheid. Hoe dwaas, nu ik terugkijk, want was ik niet in een zo kwetsbare positie geweest, dan zou ik de avances van de man zeker op hun werkelijke waarde hebben geschat.

Walter probeerde van me te houden, en misschien was zijn liefde van een zo enorme intensiteit dat hij niet de juiste manieren kon vinden om die uit te drukken. Ik verdroeg de eerste jaren van zijn zonderlinge genegenheid, totdat we ten slotte een comfortabel bestaan inrichtten. Waarlijk, God kent de uren van mijn gebeden. Ik probeerde bij Walter iets te vinden van wat ik bij Eduard had ervaren. Wederzijds respect ontstond, en de tevredenheid groeide in de loop van de jaren. Mijn kinderen waren de geschenken van mijn huwelijk met Walter. Zonder hen zou ik er al lang niet meer zijn geweest.

Maar ik had geen liefde en hartstocht meer. Ik ben mijn verlangen naar wat ik met Eduard had, nimmer ontgroeid, hoe kort het ook was in het licht van de verstreken jaren.

Pas nu, na jaren van verlangen en pogingen hem terug te halen, bemerk ik dat hetgeen ik waarlijk verlang, hier al die tijd op mij wachtte. Ik heb een grotere liefde, zuiver en onbevlekt, gevonden, een liefde die mij niet in de steek zal laten – en hoezeer heeft Eduards liefde mij in de steek gelaten.

Ik begrijp niet veel van deze levensreis, en er zijn veel dingen waarvan ik afstand heb moeten doen. Maar toch is er in het loslaten ook altijd weer het vergaren aanwezig.

Sophia

Mijn liefste ...

❧

Ik breng het boek, de scherven porselein en de memoires van Josephine weer naar de keukentafel. Ik moet ze prijsgeven. Ik weet het even zeker als ik weet dat ik Ben moet prijsgeven.

Voorzichtig open ik het omslag van het boek om te kijken hoe ver het is. Het duurt misschien weken voordat de bladzijden droog zijn, misschien nog langer als het boek niet wordt geopend. Maar ik ben bang dat het uit de band valt, of dat de bladen misschien uit elkaar vallen als ik ze probeer te drogen. Stukjes van bladzijden zijn te ontcijferen. Getallen, in inkt geschreven, misschien details over voorraden. Lijsten met namen – de passagiers – en hun bagage?

Mijn geduld zou in blakende conditie moeten verkeren na mijn vijftig jaar als kluizenares, maar niets is minder waar. *Droog snel op, bladzijdjes. Droog dan toch!*

Terwijl ik naar de passagierslijst voor de laatste, fatale reis van de *Josephine* kijk, dwalen mijn gedachten af. Ik denk soms aan alle verschillende levens waarmee mensen te maken krijgen. Ik zou er wel tien willen leven, hoewel ik het mijne niet zou willen ruilen. Soms zou ik die mensen willen zijn die de wereldzeeën bevaren. Of, als ik kon teruggaan in de tijd en veel dingen zou kunnen veranderen, ik zou in Oxford willen wonen met mijn schrijfmaatjes en onder het genot van sterke koffie over mythen en geloofszaken willen discussiëren. De krant brengt verhalen over intrigerende beroepen als fotograaf, oorlogscorrespondent of jazzmusicus. Ik bedenk hoe het zou zijn gewoon weer in een auto te rijden, zonder bestemming – zomaar rijden en steden zien, staten en landen. Wat zou ik graag even in andermans schoenen staan.

Het zijn al die niet-geleefde levens.

Twee levens hebben plotseling een plaats gekregen in het mijne. Het eerste verdween toen ik nog een kind was. Het andere is het leven van dit meisje dat mijn ruimte en gedachten aanraakt. Het is alsof wij drieën verleden, heden en toekomst zijn.

Ik laat het boek op tafel liggen en besluit mijn gedachten in gebed om te zetten. In mijn innerlijke bioscoop stel ik me iedereen voor die ik in mijn gebeden gedenk. Met tegenzin voeg ik ook mevrouw Crow toe aan de beelden en voel ik mijn hart voor haar opengaan wanneer ik dat doe. Het laatste gezicht is dat van Ben. Ik zie hem bij de motor van zijn boot. Hij heeft zijn hoofd naar mij toe gedraaid en glimlacht. Dan bid ik en draag ik de namen bij de beelden op.

Ik verbaas me er altijd weer over hoe moeilijk het is te knielen – mijn gewrichten protesteren, en mijn verstand houdt me voor dat ik te oud ben en dat God mijn gebeden ook hoort als ik comfortabel in mijn stoel zit. Op een dag kan ik misschien niet meer overeind komen, of doe ik een fatale kou op door de tocht langs de vloer. Het zijn geldige excuses.

Maar er is zoiets verbazingwekkends aan knielen, aan de nederigheid, de enorme behoefte die in me opwelt wanneer ik op mijn vaste bidplaats ben. Het is mijn manier van bidden.

Ik herhaal de woorden keer op keer, in de wetenschap dat één keer genoeg is voor God. Maar ikzelf moet ze vaker horen. Misschien is dat een van de wezenlijke dingen van bidden – zeggen wat God allang weet. Soms moeten we het gewoon hardop toegeven of het aan zijn voeten neerleggen.

Ik zal altijd een leerling van het gebed blijven, aangetrokken door het raadsel. Er gebeurt iets spiritueels wat zich aan onze waarneming onttrekt. Het is het neerleggen van onze levens, voor elkaar, voor onszelf, voor God.

Morgen stuur ik Claire een uitnodiging om nog een keer op bezoek te komen.

En ik moet Ben binnenkort vertellen dat hij het pad moet volgen dat God voor hem heeft geopend. Ook al betekent het dat wij afscheid moeten nemen van elkaar.

STORMEN NEMEN IN KRACHT TOE

Meteorologen voorspellen een grote reeks stormen die vanuit Alaska over het land zullen razen ...

Claire

❧

Onze eerste Thanksgiving met Alisia. Het idee van een traditioneel diner waaraan Conner pijnlijk zou ontbreken, bracht mijn moeder en mij ertoe de mogelijkheden langs te lopen. Mijn vader kwam met het beste idee. We gaven ons allemaal op als vrijwilligers voor de jaarlijkse Thanksgivingsmaaltijd van de kerk voor de gemeenschap. Ik schilde aardappels en stampte ze tot puree, mijn moeder hielp bij het bakken van taarten, en mijn vader haalde mensen op die niet konden rijden. Zelfs Alisia vond het leuk servetten en bestek uit te delen.

Conner stelt de gebruikelijke vraag. 'Je hebt het toch op een videoband gezet, hè?'

'Natuurlijk', zeg ik. 'Ik word nog eens een echte Spielberg.'

Ik vraag niet meer hoe het met hem gaat. Hij zegt het me toch niet, maar ik heb geleerd de toestand te schatten aan de hand van de kringen onder zijn ogen of de mate waarin zijn schouders afhangen. Hij is altijd beter te pas op dagen dat Griffin, Ben of beiden op bezoek zijn geweest. Vandaag wil hij van mij weten hoe Alisia en haar begeleidster van jeugdzorg het maken, en hoe ze zich in het gewone leven houdt. Hij lijkt aangeslagener dan anders.

'Wanneer je vrijkomt, kun je dagen lang video's kijken.'

'Heb je het laatste nieuws al gehoord?' Hij leunt voorover met de telefoon, met zijn elleboog op de metalen tafel. 'Volgende week is de hoorzitting waarop besloten wordt of ik in Washington berecht zal worden.'

'Nee ...'

'Niet het beste nieuws, hè?' Hij wrijft over zijn gezicht. 'Ik heb een fout gemaakt door haar mee te nemen hierheen. Maar het was het enige wat ik kon bedenken. Ze moest naar pap en mam. Ik wist niet dat ik jou hier ook nog zou hebben. Maar ik had het toch anders moeten aanpakken.'

'Je hebt haar leven gered. Ongeacht hoe of wat, je hebt haar leven gered.'

Hij kijkt me aan met tranen in zijn ogen en knikt. 'Als je haar had gezien, zo bang, zo ontzettend klein. Ik wil dat zij het leven krijgt dat ze verdient, een kindertijd zoals wij hadden. Het breekt je hart te bedenken dat haar bloedverwanten haar niet willen hebben – hoewel ik ook niet op een gevecht zit te wachten.'

'Wij willen haar wel', zeg ik, en dan zitten we beiden met tranen in onze ogen. 'En we willen jou ook. Wij horen samen, zijn een gezin. Ik begrijp eindelijk hoezeer we elkaar nodig hebben, en wat het betekent echt op God te vertrouwen. Dat heb jij me laten zien, Conner.'

Ik wil mijn broer heel graag omhelzen en word kwaad op het glas dat ons scheidt.

'Vertel me iets uit de dwaze wereld, Claire. Vertel me een verhaal om me beter bij te voelen. Zo komen mensen door dingen heen. Stapje voor stapje.'

Ik probeer te glimlachen en denk aan onze vroegere voorliefde voor bizarre verhalen. 'De dwaze wereld!', schreeuwden we wanneer er iets vreemds gebeurde. Ik heb even nodig om iets te bedenken wat de dwaze wereld waardig is.

Ik zou willen dat ik het volle vertrouwen had dat we met Kerstmis weer allemaal samen zouden zijn. Ik zie een echt *eind goed, al goed*-scenario voor me, met de bel die klingelt en Conner die glunderend en vrolijk voor de deur staat. Maar voor Thanksgiving is het zo niet uitgepakt, en die realiteit heeft mijn heimelijke hoop op een instantwonder de bodem ingeslagen.

Wanneer ik hem een verhaal uit de dwaze wereld vertel waarin Leonards adem en Loretta's droom van de perfecte stalker figureren, zie ik zijn gezicht veranderen. Stapje voor stapje. Kon het maar blijvend zijn.

Sophia

Ik heb in mijn leven veel fouten gemaakt.

❦

Ik heb geprobeerd het te zeggen. We hebben het de hele feestdag genegeerd. Ben heeft me niet eens verteld dat Bradley hem voor Thanksgiving had uitgenodigd, maar ik weet dat het zo is omdat hij dat ieder jaar doet. En Ben weet beslist ook dat dit onze laatste Thanksgiving samen was.

We zijn voor de tweede dag aan de kalkoensandwiches bezig, en er zijn nog een paar stukken appeltaart over.

'Thanksgiving is mijn lievelingsfeestdag', zegt Ben tussen een paar happen door.

'Waarom?'

'Omdat het pretentieloos is. Er wordt niet zo veel drukte over gemaakt als over andere feestdagen. Gewoon een dag om te eten, samen te zijn, dankbaar te zijn. Een geweldige dag. Trouwens, hoe waren die memoires? Heb je ze gelezen?'

'Helemaal. Er staan een paar verrassende dingen in.'

'Zoals?'

'Josephine heeft tot op zekere hoogte ontdekt dat haar man bij iets illegaals betrokken was.' Ik vertel over de extra lading en hun persoonlijke bezittingen die over land werden vervoerd. 'En dan alle dingen die ze niet zegt. Eén ding is duidelijk: ze is de dood van haar man nooit te boven gekomen.'

'Interessant. Ik was bij de opening van die kleine tentoonstelling in het museum. Mevrouw Crow is bang dat de onderzoekers iets anders zullen ontdekken dan wat zij als informatie bij de vitrines heeft geplaatst.'

'Was het leuk?', vraag ik. Plotseling krijg ik weer dat oude gevoel dat ik word buitengesloten. Het komt en gaat. Er zijn soms jaren voorbijgegaan waarin ik de buitenwereld helemaal niet miste. Op andere momenten verlangde ik naar gemeenschappelijke evenementen. De kerk mis ik nog het meest; 's zondags denk ik altijd aan de kerkgang. Ik heb me er zelfs weleens op gekleed en ben het pad naar Bens vuurtoren afgelopen, maar ben snel teruggerend voordat hij me kon zien.

'Het was iets wat ik nooit zal vergeten', zegt hij grinnikend.

'Wat was er zo leuk?'

'Mevrouw Crow gebruikte die zin. Ik heb dat altijd zo'n wonderlijke uitdrukking gevonden.'

'Heb jij enig idee hoe vaak ik *huh* zeg wanneer ik bij jou ben?'

'Denk er eens over na. Waarom zeggen mensen bij belangrijke gebeurtenissen in hun leven altijd: "Dit zal ik nooit vergeten"? Natuurlijk zullen ze het nooit vergeten. We vergeten toch alleen maar de kleinere dingen?'

'Behalve wanneer je Alzheimer hebt.'

'En zelfs dan onttrekt zich het vergeten aan je eigen controle.'

'Ze zeggen het omdat er geen woorden zijn om te beschrijven wat ze werkelijk voelen. Onze taal kan het niet exact benoemen. En jij bent een van de weinigen wie zoiets opvalt.'

'Ik moet er altijd om grinniken.' Hij legt plakken appeltaart op onze bijna lege borden. Ben is de taartenbakker. Hij stal het recept uit mijn verzameling, maar maakt een betere taart dan ik; ik heb zijn luchtige en krokante korst nooit kunnen evenaren. 'Daar gaat het laatste appelgebak.'

'En dat is iets wat ik nooit zal vergeten', zeg ik zo serieus als ik kan.

Hij wijst met zijn vork naar mij en lacht.

We praten wat over koetjes en kalfjes onder het eten, maar er gist iets in mij. Het is het onderwerp dat ik dagen lang heb vermeden. 'Ben, ik moet met je praten.'

'Dat klinkt serieus.' Hij zegt het met een humoristische ondertoon.

'Het gaat over jouw eventuele verhuizing landinwaarts. Heb je daar nog over nagedacht?'

Hij speelt met een paar kruimels op zijn bord. 'Natuurlijk, iedere dag.'

'En?'

'En ... ik weet het niet.'

'Ben, dit is heel moeilijk voor mij om te zeggen, maar het moet. Je moet weggaan. Jij weet het, en ik weet het.'

'Spreek voor jezelf en vertel mij eens hoe jij dat weet?'

'Als ik niet hier op de Point was, zou je dan blijven?'

Zijn grijze wenkbrauwen trekken samen terwijl hij erover nadenkt. 'Maar jij bent wel hier.'

'Ik mag niet de reden zijn waarom je hier blijft. Jij bent degene die mij verteld heeft dat je verandering niet kunt tegenhouden. Dat zeg je al jaren.'

'Ik probeer de verandering niet tegen te houden, maar ik kan je hier niet alleen achterlaten.'

'Zie je wel? Diep vanbinnen weet je dat je wilt gaan.'

'Dat heb ik niet gezegd.'

'Dat hoefde je ook niet.'

'En als je nu eens met me trouwde?'

'Heel leuk. Je zit vandaag vol grappen en grollen.' Uiterlijk lach ik erom, maar vanbinnen ben ik geschokt door zijn woorden.'

'En als ik nu eens geen grappen maak?'

'Maar dat doe je wel. Na al die jaren? Natuurlijk maak je een grap.' Ik kan zijn gezicht niet peilen. Is het gekwetstheid, humor of iets anders? 'Waarom zouden we zoiets dwaas doen?'

'Gewoon de wanhoop van een oude man, denk ik.'

'Misschien wordt het voor ons beiden tijd om te veranderen.'

'Dus jij verlaat de Point ook?'

'Natuurlijk.'

Hij negeert mijn sarcasme. 'Er is een man in de stad die me ieder jaar vraagt of ik de vuurtoren niet wil verkopen. Zijn vrouw en hij hebben er altijd van gedroomd in zo'n toren te wonen.'

'Je bent hem dus kwijt voordat je het weet.'

'Zo is het. Ik ga volgende week naar Bradley's huis om hem mijn antwoord te geven. Hij wil dat ik er snel heen ga, voordat de winter te koud wordt.'

Er gaat een golf van paniek door me heen. Zo snel? 'Dat kan ik begrijpen. De pas raakt soms ondergesneeuwd. En dan kom ik je in de lente opzoeken.'

'Natuurlijk.'

'Nou ja, jij kunt in de lente mij komen opzoeken.'

'Je zou mee kunnen gaan.' Plotseling zie ik in zijn ogen hoe verscheurd hij is. Aan de ene kant is er dit leven met mij. Aan de andere kant zijn zoon en de kans iets nieuws te proberen. Maar de Point verlaten?

'Ben, dat kan ik niet. Dit is de plek waar ik thuishoor.'

Hij knikt langzaam. 'Ik weet het.'

'Maar nu iets anders. Volgende week zal ik de spullen uit de schipbreuk inleveren.' Het is het enige wat ik kan bedenken, een poging om van onderwerp te veranderen, alsof het daardoor zou verdwijnen.

'Goed, volgende week. Weet je het zeker?'

'Absoluut.' Daarop schudden we elkaar de hand alsof we een plechtige belofte afleggen. We moeten er beiden om grijnzen. Ik bedenk dat er in het loslaten toch op z'n minst de voldoening zou moeten schuilen dat ik deed wat juist was.

Maar er is geen voldoening. In het geheel niet.

Stormen

Sophia

Moge wat God ons geeft, gebruikt worden
om het leven van anderen te verrijken.

❦

Weer een gure novemberdag – de kille bries kondigt stormen aan, en de herfstbladeren dwarrelen, eindelijk bevrijd van hun ketenen, naar de wandelpaden. Zelfs de vogels laten een ander lied horen, alsof ze zich voorbereiden op de donkere dagen die op komst zijn.

Ben en Claire komen aan wanneer ik mijn voorpad schoonveeg. Ben neemt de bezem over en stuurt ons het huis in. Ik heb als traktatie appelcider met kaneelstokjes, partjes sinaasappel en kruidnagels op het vuur staan pruttelen. Het hele huis is vervuld van de geuren.

'Het ruikt heerlijk', zegt Claire, die haar sjaal afdoet en haar haar gladstrijkt terwijl we naar binnen lopen. Uit een rugzak haalt ze boeken tevoorschijn – een paar nieuwe romans die ik wilde lezen.

Soms besef je niet hoezeer je iets mist totdat je het terug hebt. Ik wist dat ik wilde dat zij nog een keer op bezoek zou komen. Nu ze hier is en me aan het lachen maakt, lijken de dagen tussen haar bezoeken saaier. Ben was blij ons alleen te kunnen laten, blij dat ik een vriendin heb, wat verbazingwekkend mag heten na die tientallen jaren zonder.

We praten even makkelijk als de vorige keer, maar het verbaast me toch weer, want de verschillen tussen ons, qua leeftijd en leefwereld, zijn eerder een canyon dan een eenvoudige kloof.

Ik vertel haar over de avonturen uit mijn kindertijd met Ben, Phillip en Helen. We lachen en nippen van de warme cider.

'Als dit te persoonlijk is', zegt ze, en ik voel een nerveuze rilling, 'zeg me dat dan alstublieft, maar uw eerste boek ging over u en uw vrienden op de Point, nietwaar?'

'Ja, hoewel het wel geromantiseerd is, hoor', zeg ik met een glimlach. Ik denk terug aan de dagen waarin ik het schreef en van een week uit mijn jeugd iets nieuws creëerde. Ik heb me wel afgevraagd wat Phillip van de boeken vond, waar we nooit veel over spraken. Het schrijven zat me toen te dicht op de huid. Ik was te bang om ernaar te vragen, te bang dat hij niet had begrepen wat ik probeerde te zeggen.

'Ik hoop dat u het niet vervelend vindt dat ik het zeg', verklaart Claire, en ik moet bij mezelf glimlachen om haar nervositeit.

Ja, zij begrijpt wat het schrijven betekent voor een auteur, het uitstorten van je hart op papier. Ik hoop dat we nog veel dagen met gesprekken voor ons hebben en dat we zo vertrouwd met elkaar raken dat ze de onderwerpen niet meer zo omzichtig aan de orde stelt. Dan weet ze vanzelf wanneer het goed is over iets te praten of niet.

'Hoe mooi ik uw eerste boek ook vond, uw tweede heeft me altijd nog meer gefascineerd.'

'Echt waar?' Dat verbaast me. Alleen Ben en een paar anderen hebben hetzelfde gezegd. 'Ik zou graag willen horen waarom.'

'Mijn theorie was ... ik kan gewoon niet geloven dat ik u dit ga vragen.' De opwinding laat haar gezicht opklaren. 'Volgens mij was het eerste boek een soort herinneringsbeeld van het verleden, maar was het tweede meer een abstracte verbeelding van de ontdekking van het leven als volwassene. Hebt u er met opzet symbolen in gebracht als de zee voor het eeuwige en de Point die een bepaalde richting uitwijst?'

'Sommige waren bewust, andere ontstonden spontaan. Gebruik jij symboliek in je verhalen?'

'Soms bewust, soms ontstaat het spontaan', echoot Claire met een grijns.

We praten over de fictie waarmee ze bezig is geweest.

'Ik krijg angstvisioenen dat het vreselijk is, en ik ben heel goed in uitstellen.'

'Dat klinkt als een schrijver', zeg ik, en ik vertel haar dat zelfs de allergrootsten soms verlamd raken van angst. Ik wil wel aanbieden naar haar korte verhalen te kijken, maar stel je voor dat ze inderdaad vreselijk zijn? Voordat mijn verstand mijn tong kan bedwingen, zeg ik: 'Neem de volgende keer eens wat werk mee. Dan maken we er een schrijversdag van.'

Ben komt binnen, en het gesprek komt op Claires broer en de kleine Alisia. Ik heb het gevoel dat ik ze nu ken. Dan vertelt ze het intrigerende verhaal over de mysterieuze verslaggeefster.

'Ik dacht dat ze op de redactie zat, net als de anderen', zeg ik. Margie Stintons commentaren staan al sinds jaar en dag in de krant. 'Het zou interessant zijn haar achtergrondartikelen eens door te lezen om een beeld van haar te krijgen. Ze moet veel invloed hebben binnen de gemeenschap, of bij een belangrijk lid van de gemeenschap.'

'Dat is waar. Daar moet ik Rob eens naar vragen.'

'Ga jij nog meer artikelen schrijven over de schipbreuk?"

'Ja. Ik wilde er nog een doen over Josephine Vanderook.'

'Heb je bijzondere belangstelling voor Josephine?', vraagt Ben terwijl hij onze kopjes pakt om bij het fornuis nog eens in te schenken.

'Ze is zo intrigerend.'

Ben kijkt me lang en strak aan wanneer hij de koppen terugbrengt. 'Dat vind ik ook. En wat vind jij, Sophia?'

'Ja.' Ik zou willen dat ik hem onder de tafel een schop kon verkopen. Moet ik haar vertellen dat ik voorwerpen van het schip in huis heb, alsmede de memoires van Josephine? Ik wil alle terughoudendheid wel overboord zetten, maar merk dat ik het toch niet helemaal kan.

'Denkt u dat het meer was dan alleen een storm, die de scheepsramp veroorzaakte?', vraagt Claire. Ze strijkt een lange haarlok uit haar gezicht.

'Dat is het altijd', antwoordt Ben.

'Hoe bedoelt u?'

'Het is mijn ervaring dat er altijd tal van lagen in oorzaken van gebeurtenissen zijn aan te wijzen. Een storm bijvoorbeeld, is het opbouwen van wind en regen in een druksysteem dat vervolgens tegen het land losbarst. Er is een verleden, heden en toekomst van stormen.'

Ik denk na over wat Ben zegt en sta stil bij de stormen in mijn eigen leven, niet langer bij het weerpatroon dat een scheepslading levens meesleurde naar de diepten van de zee. 'Soms is er een hevige storm nodig om de waarheden in onze levens bloot te leggen.'

'Ben de filosoof', zeg ik. 'Zijn dit de dingen waar jij en die Griffin het iedere maandagmorgen over hebben?'

'Soms. We praten over de vreemdste dingen.'

'Ben heeft me een kopie van de memoires van Josephine Vanderook bezorgd', zeg ik, mijn reserves negerend. 'Ik heb over haar gelezen.'

'Dat moet heel boeiend zijn. Ik was van plan de archieven van de *Getijdenpost* uit te pluizen op artikelen over de schipbreuk.'

'Ik heb een idee. Ik blijf in de memoires lezen en laat het je weten als er iets interessants in staat. Of misschien geef ik de kopie wel aan je door wanneer ik alles gelezen heb.' Verplicht ik me tot te veel contact met haar?

'Jullie lijken wel twee detectives', merkt Ben op.

'Met rubberzolen', lacht Claire. 'Wanneer we deze zaak hebben opgelost, beginnen we ons eigen bureau.'

We lachen, en ik bedenk hoe vreemd het is dat we er grapjes over maken. Zonder haar had ik dat nooit gedaan.

Claire belooft maandagmorgen terug te komen voor de thee, en het lijkt erg ver weg. Al die jaren heb ik er geen enkele behoefte aan gehad ook maar via de telefoon met een vriendin te praten – tot nu. Ik wil de volgende aflevering in het mysterie Margie Stinton horen, en het laatste nieuws over Claires broer. De buitenwereld is plotseling interessanter dan ooit.

Maar kort nadat ze is vertrokken, word ik overvallen door angst. De archieven. De archieven van de *Getijdenpost* bevatten misschien meer informatie dan ik wil loslaten wanneer ze het jaar 1954 gaat nakijken.

Want daar zal ze het verhaal vinden dat achter de dood van Phillip schuilgaat.

Memoires van Josephine Vanderook

Mijn Eduard stierf toen hij drieëndertig was.

Ik ben nu een oude vrouw.

Raakte hij zijn liefde voor mij kwijt? Die gedachte heeft me evenzeer achtervolgd als het geluid van die storm.

Welke woorden kan ik mijn kinderen, mijn kleinkinderen en de generaties na hen nalaten? Wat voor wijsheid kan ik doorgeven? Ik heb mijn leven ten volle geleefd; ik heb de diepten van het verdriet en de toppen van de liefde ervaren. Ik heb jaren verspild en hun enorme waarde pas te laat beseft. Maar mijn geloof in God is mijn anker geweest, mijn kracht en mijn zekerheid. Maar het is zo'n persoonlijke reis geweest dat ik nauwelijks weet hoe ik die moet beschrijven.

Jong of oud, we verlaten deze aarde allemaal. Als we lang leven, zal de pijn ons weten te vinden, maar dat is slechts de schaduwkant van de liefde. En dus zeg ik tegen mijn kinderen, mijn kleinkinderen, de generaties na hen, en tegen mijn Eduard: 'Ik heb liefgehad. Ik heb liefgehad en geleefd met hartstocht in mijn ziel – misschien niet genoeg, maar kan het ooit genoeg zijn? Ik hoop maar dat allen hetzelfde zullen proberen.'

GETIJDENPOST

28 juli 1954

In memoriam
Phillip Turluccio

Op 3 augustus 1954 zal een herdenkingsdienst worden gehouden ter nagedachtenis van Phillip Turluccio, die op 25 juli 1954 is overleden. Hij werd op 17 oktober 1926 geboren in Harper's Bay, Californië, en is lang inwoner van deze stad geweest. Phillip Turluccio tekende voor het Amerikaans leger en diende tijdens de Tweede Wereldoorlog in Europa, vanwaar hij als onderscheiden officier terugkeerde.

Hij was 27 jaar oud en liet zijn ouders, Stanley en Vera Turluccio, en zijn zuster Helen Wilson achter.

Claire

❦

Harper's Bay is opgetuigd voor de feestdagen. Lichtjes en versieringen verlevendigen het centrum, en de kerstdeuntjes schallen uit de winkels en de radio.

Mijn weken worden gedicteerd door de krant die op de persen moet, bezoeken aan mijn broer, gesprekken met advocaten, de vrijgezellengroep, lunches met Griffin, theedrinken met Sophia, kerstinkopen doen en een feestelijke stemming creëren voor Alisia.

Wanneer ik van mijn werk kom, wacht Alisia me op met twee adventkalenders die de dagen tot Kerstmis markeren. Mijn moeder heeft een ervan van stof gemaakt. Mijn vader heeft de andere gekocht, die voor iedere dag van de adventstijd een klein chocolaatje herbergt. Gewoonlijk probeert Alisia een stukje chocola voor mij te bewaren, maar meestal is het nog maar een flintertje tegen de tijd dat ik thuiskom.

De dagen tuimelen over elkaar.

Wanneer ik op een morgen aan mijn bureau zit en een artikel bewerk, komt Rob binnen. Hij is vroeger dan anders.

'Kan ik even met je praten in mijn kantoor?', vraagt hij terwijl hij om de receptie heen loopt.

'Kom eraan.' Ik stop bij de koffiepot en vul twee mokken omdat ik weet dat zijn humeur ook opknapt van een kop koffie voor zijn neus. Hij bedankt me en gebaart dat ik de deur moet sluiten.

'Ik heb Margie Stinton gemaild, en ze heeft eindelijk geantwoord', vertelt hij. 'Ik heb gevraagd of we elkaar konden ontmoeten.'

'En?'

'Ze wil anoniem blijven en vraagt zich af waarom ik plotseling zo geïnteresseerd ben in haar privéleven, vooral nu ze een tijdje vrijaf heeft genomen.'

'Waarom zou een freelance schrijfster anoniem willen blijven? Loretta zei dat ze ook in het telefoonboek niet te vinden was.'

'Mijn eerste gedachte was: zou het S.T. Fleming kunnen zijn?', zegt Rob. Hij leunt naar mij toe als om mijn reactie te peilen.

'Daar heb ik ook aan gedacht, maar zij heeft geen computer.' En met die constatering heb ik ook laten blijken dat ik haar tamelijk goed ken.

'Juist, en hoe zat het in die nacht dat je gestrand was bij Wilson Bridge? Je hebt de politie verteld dat er een man en een vrouw opdoken die ruzie maakten.'

'Klopt, maar ik kon niet uitmaken hoe oud ze waren.'

'Dat heeft me ook aan het denken gezet. Margie heeft in vroegere mails wel eens een kleinzoon genoemd met wie ze kennelijk niet goed overweg kon. Jij kreeg laatst dat anonieme telefoontje van een man; misschien was het dezelfde persoon. En weet je nog dat redactionele commentaar dat we hebben gegeven op de Tegenstrever van verandering?'

'Ja, die figuur die beweerde dat hij de brug had gesaboteerd.'

'Margie stuurde dat bericht aan mij door, maar ze wilde het e-mailadres van de oorspronkelijke verzender er niet bij doen. Ik heb er met hulpsheriff Avery over gepraat, omdat hij dacht dat het adres de politie naar de dader zou kunnen leiden. Ik kon hem niet vertellen wat het adres was en moest het hele spel van 'ik mag mijn bronnen niet bekendmaken' uit de kast halen om Margies informatie te beschermen. En Margie houdt er ook van woorden te verzinnen die eigenlijk niets betekenen, wat me aan de Tegenstrever met zijn *influctiviteit* deed denken. Misschien ...'

'Dat is echt heel bizar. Denk je dat Margie betrokken is bij de sabotage van de brug?'

'Mijn verdenkingen gaan wel in die richting.'

'Wat ga je nu doen?'

'Een lekker stukje onderzoeksjournalistiek.' Rob wrijft in zijn handen en glimlacht.

Ik grijns en stel me hem voor met een verborgen camera achter zijn das. Dan sta ik op om te vertrekken.

'En ik moet je spreken over Sophia Fleming', zegt hij.

'Wat is er met haar?' Ik ga weer zitten, als een leerling die bij de schooldirecteur is ontboden.

'Ik heb gehoord dat jij vriendschap met haar hebt gesloten. Je bent al een paar keer bij haar over de vloer geweest. Dat is wat je noemt een *primeur*.'

'Het was echt heel leuk haar te ontmoeten.'

'Het is tamelijk sensationeel.' Rob leunt over zijn bureau, en er blijft een memosticker aan zijn elleboog hangen.

'Ja, een beetje wel, misschien.'

'Nee, dat is het echt. Ik heb hier mijn hele leven gewoond, en voor zover ik weet is Ben Wilson altijd de enige geweest met wie ze contact had.'

'Het is niet iets waarover ik wil schrijven. Ze is een goede vriendin geworden, en ik wil haar vertrouwen niet beschamen.'

'Dat begrijp ik. Als je er ooit iets over zou willen schrijven, zouden wij natuurlijk graag de primeur hebben, maar ik heb ook andere contacten met grotere uitgevers. Je zult er nog van opkijken wat voor contacten deze krantenman heeft.'

'Bedankt, maar ik heb geen plannen in die richting', zeg ik alvorens het kantoor uit te lopen, een beetje onder de indruk van Robs aandacht en de geopende perspectieven. Niet dat ik er niet even aan heb gedacht. Even, waarna ik het snel uit mijn hoofd heb gezet. Ik vergeet gemakkelijk wie Sophia eigenlijk is wanneer we samen lachen en over het leven praten. Maar sommige van onze gesprekken zouden heel interessant zijn voor de uitgeverswereld. En de ware reden achter haar afzondering is nog steeds de grote vraag die ik haar zou willen stellen.

Ik wilde al een poosje in het archief duiken, maar ik heb het steeds weer uitgesteld, met de drukte van alledag als excuus. Nadat iedereen vanavond vertrokken is, blijf ik achter om de kamer met de lange, metalen stellingen in te lopen, waar alle kranten vanaf 1882 worden bewaard. Iedere doos bevat 52 uitgaven van de *Getijdenpost*, één voor iedere week van het jaar. Ik heb voor mezelf gerechtvaardigd waarom ik hier ben: ik had tegen Sophia gezegd dat ik naar artikelen over de schipbreuk zou zoeken. Mijn handen worden zwart van de inkt wanneer ik door de jaargangen 1905 en 1906 blader, op zoek naar nieuwe informatie.

Lang blijf ik voor de archiefschappen staan. Ik ben benieuwd naar de terugkeer van Sophia naar Harper's Bay en die brand in het weekend van de reünie, waar Kap Charlie het over had. Er zullen zeker artikelen zijn die haar succes als schrijfster documenteren, en misschien kan ik zo de reden voor haar afzondering achterhalen.

Maar ik wil het niet op deze manier horen.

❧

Later op de avond druipt de regen in lange banen langs de ramen. Het waait niet, en het is alsof er een vriendelijk watervalletje over de aarde stroomt. De lantaarns langs het trottoir werpen vervormde lichtkringen in de regen.

Rusteloosheid verstoort mijn slaap. Mijn gedachten dwalen naar het stenen huisje van Sophia Fleming, en ik vraag me af of zij er ook moeite mee heeft de slaap te vatten. Ik vraag me af hoe ze op dat volkomen geïsoleerde punt heeft geleefd. Wat was de reden voor het buitensluiten van de wereld?

Soms voel ik iets als verraad wanneer ik aan de vele uren denk die we de afgelopen weken hebben gedeeld. We hadden een band, een identificatie van twee zielen die een glimp van elkaar opvingen. Onze gesprekken over wat God voor ons betekent – twee vrouwen van verschillende generaties met dezelfde God. Ik denk aan de woorden van Josephine Vanderook die zij zo ruimhartig met me deelde. En toen mijn vraag ... Het vergde moed die te stellen, en over het antwoord erop is tientallen jaren gespeculeerd. 'Waarom?' Ze deed het af met een schouderophalen, en hoe zou ik het haar kwalijk kunnen nemen? Een geheim dat zo lang bewaard is gebleven, is moeilijk op te geven.

Moet ik doorgaan op die vraag of hem negeren? Zal de kwelling van het niet-weten me dwingen het nog een keer te vragen? Zal het Sophia goeddoen of juist beschadigen als ze haar eigen verhaal vertelt?

Ik weet dat Sophia Fleming enkele maanden na haar klassenreünie uit de publieke schijnwerpers is verdwenen, een aantal signeersessies van haar boekentournee heeft gemist en de toer daarna in zijn geheel heeft afgezegd. Misschien was het niet de klap voor haar schrijversego of het gevreesde *writers block* of het feit dat zij een literaire eendagsvlieg was. Misschien vormde geen van de redenen waarover de media speculeerden, de achtergrond van de val van een grootse literaire belofte die zonder verklaring verdween.

Misschien was het een gebroken hart.

Misschien zal ik het haar vragen.

Sophia

Ik had het je willen vertellen ...

❦

Heeft het er na al die jaren ooit toe gedaan dat de aanleiding voor mijn afzondering lag in de dood van de grote liefde van mijn leven?

Vanavond, terwijl de lucht zijn regengordijnen als tranen plengt, vind ik Phillips brieven die hij tijdens de oorlog heeft geschreven. Ik heb stapels brieven, maar de laatste paar bevatten de woorden die ik steeds weer heb gelezen en uit mijn hoofd heb geleerd.

Maanden lang stonden er grapjes en leuke verhalen in zijn brieven, waarin de eigenaardigheden van zijn maten de revue passeerden: Piper snurkte als een oeros, Herbie vloekte erger dan een zeeman, maar danste als de beste, Turk kon een perfecte stoofpot maken, en Nicks beruchte haar was zo sluik dat het altijd goed zat. *Volgens mij blijft het zelfs tijdens het gevecht zitten*, had Phillip geschreven.

Maar ik wist dat er werkelijkheden waren die hij niet vertelde. Wat voelde hij? Waar moest hij tegen vechten? Uiteindelijk schreef hij de brief die de waarheid bevatte. Wat doet het zelfs deze avond nog veel pijn de bundel brieven los te maken, zo veel jaren na zijn dood. Phillip voelt de verschrikkingen van deze verhalen niet meer. Hij is al zo lang dood, rustend in vrede. Maar alleen al het feit dat hij ooit dergelijke dingen heeft doorgemaakt, blijft me achtervolgen. Waarom gaan de besten onder ons vaak het eerst?

De brief, zijn woorden van weleer, moet deze avond gelezen worden. Morgen geef ik de brieven door aan Claire; ik heb ze al te lang onder mijn hoede gehad.

30 december 1944

Liefste Soph,

Wil je de waarheid horen? Het is niet moeilijk mam en Helen om de tuin te leiden, maar ik had kunnen weten dat het bij jou niet zou lukken. Mijn verhalen zijn echt. Maar wat moeten moeder, zuster en vriendin horen over de gevaren en verschrikkingen van de oorlog? Hoe moet ik uitleggen dat de jongen die jullie allemaal achterliet, niet zal terugkeren? Ik ben hem pas een paar maanden geleden kwijtgeraakt, maar heb het gevoel dat hij al lang geleden is overleden. Jij hebt vaak genoeg om de waarheid gevraagd, en vandaag wil ik die aan iemand vertellen.

Sergeant Harry Ross heeft een vrouw en een zoontje thuis. Hij haalde graag geintjes met ons uit en vertelde op de moeilijkste momenten grappen om ons moreel hoog, en de spanningen laag te houden. Hij vond het eten uit de veldkeukens echt lekker en zou onze extra's erbij hebben opgegeten als we hem zijn gang hadden laten gaan. Sergeant Harry Ross is vandaag gesneuveld in het vuil en de modder van een veld bij Bastogne in België. Ik zou je dit niet moeten vertellen, maar ik zal het nooit helemaal kunnen uitleggen.

We hebben allemaal laatste brieven aan onze familie in onze zakken, met de belofte van onze kameraden dat die ze naar huis zullen sturen als we het niet halen. Ik kan zijn brief niet verzenden, omdat die door zijn bloed onleesbaar is geworden.

O, Soph, ik probeer me je voor te stellen op de universiteit, zo ver van huis, en ik hoop dat je veilig bent en gelukkig, dat je naar dansfeesten gaat en die heerlijke lach van je lacht. Ik wil daar bij je zijn en een jasje met universiteitsembleem dragen, geen uniformjas, besmeurd met modder en het bloed van mijn kameraad.

Ik kan niet eens zeggen of ik je deze brief zal sturen. Maar ik wens hartstochtelijk een dag samen met jou op het strand om naar de golven te kijken. We zouden niet eens hoeven te praten, alleen maar dicht bij elkaar hoeven te zitten om naar de witte golfkoppen van Orion Point te kijken. Ik zou je hand vasthouden en weten dat alles op een dag weer in orde zou zijn. Soms helpt het me de nacht door me zo'n dag gewoon voor te stellen. 's Nachts komen de gedachten. Overdag zijn we op onze hoede, alert op iedere beweging, ieder geluid, en soms verwikkeld in gevechten waarin je het volgende moment dood kunt zijn. Maar 's nachts ben ik op de Point, voel ik de frisse bries uit Alaska en houd ik handenvol grof granietzand in mijn vingers. Maak je geen zorgen dat ik volkomen verloren ben, maar op dagen als deze heb ik weleens het gevoel dat ik me door deze modderige buitenlandse bodem kan laten verzwelgen. Mijn geloof heb ik behouden, maar ik zou willen dat ik nooit de verwoesting had ontdekt die God moet aanschouwen.

Je vroeg me de waarheid. Vergeef het me als het meer is dan je lief kan zijn.

Met al mijn liefde,

Phillip

❦

Het is nu morgen. De storm is voor de dag in een rusteloze sluimer verzonken, schijnt het. Claire zit in Bens stoel en houdt Phillips brieven in haar handen. Er loopt een traan over haar wang. Zij is de eerste met wie ik deze woorden deel.

'Deze hele stapel is als een kroniek van zijn reis: Ben en hij zijn geland in Frankrijk, zijn noordwaarts getrokken naar België, waar de troepen zware verliezen hebben geleden bij Bastogne. Stap voor stap hebben ze zich naar het Derde Rijk zelf gevochten, in wat later het Ardennenoffensief is gaan heten. De Elfde Pantserdivisie is langs de zuidgrens van Duitsland doorgedrongen en doorgestoten tot in Oostenrijk. Phillips brieven vertelden meestal de waarheid, maar soms probeerde hij weer een lichtere variant. Toen de sluizen eenmaal opengingen, werd ik de vertrouwelinge bij wie hij zijn hart uitstortte.'

'Ongelooflijk', zegt Claire, die de brieven heel voorzichtig vasthoudt.

De manier waarop ze het papier vasthoudt, maakt dat ik van

haar houd. Ze begrijpt het. Zij kan door zijn woorden en mijn zwijgen over hem aanvoelen hoe groot het leven was dat ik verloor. De jaren hebben het schuldgevoel wegens het overleven verzacht, en de woede gesust over de vraag waarom iemand zo jong moest sterven.

Er heerst stilte wanneer ze de brief langs de sleetse vouw dichtslaat. Ik zie haar ogen uit het verleden terugkomen. 'Mag ik vragen wat er gebeurd is in de jaren tussen het eind van de oorlog en zijn overlijden?'

Het is de vraag die ik mijzelf keer op keer heb gesteld. Waarom zijn we niet getrouwd en hebben we geen gezin gesticht? Waarom kon ik er niet zijn om hem te troosten toen de oorlog hem in nachtmerries achtervolgde? Waarom deden we alsof we alle tijd van de wereld hadden? Ik ken de reeks gebeurtenissen, maar ik wil ze nog steeds stuk voor stuk veranderen.

'Iedereen trouwde toen de oorlog voorbij was. Ben en Helen waren zelfs al getrouwd voordat hij het leger in ging. Phillip en ik wilden ons leven *samen* beginnen, niet met hem in een of ander buitenland. En toch vreesde ik dat ik er mijn hele leven spijt van zou hebben niet zijn vrouw te zijn geweest als hij daar zou sneuvelen. Na de oorlog zat ik op de universiteit. Hij trok door de Verenigde Staten, werkte hier en daar, zat een tijd lang in Zuid-Amerika; we schreven elkaar voortdurend. Toen kwam mijn plotselinge succes kort na de universiteit ... we waren jong en dachten alle tijd van de wereld te hebben.'

Claire knikt, maar ik weet dat zij het niet ten volle kan begrijpen, ook al hunkert ze naar de waarheid. Sommige dingen kun je pas begrijpen wanneer je ouder wordt. Wanneer je een glimp van het innerlijk van iemand hebt gezien en die persoon vervolgens verliest, is het moeilijk daar ooit bovenop te komen. De glimp is als het ontdekken van een verborgen wereld door een kier in een muur. Je wilt erheen, wilt die wereld verkennen. Dat is waarmee ik worstel om het los te laten.

'Ik wil je vertellen over de avond waarop Phillip is gestorven. Dat heb ik nog nooit aan iemand verteld.'

'Sophia,' zegt ze zacht, 'alleen als het niet te moeilijk voor je is.'

'Soms wil het verhaal verteld worden. Het is meer dan tijd, denk ik.' Wanneer ik begin, lijkt de geschiedenis met zo'n kracht uit mijn geheugen naar voren te komen dat ik op een onbegrijpelijke manier wordt teruggeworpen naar die avond.

'Wij vieren waren op die warme zomeravond in 1954 weer bij elkaar. Ben en Helen hadden een oppas voor hun zoontje, een grote uitzondering. Phillip was met de auto vanuit Texas gekomen, waar hij op de boerderij van zijn grootvader verbleef. Mijn vlucht vanuit New York had vertraging, en daardoor was ik bijna te laat voor de reünie. Hoewel de tien jaar sinds ons eindexamen volgepakt waren geweest met activiteiten, leek het onvoorstelbaar dat wij vieren elkaar niet meer hadden gezien sinds Ben en Phillip per schip naar de oorlog vertrokken waren. Terugkeren naar Harper's Bay en onze oude school was zoiets als het weer opzoeken van iets vertrouwds wat je bijna vergeten was, hoewel je het de hele tijd bij je had gedragen.

Na een paar uur herinneringen ophalen en proberen bij te praten met talloze mensen, planden wij vieren een ontsnapping zodra dat mogelijk zou zijn. Phillip en ik moesten tientallen keren de vraag pareren wanneer we eindelijk zouden gaan trouwen, en Ben was het dansen al snel beu. Helen vermeed de vrouwen die ook moeder waren; ze was het vergelijken van babygewichten en groeifasen zat – dit was onze nacht om uit te gaan.

Op de middelbare school hadden we ons voorgenomen de klokkentoren te beklimmen. Het was een van die dwaze middelbareschoolideeën die je nooit zou moeten uitproberen, en die daarom extra aanlokkelijk waren. Toen we uit de school vertrokken waren en ons oude, vertrouwde gebied met Bens Thunderbird uit 1948 verkenden, suggereerde iemand te stoppen bij de toren in Courthouse Street. We zaten onder de sterren en overlegden hoe we de top zouden kunnen bereiken. Het leek wel goed haalbaar, hoewel Helen en ik onze twijfels hadden vanwege onze jurken en hoge hakken. Maar als we aan de zijkant de brandtrap konden bereiken, zou het makkelijk genoeg zijn.

'Waarom hebben we het eigenlijk nooit gedaan?', vroeg Phillip.

'Misschien omdat het een dwaas idee van een stelletje tieners was', zei Helen. 'We zijn te oud om dat soort dingen nog te doen. Stel dat we betrapt worden. Ik ben moeder, ik zit bij de vrouwenvereniging van de kerk, en Ben heeft net een nieuwe baan.'

Ik moest alleen maar lachen om Helen, die meer probeerde zichzelf te overtuigen dan iemand anders. Ze had altijd al een wilde kant die ze moest zien te beteugelen, maar het avontuur zat haar in het bloed.

'Goed, we moeten het doen. Als we het nu niet doen, dan nooit meer.' Dat waren de woorden die Helen later diep zou betreuren.'

Claire zit met haar benen over elkaar in de fauteuil, haar ellebogen op haar knieën.

Vreemd naar die tijd en die plaats terug te keren alsof het niet mijn eigen verhaal is, alsof het nooit echt gebeurd is. 'Er waren kinderen in de toren die kleine vuurtjes aanlegden. We hebben de top nooit bereikt. Toen we net begonnen de brandtrap te beklimmen, hoorden de kinderen ons en werden ze bang. Het vuur greep om zich heen, en terwijl de meeste kinderen wegrenden, was er een zo verlamd van angst dat hij bleef staan. Hij was te bang om naar beneden te gaan. Phillip en Ben gingen verder naar boven en de toren in om hem te redden. Ze bereikten de jongen, maar op de terugweg zijn Ben en Phillip elkaar kwijtgeraakt.'

Ik denk aan de jongen die zij hebben gered. Ben vertelde dat hij in Vietnam had gediend, naar huis was gekomen om een zaak te openen en een gezin had gesticht nadat hij zijn alcoholverslaving te boven was gekomen. Ze spreken elkaar zo nu en dan. Hij is nu ouder dan Phillip ooit is geworden.

Claire heeft tranen in haar ogen, en tot mijn verbazing voel ik ze ook op mijn eigen wangen. De dagen vervliegen, maar een verloren liefde verliest haar bitterheid nooit, en we worden allemaal geplaagd door momenten van spijt. Maar dat ik hier met Claire zit en mijn verhaal met haar deel, maakt de last op een of andere manier toch beter te dragen.

Claire

❦

De kou dringt door tot in mijn botten wanneer Ben me weer meeneemt naar de kade. Het water is donkergrijs, en ik voel angst in zijn boot onderweg van de Point naar Brothers Harbor. We zeggen de hele reis geen woord. Ben moet weet hebben van de onthullingen die in het huisje zijn gedaan.

Sophia schonk me haar vertrouwen en kwetsbaarheid. Ze gaf zichzelf. Ik weet niet zeker wat ik nu moet doen, maar ik hoop me dit geschenk waardig te betonen.

Terwijl Ben worstelt met de golven, die onstuimiger zijn dan anders, denk ik ook aan hem, niet alleen aan Sophia, Phillip, de verloren liefde en het verdriet. Ik vraag me af hoe Ben in de vuurtoren heeft geleefd, met de zorg voor de lichtbundel die het duister doorboort, een waarschuwing en baken voor hen die de grote wateren bevaren. Ben was Phillips beste vriend en zwager. En jaren later verloor hij ook zijn vrouw. Maar al die jaren bleef hij een vriend en vertrouweling van Sophia. Hij heeft van haar gehouden; dat weet ik. Hij heeft van haar gehouden en heeft haar de ruimte gegeven om Phillips toorts te blijven dragen, waarvoor zij beiden het leven hebben opgegeven dat zij in liefde hadden kunnen delen.

De zoute zeelucht vult mijn longen, prikt in mijn gezicht en maakt mijn ogen waterig. De zee met haar oneindige bewegingen en onpeilbare diepten. De zee waarnaast ik zo klein ben. De zee met geheimen die ze niet prijsgeeft.

'Er is storm op til', zegt Ben.

❧

'Claire? Je hebt net een telefoontje gemist', zegt Loretta wanneer ik via de glazen deuren van de *Getijdenpost* naar binnen ren om te ontsnappen aan de regen. De radio produceert kerstdeuntjes, en Loretta heeft het kantoor versierd. 'En het was je stalker niet, of hij heeft zijn stem verdraaid. Hij is weg als je hem niet heel snel terugbelt.'

'Wie was het?', vraag ik, terwijl ik mijn tas neerzet alsof hij honderd kilo weegt. De bureaustoel verwelkomt mijn vermoeide lichaam met een klagerig gekraak. 'Waar is iedereen?'

'Rob heeft een gesprek met hulpsheriff Avery, en de rest is overal en nergens. Maar die man die belde, is van een van die grote, belangrijke tijdschriften uit New York die jij altijd leest. Het tijdschrift met die heel, maar dan ook heel lange artikelen.'

Mijn gesloten ogen schieten weer open. 'Welke man? Welk tijdschrift?'

'Hier is de boodschap.'

Ik staar naar de naam, dan naar de titel van het tijdschrift en dan weer naar de naam: Harold Jacobsen. 'Waarom belt die man mij?'

'Bel terug en vraag het hem zelf. Hij stond op het punt te vertrekken voor het weekend.'

Ik kies het nummer al en vraag naar Harold Jacobsen. 'Met Claire O'Rourke.'

'Hallo, Claire. Ik ben blij dat je nog belt voordat ik wegga voor een beetje broodnodige ontspanning. Ze voorspellen schitterend weer aan de oostkust.'

'Eh ...' Het is alles wat ik kan zeggen.

'Mijn telefoontje komt vast en zeker als een verrassing.'

'Eh ... ja.'

'Ik zal het kort houden. Mij is ter ore gekomen dat jij een ingang zou hebben bij een zekere schrijfster die nog nooit een interview heeft gegeven sinds ze zich in het midden van de jaren vijftig in afzondering heeft teruggetrokken. Kun je ons een exclusief interview leveren, of in ieder geval jouw verhaal over je contact met S.T. Fleming?'

'Hoe bent u dit op het spoor gekomen?'

'Ik zou kunnen zeggen dat ik zo mijn bronnen heb, maar ik zal het je eerlijk vertellen – het was je baas. Rob McGee is mijn neef.'

'Rob?'

'Ja. Ik heb ooit geprobeerd hem naar New York te halen, maar hij is eraan verslaafd de krantenman in een klein stadje te blijven. Maar goed, ik heb natuurlijk hoge bloeddruk en maagzweren, en hij gaat drie dagen per week golfen, dus wie is hier nu eigenlijk de dwaas?'

'Eh ...', zeg ik weer.

Harold Jacobsen grinnikt. 'Ik laat je er een paar dagen op broeden. Wij willen een verhaal van tweeduizend woorden. Een interview – en dan meer dan alleen vraag en antwoord – of jouw verslag van je ervaringen. Rob vertelde me dat je ons tijdschrift kent, en hij dacht dat je deze kans daarom wel zou waarderen. De deadline is over twee weken. Wij zijn bereid je meer te betalen dan normaal en je de kans te geven om meer voor ons te schrijven als dit goed uitpakt.'

'Mag ik u terugbellen?'

'Natuurlijk. Ik ben dinsdag weer op kantoor.'

De verbinding wordt verbroken, en ik houd als verstard de hoorn tegen mij oor.

'En? Wat zei hij?', vraagt Loretta.

'Ze willen dat ik voor hen ga schrijven.'

'Wauw, dat is geweldig! Ongelooflijk! Het is waarschijnlijk zelfs nog beter dan ik me kan voorstellen omdat ik dat soort tijdschriften niet lees. Dit is vast zoiets als de hoofdprijs in de lotto of een telefoontje van Clint Eastwood zelf.'

Ik leg de hoorn neer terwijl ik het gesprek door mijn hoofd

laat gaan. 'Het zou inderdaad zoiets zijn, maar ik kan er met geen mogelijkheid op ingaan.'

Loretta tuit haar lippen en houdt haar hoofd schuin. 'Pardon?'

'Ik moet naar huis.'

Nog voordat ik buiten bij mijn auto kom, rent Loretta achter me aan, met rinkelende kerstbelletjes aan haar cowboylaarzen. 'Heb je het al gehoord?'

'Wat bedoel je?', vraag ik. De combinatie van haar cowboykleding met kerstbellen en een kerstmannenmuts is komisch. Het was me eerder nog niet opgevallen.

'Natuurlijk weet je het nog niet. Je ging meteen weg. Rob belde. Hulpsheriff Avery is onderweg om de saboteur te arresteren. Het zijn een grootmoeder en haar kleinzoon.'

'Dus toch niet Margie Stinton?'

'Het is Margie Stinton *wel*, maar dat is niet haar echte naam.'

Loretta rijdt met me mee, en we praten over de opzienbarende ontdekking terwijl de ruitenwissers heen en weer zwiepen. 'Rob heeft het uitgedokterd. Dat wordt natuurlijk ons openingsverhaal. Het is het grootste nieuws in Harper's Bay sinds ... sinds ... ik weet niet wanneer. Het is een verhaal dat zelfs helemaal teruggaat tot de schipbreuk. Rob heeft een paar ingevingen nagetrokken, en kennelijk heeft onze stichter Doc Harper het goud dat hem een rijk man heeft gemaakt, toentertijd niet echt 'geërfd'. Hij heeft het uit de *Josephine* gehaald.'

'Heeft Rob daar bewijzen voor gevonden? De *Josephine* had geen goud aan boord horen te hebben, althans niet voor zover ik erover heb gelezen. Misschien is dat mede de reden waarom het schip verging in die storm.'

'Zou kunnen.' We rijden Front Street in en zien de politiewagens. 'Margie wilde kennelijk niet alleen de vernietiging van een historische plek voorkomen, maar ook het geheim van haar grootvader bewaken. Ik verbaas me erover dat ze werkelijk gedacht heeft dat dit zou werken.'

Op het moment dat we voor het gebouw van de Historische Vereniging Harper's Bay stoppen, wordt Margie Stinton, beter bekend als mevrouw Crow, naar de politiewagen gebracht.

Memoires van Josephine Vanderook

Er is een stukje land ver weg van hier waar ik nu zit en deze woorden opschrijf. Het is een rotsachtige rand, waar aarde en water elkaar raken, een plek die me het leven schonk in een nacht, lang geleden.

Met mijn van kou gevoelloos geworden lichaam klampte ik me vast aan de rotsen die me het leven redden. De randen sneden in mijn handen en knieën waarmee ik ze krampachtig vasthield, en de golven probeerden me mee te sleuren.

Waar was mijn man die nacht? Ging hij naar de stuurhut na zijn ontmoeting met meneer Lendon? Misschien kwam hij als eerste om, of wellicht heeft hij nog lang overleefd. Hoe dan ook, uiteindelijk verloor ik hem.

Al mijn dagen zijn er momenten dat ik aan dat kleine stukje rotskust denk. Ik vraag me af hoe het eruitziet op een rustige lentedag. Ik zou de bospaden willen bewandelen om die plek terug te vinden en God daar nogmaals dank te zeggen. Ik droom daarover terwijl mijn ogen door de ramen over de straten van Boston dwalen. Ik stel me de reis voor door ons uitgestrekte land om dat kleine plaatsje te bereiken.

Ik vraag de almachtige God die plek te zegenen, allen te zegenen die daar aan de rotsen vasthouden en er hun verlossing vinden. Zegen hun levens en de levens van hun dierbaren.

Sophia

Mijn liefste Josephine ...

❧

De storm is begonnen.

Woorden uit de memoires van Josephine schieten mij weer te binnen terwijl de vroege duisternis met de vuisten van de storm tegen mijn ramen beukt en mij noodzaakt kaarsen tevoorschijn te halen, een stormlantaarn en een zaklamp. *Ik heb me nooit meer kunnen herinneren wanneer de storm precies begon.*

Tegenwoordig kunnen meteorologen met hun kaarten en computers met een zekere accuratesse zeggen wanneer bepaalde weersystemen zullen passeren. Maar niettemin verrassen die stormen ons, alsof ze luisteren naar onze weldoordachte plannen, en hun geheimen van briesje tot briesje doorvertellen, totdat uiteindelijk de storm het met een grijns hoort, zijn kop laat zwellen als een haan die zijn kam opzet en naar voren stapt om de strijd aan te gaan.

'Ik kan de storm wel aan', zei Ben voordat hij met Claire vertrok. 'Ik heb dit jaren lang gedaan.' Ik frons bij dit zoveelste voorbeeld van uitspraken van Ben die een dubbele bodem doen vermoeden, zonder dat ze duidelijk genoeg zijn om de betekenis volledig te kunnen doorgronden. Op die manier geeft hij uitdrukking aan zijn frustratie, ook al beseft hij het zelf niet. Hij denkt dat hij op die manier de vrede bewaart, maar het ergert me mateloos. Als hij zijn trots zou inslikken en het gewoon zou zeggen, en als ik mijn trots zou inslikken en het gewoon zou vragen, kwamen we misschien ergens.

Maar waar?

Het zijn vragen voor een ander moment. Ik doe de tuindeuren achter weer open – hard duwend tegen de wind die van zee en uit het noorden komt – om door het invallende duister naar de wilde golven te kijken, in de hoop een glimp van Ben op te vangen, met zijn hand aan het roer, de boeg van zijn vissersboot op en neer deinend op het water. De laatste bladeren worden van de takken gerukt en vullen de lucht met hun wilde circusnummers. Achter me hoor ik papieren van de keukentafel opvliegen en ik haast me weer naar binnen, na een nieuwe worsteling met de deur.

Josephines woorden liggen verspreid door de keuken, en de opgebolde bladzijden van het boek flapperen chaotisch. Wanneer ik kijk hoe het droogproces vordert, merk ik voor het eerst een papierrand achter in het boek op. Nadat ik de achterflap heb opengeslagen, zie ik dat het geen bladzijden zijn, maar losse, samengevouwen bladen die door het vocht achter in het boek gelijmd lijken. Ik peuter een blad los en merk dat mijn vingers trillen van ouderdom. Het papier scheurt iets in wanneer ik het opensla. In stomme verbijstering lees ik het opschrift:

Mijn liefste Josephine ...

Het is van hem. Voorzichtig vouw ik alle bladen open. De inkt is van het ene op het andere blad gelekt, en sommige passages zijn zo gevlekt dat ze niet meer te ontcijferen zijn. Andere stukken zijn daarentegen nog intact. Uit de fragmenten van de zinnen schrijf ik de woorden van het verleden over.

Mijn liefste Josephine,

Ik heb bemerkt dat dit mijn manier is om te vertellen wat er gezegd moet worden. Over enkele dagen ... Seattle om ons gezamenlijke leven in een nieuw land te beginnen. Het is altijd mijn droom geweest, en jij ... genoeg van mij te houden om ...

Ik heb in mijn leven veel fouten gemaakt. Het goud dat ons rijkdom en geluk moest garanderen in een nieuw land, heeft me verblind. We zouden nooit ... met zo'n zware lading. Vanavond zal ik tegen meneer L. zeggen dat het zo niet verder kan. Ik zet geen levens op het spel. We moeten onmiddellijk ergens binnenlopen en ... dit is mijn getuigenis van mijn diepe spijt.

... dit citaat gevonden ...

Er zijn domeinen in onszelf die we niet vaak delen,
en soms zelf niet zo goed kennen.
Domeinen van verlangen en liefde,
van bijna-vergeten dromen en onuitsprekelijke geheimen.
Soms vinden anderen deze domeinen,
en voor wie er eenmaal een glimp van heeft gezien,
is er geen weg terug meer mogelijk.

Josephine, onze liefde is bekend, al bleef ze vaak onbesproken. Er is geen verklaring voor de band tussen ons.

Ik herinner me de eerste keer dat we elkaar ontmoetten, hoewel jij het misschien niet meer weet. Het was … bibliotheek …

Wanneer ik nadenk over de reis die ons hier heeft gebracht, verbaas ik me. Wil je je dromen met mij delen? Ik heb het nodig dat je in mij gelooft. Denk je aan mij? Wil je mij nog steeds kennen? Zou je het allemaal overdoen?

Onthoud … Ik zal altijd bij je zijn. Vergeef me, Josephine. Wat wij hebben gedeeld, is niet gewoon, en het wordt niet goed begrepen. We moeten het zien vast te houden, want het is zeldzaam. En het is van ons. Van ons alleen.

Als je me kunt vergeven … God, die ons heeft samengebracht, kan ons ook de weg wijzen naar morgen.

Moge wat God ons geeft, gebruikt worden om het leven van anderen te verrijken.

Als we geen morgen hebben, hoop ik dat je weet dat ik van je houd.

Wat moet ik verder nog zeggen?

Je liefhebbende …

Het kost me een uur alles wat nog leesbaar is, te ontcijferen op de blaadjes. Dan leun ik achterover en lees ik het door. Eduard Vanderook heeft zijn vrouw voor zijn dood geschreven. De brief is samen met hem in zee verdwenen en is nooit door haar gelezen.

Claire

❦

Het belooft een zware storm te worden; regenvlagen slaan tegen de ramen en razen door de bomen. Mijn moeder haalt kaarsen en stormlantaarns tevoorschijn voor de nacht en de komende dagen. Mijn vader kromt zich tegen de wind wanneer hij Alisia's buitenspeelgoed en de vuilnisbakken in de garage zet.

Mam zet een stormlantaarn op het fornuis. 'Ik kan nog steeds niet geloven dat mevrouw Crow verantwoordelijk is geweest voor de sabotage bij de brug. Ik wist dat haar kleinzoon in het verleden in aanraking is geweest met de politie, maar mevrouw Crow zelf?'

Ik vouw was op op de bank en hervouw een paar T-shirts die Alisia heeft gedaan voordat haar interesse zich naar het raam verplaatste, van waar ze nu naar de blaadjes kijkt die door de tuin dansen. 'Ze dacht zeker dat ze de gemeenschap kon beïnvloeden door bevooroordeelde stukken te schrijven en zelfs haar toevlucht te nemen tot sabotage. Alles om het afbreken van de oude brug maar te voorkomen.'

'Je kunt verandering niet tegenhouden. Zit ze in de cel?', vraagt mijn moeder.

'Ze hebben haar tot de hoorzitting vrijgelaten.'

'Trouwens, over hoorzittingen gesproken, het ziet er goed uit voor Conner.'

'Wat bedoel je?'

'Dat ik je dat nog niet heb verteld! Maar het is natuurlijk nog niet zeker.' Mijn moeder gaat zachter praten, zich altijd bewust van het feit dat Alisia meer oppikt dan wij denken. 'De advocaat heeft gezegd dat een zeker iemands echte vader heeft opgebiecht wat er gebeurd is.'

'En wat betekent dat voor Conner?''

'Dat weten we nog niet precies, maar het is heel gunstig voor hem; dat staat wel vast.'

'Wanneer heb je dat gehoord? Je had me op mijn mobieltje moeten bellen.'

Ze vertelt alle details van het telefoontje laat in de middag en biedt dan haar excuses aan – het nieuws over mevrouw Crow en de stormwaarschuwingen. 'Claire, ik wilde nog iets tegen je zeggen. Je doet het echt heel goed met Alisia. Ik ben trots op je, en Conner zal trots zijn wanneer hij vrijkomt. Ik zou niet weten hoe we het zonder jou hadden moeten doen.'

Ik wil net antwoord geven wanneer Alisia uitroept: 'Tuinmeneer!' en naar buiten wijst, naar het beeld van Griffin, dat op zijn zij ligt en een deel van een bloembed heeft geplet.

'Opa zorgt wel voor Tuinmeneer', zeg ik, en ik haal haar bij het raam weg.

'Tante Claire, vasthouden', zegt ze met haar armen naar boven gestrekt. Ik vind het heerlijk als ze dat zegt.

'Het is goed, lieverd. Ik houd je vast. We zijn veilig.' Ze nestelt zich in mijn armen, pakt een haarlok van me beet en windt die om haar vinger, eerst naar de ene kant, dan naar de andere.

De nacht valt, en er is storm op til.

❧

Sophia

Mijn plotselinge verlangen deze opmerkelijke brief aan Ben te laten zien herinnert me eraan hoe laat het al is. Mijn ergernis begint in bezorgdheid om te slaan. Ik stap over de papieren van Josephines memoires die als neergestorte vliegers op de vloer liggen en hoop Bens rode pet en flanellen jas te zien, zijn hoofd voorovergebogen tegen de wind terwijl hij van de vuurtoren naar mijn huis loopt. Hij is vast en zeker teruggekomen zonder dat ik het gezien heb; ik heb nauwelijks zicht op het water, en hij is in een tel voorbij. Dit is maar een van de rationele verklaringen die ik verzin voor het feit dat hij niet in zijn stoel bij het vuur zit om thee te drinken en vol ontzag naar de brief van Eduard te kijken.

Ik doe de voordeur open en trotseer de kou die steeds kouder aanvoelt. Kan de temperatuur echt zo snel dalen? De eerste druppels ontsnappen aan de sinistere, grijze wereld boven mij.

Ik maak me nu grote zorgen.

Als hij er over een halfuur nog niet is, ga ik naar de vuurtoren om te kijken of hij daar zit. Zo niet, dan kan ik zijn radiozender gebruiken. Misschien moet ik vanavond dankbaar zijn voor al die oefeningen voor het geval dat er zich een noodsituatie voor zal doen (de enige manier om te verhinderen dat hij telefoon laat aanleggen naar de Point).

Misschien wilde zijn motor niet starten, en is hij in de stad gebleven. Hij zal dit weer toch niet trotseren om terug te keren naar de vuurtoren? Hij weet dat ik me wel red.

Maar hij zou zich te veel zorgen maken en toch proberen hier te komen. Ben Wilson zou niet in de stad blijven overnachten en mij hier achterlaten, niet zonder het te melden, niet tijdens een storm. Hij zou proberen me te bereiken. En dat is precies waarover ik me zorgen maak.

❦

Claire

Wanneer de telefoon zo laat nog gaat, is dat verontrustend. Ik vind het toestel na enig gegraai en bedenk dat ik het doordringende geluid moet smoren voordat er iemand wakker wordt. Alles om me heen is wazig, en ik voel me gedesoriënteerd.

'Claire, met Griffin.'

'Wat is er aan de hand?' Een plotselinge golf van angst maakt me klaarwakker. Ik hoor de storm buiten met zijn grimmige vuisten beuken.

'Ben Wilson wordt vermist. Mevrouw Fleming belde vanuit zijn vuurtoren. Ik ga erheen. Ik dacht dat je het wel zou willen weten.'

'Kom me halen.'

Hij zwijgt even. 'Goed.'

Mijn vader wacht naast me bij de deur en wil met ons meegaan, maar mijn moeder is bang voor storm, en met Alisia in huis dring ik erop aan dat hij thuis blijft.

'Als het ernstig is, bel ik', beloof ik hem.

Zodra de koplampen van Griffins auto op de oprit verschijnen, pak ik de rugzak met flessen water, zaklampen en een deken aan die mijn vader me aanreikt, hoewel ik niet weet hoe die attributen ons moeten helpen Ben te vinden.

De wind zwiept de deur open, en ik hoor een gil achter me. 'Niet weggaan, tante Claire!' Alisia staat in de gang, met haar nachtpon bijna tot op de grond en haar haar verward van de slaap. Ze rent naar me toe en slaat haar armen om mijn benen.

'Ik kom echt heel gauw terug', zeg ik. Ik probeer snel weg te komen, maar besef ook hoe het er voor haar moet uitzien. Weer iemand die in de nacht verdwijnt. 'Griffin past wel op mij. Hij brengt mij terug, goed?'

Ik buk tot haar hoogte en streel haar gezicht terwijl de wind haar haren laat wapperen. 'Ik houd van je, Alisia. En ik kom snel terug, goed?'

'Go-ed', zegt ze met een trillende lip. 'Ik houd ook van jou.'

De wind rukt en trekt aan me wanneer ik naar de auto ren. Regenvlagen en kou slaan in mijn gezicht.

'Wat is er gebeurd?' Het was de kwellende vraag die ik aan de telefoon vergat te stellen.

Griffin rijdt achteruit en drukt het gaspedaal vervolgens dieper in dan hij met dit weer zou moeten doen, zijn handen stevig om het stuur geklemd en zijn ogen strak op de weg gericht. De dashboardverlichting is net genoeg om de zorgelijke rimpels in zijn voorhoofd te zien.

'Mevrouw Fleming gebruikte Bens radio in de hoop te horen dat hij in de stad was gebleven. Maar toen ze in de haven keken, lag zijn bootje er niet. Daarop werd een zoek- en reddingsoperatie op touw gezet. Een vriend van mij zit in het team en belde me. Hij zei dat ik met een van de reddingsboten kon meevaren. Misschien kunnen we jou bij mevrouw Fleming brengen. Zij is waarschijnlijk doodongerust.'

'Daar kun je wel van uitgaan.' Ik denk aan Sophia, bang en bezorgd op de Point.

En aan Ben, lieve Ben, ergens in de storm.

We komen aan bij het kantoor van de havenmeester en banen ons een weg tussen de politiemannen, zoek- en reddingsteams en andere vissers door. Ze kijken op kaarten, controleren scheeps-logboeken en weersverwachtingen, drinken koffie. De radio kraakt, en iemand praat te hard in een mobiele telefoon. Ik herken een paar mensen uit de kerk, die koffie en thee serveren. Ik grijp Griffins jas vast en kronkel met hem mee totdat hij zijn vriend Bobby vindt.

'Hoe gaat het?', vraagt hij met irritatie in zijn stem.

'De storm is nog te hevig om een team uit te sturen', zegt Bobby, die mij aankijkt wanneer ik naast Griffin kom staan. 'Sorry, Grif, ze kunnen het gewoon niet riskeren. Mijn kapitein kan zijn mensen niet aan een dergelijk gevaar blootstellen. Misschien kunnen we het over een paar uur proberen. Op dit moment waait er een volle orkaan over het water.'

'Weten ze zeker dat hij op zee is?'

'Een paar mensen hebben hem zien vertrekken, tegen vijf uur.'

Ik kijk op mijn horloge; het is één uur in de nacht.

'Ik blijf hier niet zitten toekijken', zegt een stem naast ons. Kap Charlie knoopt zijn regenkleding met vastbesloten vingers dicht. 'Wij, oude dwazen, laten ons er niet door staatsverordeningen van weerhouden een oude vriend te redden. Wij kennen deze wateren beter dan onze broekzak.'

'Ik ga mee', zegt Griffin, die een knikje van Kap Charlie krijgt.

'Kunnen jullie me naar Sophia brengen?', vraag ik.

De twee mannen kijken elkaar aan.

'Het spijt me, Claire. Het is te ruig weer om een boot zo dicht bij Bens aanlegsteiger te krijgen.'

'Ik denk dat ik je wel kan brengen', zegt Bobby. 'We gaan over land. Het zal een moeilijke rit worden, maar met de terreinwagen haal ik het wel. Die mevrouw moet daar deze nacht niet alleen blijven. En zodra het weer het ook maar een beetje toelaat, kan ik dan beginnen de kustlijn te inspecteren.'

'Fantastisch', zeg ik, zielsgelukkig dat ik Sophia zal kunnen bereiken. Maar ik besef ook waar Bobby naar zal zoeken langs de kustlijn.

'We gaan', zegt Kap Charlie.

Griffin en ik draaien naar elkaar toe. 'Wees voorzichtig', zeggen we tegelijk. Ik voel me een beetje opgelaten om deze dooddoeners op dit moment.

Hij pakt mijn handen, die in handschoenen zitten, maar zijn greep intens voelen.

Ik knik en zou hem het liefst blijven vasthouden. Dan is hij verdwenen, en loop ik achter Bobby aan.

We gaan allemaal recht op de storm af.

❧

Sophia

Het is alsof ik uren heb zitten rillen hier naast de radiozender, wachtend op nieuws. De duisternis kwam me omhullen, op de reflectie na van de lichtbundels die boven me ronddraaien. Ten slotte sta ik op om de lamp aan te doen en een vuur aan te leggen in de houtkachel. De kilte verdwijnt uit het woongedeelte van de vuurtoren, maar het rillen gaat door.

Ben is ergens daar buiten. Ik heb het al koud tussen deze muren, en Ben is daar buiten.

Nu ik hier zit, besef ik dat ik nog nooit zo lang bij Ben in huis ben geweest. Hij komt naar mijn huis en heeft daar een stoel die van hem is. Natuurlijk ben ik wel in de vuurtoren op bezoek geweest, maar nooit heel lang. Nu kijk ik naar de plek waar hij woont en bestudeer ik de man die hij is wanneer hij niet bij mij zit.

Hij is tamelijk netjes en georganiseerd. Voor de deur naar de bijkeuken staat een extra paar laarzen; wollen sokken drogen op een rek naast de houtkachel. Aan de andere kant van de kamer staan een televisie en een videorecorder waarop we nu en dan films hebben bekeken. De keuken is schaars voorzien van gerei en voorraden. Hij heeft niet veel nodig en slaat geen grote voorraden in naast de belangrijkste basisvoorzieningen. Een paar potten en pannen, diverse borden en glazen en een setje bestek.

Voor de rest tijdschriften, zijn bijbel, boeken, meer boeken dan ik had verwacht. Ik sta op en inspecteer zijn boekenkast, waarin ik mijn beide romans vind. Ik pak ze van de plank en zie afgescheurde stukjes papier die pagina's markeren. Op de bladzijden heeft hij passages onderstreept en in de kantlijn opmerkingen gemaakt. Hij heeft me ooit verteld dat hij mijn boeken gelezen had en zei toen dat hij het tweede boek beter vond dan het eerste. Ik had het afgedaan als zijn manier om mij aan te moedigen. Waarom heb ik er niet met hem over gepraat? Waarom heb ik hem niet gevraagd wat hij van de verhalen vond, vooral omdat het eerste boek gebaseerd was op onze jeugd?

Terug in zijn stoel snuif ik de geur van Bens vuurtoren op. Op tafel liggen de bladen van Josephines memoires en het nieuwe papier, de brief van Eduard aan zijn vrouw, die zij nooit ontvangen heeft. Ik had ze meegenomen en had me voorgehouden dat Ben hier zou zijn wanneer ik kwam – en hoe geërgerd ik ook zou zijn omdat ik me zo veel zorgen had gemaakt. We zouden gaan zitten en over de opmerkelijke vondst praten. De woorden van Eduard hebben hun betekenis behouden – in de zin dat hij ze te laat heeft geschreven.

Een grote vrees vervult me. Ik zou een christelijke vrouw moeten voorstellen. Een vrouw van gebed. Maar nu de storm deze muren geselt en mijn Ben in zijn greep houdt, voel ik dat de wanhoop mij overvalt. Deze gekmakende eenzaamheid. Mijn gebeden blijven in mijn keel steken en wurgen me bijna.

Iets in de wind en regen wordt luider, een grommend geluid – een aardbeving of een vloedgolf? De angst verlamt me. Het geluid wordt nog luider, en dan herken ik het – een auto. Holiday en Matilda springen van hun kleden en beginnen te blaffen. Voordat ik kan opstaan, wordt er geklopt en zwaait de deur met de wind open.

'Sophia!', roept Claire uit.

'Hebben ze hem gevonden?'

'Nee, nog niet. Gaat het met jou?'

Dan slaat ze haar armen om me heen en val ik als een kind in moeders armen tegen haar aan. De opluchting vanwege haar aanwezigheid vervult mij al, terwijl de deur de storm nog gierend naar binnen laat.

Maar Ben is nog altijd daar buiten.

Mijn kortstondige opluchting maakt plaats voor nog grotere zorg.

❧

Claire

Het onstuitbare *tik-tak* wordt luider, en de oude koekoeksklok versterkt de stilte in de kamer als een druppelende kraan.

Om wat afleiding te hebben praten we over de brief. Als we ons niet zo veel zorgen maakten, zou ik gefascineerd zijn door de vondst. Een stapel papieren herbergt de woorden van Josephine, en dan volgt Eduards brief, als de openbaring van wat zij hebben gedeeld en verloren, en hopelijk hebben hervonden aan gene zijde van dit leven.

Het vuur gaat bijna uit terwijl wij voor ons uit staren en ons zorgen maken. Plotseling kruipt de kou naar binnen, alsof die in de schaduw heeft gewacht om ons onverhoeds te kunnen overvallen. Ik kijk naar Sophia, die in de tanende vlammen staart, maar niet beweegt wanneer ik het vuur oprakel.

De storm slaat tegen het huis. Ik voel iets als schuld, omdat ik binnen zit in de warmte, terwijl Griffin, Kap Charlie en Bobby buiten naar Ben zoeken. En dan is Ben er zelf nog. Iedere *tik* en *tak* herinnert aan het verlies.

Koffie en soep staan te wachten, en er is dus niets meer om ons mee bezig te houden. Wanneer het tegen drieën loopt, merk ik dat Sophia in zichzelf keert en in een diep stilzwijgen vervalt. Ik probeer iets te bedenken om te zeggen, maar niets lijkt gepast op dit moment. Daarop probeer ik iets te verzinnen om te doen, maar alle energie ontbreekt me.

Tik-tak. Het vogeltje ontwaakt, komt uit het deurtje en tsjilpt het uur, dat nog ver af is van de winterse zonsopgang. Ik wil buiten zijn, midden in de storm, om mee te zoeken. Dit binnen zitten *tik-takken* maakt me stapel.

God, help ons, help hen, help Sophia. Alstublieft, help Ben. Op zulke momenten vergeten we de fraai verwoorde en gestructureerde gebeden.

Beiden springen we op wanneer we een voertuig horen.

'En?', vragen we tegelijk wanneer Bobby naar binnen komt.

'Niets', zegt hij verslagen. Hij warmt zich bij het vuur, drinkt een kop koffie en praat een poosje via de radio. We luisteren ongeduldig mee of er nieuws is. De *Melinda Rose* heeft zich vanuit de duistere nacht gemeld met niets anders dan een verslag van het slechte weer.

Hij zwijgt even. 'Kap Charlie meldt zich bij het team', zegt Bobby. Hij luistert verder. 'Ze hebben Bens boot gevonden.'

Sophia

❦

Er zijn tijden dat je zou wensen je geheugen kwijt te zijn. Tijden waarop de vergetelheid van slaap en bewusteloosheid je ontsnappen. Momenten waarop de waarheid te pijnlijk is om onder ogen gezien te worden.

De storm huilt nog, maar is voldoende afgenomen om het zoek- en reddingsteam zijn kamp bij de vuurtoren te laten opzetten. Het geluid van stemmen, voetstappen, ruisende regencapes en ritselende kaarten heeft de stilte naar de donkere hoeken verjaagd. De uitputting slaat soms toe, maar de waarheid die ik op hun gezichten afgetekend zie, gaat dieper dan mijn vermoeidheid. Velen die de storm in gaan, geloven dat het niet meer om een redding draait, maar om een berging.

Ik overleef dit niet. Ben verliezen. Ik overleef het niet.

Griffin is een uur geleden aangekomen, zijn gezicht vertrokken van bezorgdheid en verdriet om het schouwspel van Bens verlaten boot die op de rotsen was geslagen. Hij houdt evenveel van Ben als ik; ik kan het aan zijn gezicht zien. Claire heeft hem koffie en soep gebracht, maar hij heeft het nauwelijks aangeraakt terwijl hij de laatste berichten beluisterde en zich voorbereidde om aan zich te sluiten bij het team dat de kustlijn afzoekt.

'Ga nu maar', zeg ik tegen Claire, me bewust van haar worsteling tussen actie ondernemen of hier blijven voor mij. Met een beetje aanmoediging gelooft ze dat ik het wel red zonder haar, maar zodra ze in die kolkende duisternis is verdwenen, wil ik haar wel terugroepen. Wat heb ik gedaan door haar de storm in te sturen, die met zijn snelle, grijpgrage armen levens steelt waar hij maar kan? Ik loop snel naar het raam en zie hen achter op de terreinwagens springen. Claire zit achter Griffin. Even wordt haar profiel verlicht door de lichtbundels van een andere wagen. Ze ziet er bang maar vastberaden uit. Net als eerder doet ze me denken aan een andere jonge vrouw die met een storm te maken kreeg op Orion Point.

Gebeden hebben nog nooit zo onbeduidend, maar tegelijkertijd nooit zo noodzakelijk geleken als nu.

❦

Claire

Ik had me de enorme woede van de storm niet kunnen voorstellen. Wind en regen slaan als kleine steentjes, gierend en huilend, tegen mijn huid. De morgen moet in aantocht zijn, maar er is weinig te zien, op een paar contouren na in het licht van de koplampen.

Ademloos en uitgeput houd ik me aan mijn stoel vast terwijl we over het ruige terrein hobbelen, en zoek ik door mijn nachtkijker naar alles wat aan de kust of in het water maar afwijkend lijkt in het licht van mijn schijnwerper.

De terreinwagen stopt abrupt, en Griffin schreeuwt iets wat verloren gaat in de wind. Ik kijk naar de schuimende, grijs kolkende massa van de branding die tegen de rotsen slaat.

'Wat?', schreeuw ik naar zijn oor.

'Een vuurbaak.'

Griffin wijst, maar ik zie niets. Met mijn gezicht dat nat is van de regen en het opspattende zeewater, tuur ik de verte. We zijn uit de terreinwagen gestapt, die met draaiende motor blijft staan. Griffin grijpt de radio en loopt in de richting van de rotsen. Plotseling is er een rood licht te zien.

'Ja, daar', roep ik. Ik zoek een weg ernaartoe en zoek naar andere bewegingen dan die van het water.

Wanneer ik omkijk, zie ik dat Bobby achter onze wagen stopt. Ik ren om Griffin in te halen. Hij springt, glijdt over de rotsen en roept naar achteren: 'Voorzichtig, Claire. Pas op voor ...' Zijn woorden verwaaien weer. Ik volg de rotsblokken en spleten die hij neemt, maar langzamer, onzeker en struikelend.

Griffin staat op de top van een grote rots, waar nog een rood vuurbaken oplicht. Ik haal hem in en buig voorover, met steken in mijn zij en buiten adem. De grijze massa is lichter geworden, en de zee en de rotsen zijn zichtbaar, hoewel de duisternis heer en meester blijft.

'Ik zie hem niet, maar hij moet ze hebben aangestoken!'

'Daar is er nog een, beneden', roep ik. Dan zie ik er een die gedoofd is en op de golven van ons weg dobbert. Het wordt vloed.

'Ze blijven twaalf uur branden. We moeten alle grotten controleren, en Bobby kan iemand het bos in sturen. Misschien is hij op weg naar het huis van Sophia. Het pad dat we hebben gereden, leidt naar haar huis. Zeg tegen Bobby wat hij moet doen als hij komt. Ik ga hier alvast rondkijken.'

Ik zie Griffin afdalen en heb het gevoel dat de hardere stormvlagen me van de top van de rots zouden kunnen tillen. Bobby komt naast me staan, en ik vertel hem Griffins plan. Daarna daal ik voorzichtig tussen de rotsblokken af naar de getijdenpoelen en haal onderweg mijn handen open aan het scherpe, poreuze gesteente. De grotere rotsen vormen holten en grotten waarin iemand kan aanspoelen. Ik bereik Griffin die gestopt is om een paar rotsen te onderzoeken. We schijnen met onze zaklampen in de holten en eromheen en blijven dicht bij elkaar. Er loopt een diepe jaap over Griffins gezicht.

'Alles in orde?', vraag ik, zijn wang aanrakend.

Hij fronst verward. Ik denk dat hij terugdeinst voor mijn aanraking, maar hij inspecteert een nauwe spleet.

'Ik denk dat ik hem zie.' Hij kijkt me aan, en de uitdrukking op zijn gezicht doet me verstarren van angst. 'Blijf daar.' Hij aarzelt even en laat zich dan over de zwarte rots in de donkere grot erachter vallen.

Een paar tellen is hij uit het zicht, opgenomen in de schaduw aan de achterkant van het grote rotsblok, maar dan sopt hij snel door de getijdenpoelen, terwijl de golven blijven opdringen, en spatwater over zijn rug suist.

'Haal Bobby!', roept hij alvorens hij weer in de schaduw van de nauwe grot verdwijnt.

'Leeft hij?', roep ik in de wind die mijn woorden uitwist. Mijn voeten zijn als verlamd wanneer ik Griffins instructies hoor, en angst om wat de volgende momenten zullen onthullen, overweldigt me. Kou en schrik snijden mijn adem af, en een ogenblik raak ik gedesoriënteerd. En ik ben niet de hele nacht hier buiten geweest, zoals Ben. De uitputting slaat genadeloos toe, en ik wil me het liefst op deze rots oprollen en door iemand laten redden. *Denk je eens in dat Ben misschien de hele nacht in die grot heeft doorgebracht.*

Ik herinner me dat Josephine Vanderook op deze zelfde rotsen aan land kwam, misschien wel precies hier. Er zijn hier meer levens verloren gegaan. Bleke, verwrongen lichamen die als drijfhout op de kust werden geworpen. De vreselijke strijd om adem en de macht waarmee het uit de longen werd gestolen.

God, help ons.

Hoeveel stemmen hebben deze woorden niet als laatste smeekbede uitgesproken? Even lijken de lichamen terug te keren, met omhoog reikende armen die weer in de golven verzinken, terwijl het getij stukken en brokken van het schip op de kust werpt.

Ik zie Bobby's blauwe gebreide muts verschijnen vanuit de richting van de terreinwagens. Ik zwaai en ren naar hem toe.

'Griffin heeft hem gevonden! Hij heeft hulp nodig.'

'Waar?'

Ik wijs naar de uitstekende rotspunt.

'Leeft hij nog?'

'Weet ik niet.'

'Ik kom zo terug.' Bobby verdwijnt in de grot. Ik probeer hem te volgen, maar een vlaag ijskoud water slaat over mijn hoofd en haar.

Bobby verschijnt zo plotseling voor me dat ik een gil geef.

'Claire, roep hulp op met de radio. Hij leeft nog!'

Sophia

❦

Slangen en machines, piepgeluiden en oplichtende cijfers. Die onmiskenbare ziekenhuislucht. Ik kom de kamer voorzichtig binnen, bang dat er geen plaats zal zijn voor opluchting.

Het is niet de Ben die ik ken, met zijn holle wangen, doodsbleke huidkleur, donkerder ouderdomsvlekken en grijze haren die tegen zijn hoofd geplakt zitten. Pas wanneer ik in de stoel naast hem ben gaan zitten, komt de stroom van emoties los. De snikken schokken door mijn borst totdat ik nauwelijks meer kan ademhalen, hoewel ik vecht om mijn zelfbeheersing terug te krijgen.

De artsen beloven niets. De ziekenhuisregels hebben mij weggehouden van de intensive care, totdat een massa steuntroepen de zusters ertoe wist te bewegen mij een beetje tijd bij hem te gunnen. Wanneer ik zijn hand vastpak, krijg ik onwillekeurig het gevoel dat hij al is heengegaan, zo koud en slap voelen zijn vingers aan. Maar ik houd ze vast en huil om deze man van wie ik heb gehouden, maar die ik toch niet genoeg heb liefgehad. Ik huil om mijn koppigheid en mijn angst dat ik hem op een dag zou verliezen – een angst die ervoor heeft gezorgd dat ik hem nooit zo heb liefgehad als ik had gekund. Ik huil om Phillip en Helen, om dierbare jaren en jaren van verdriet. Het is alsof ik genoeg tranen kan plengen om een oceaan te vullen, waarin we zouden verdrinken, of die ons zou helpen zwemmen.

❦

Het lijkt er niet op dat Ben vooruitgaat, maar de artsen zeggen dat het wel zo is. We komen en gaan in ploegen. Ik slaap bij Claire in huis en word voortdurend door haar bemoederd, terwijl de omgang met de kleine, lieve Alisia mij een genadige rust schenkt. Wanneer ik wakker schiet uit mijn woelige slaap, weet ik even niet waar ik ben – de geuren en geluiden zijn niet de mij vertrouwde, maar ze jagen me geen angst aan. Dan weet ik het weer: we gaan naar het ziekenhuis. Ik houd Bens hand vast, lees hem voor. En bij dat alles bid ik voortdurend. De tijd vervaagt.

Dan komen de woorden waarop we gewacht hebben, de woorden die me hoop geven op een tweede kans: 'Hij is wakker.'

'Zie ik er zo beroerd uit?', zegt Ben wanneer ik binnenkom en begin te huilen.

'Nog erger.'

'Ik heb nagedacht.' Hij praat langzaam en met zijn ogen dicht.

'Dus dat was je aan het doen. En wij ons maar zorgen maken.'

Zijn glimlach en knikje maken me aan het lachen. 'Ik had ook wel wat tijd in die grot. Maar waar ik over heb nagedacht, was hoe het kan dat de jaren zo snel voorbijgaan.'

'Daar denk ik iedere dag aan. Het zal je goed doen te horen dat ik de vondsten heb ingeleverd. Er is heel wat voor jou om in te halen.' Ik probeer nieuwe tranen tegen te houden wanneer ik bedenk dat ik hem bijna was kwijtgeraakt. 'Schiet dus op en word beter.'

'Ik wil graag dat je met me trouwt, Sophia Teresa Fleming.'

'De medicijnen stijgen je naar het hoofd', zeg ik, maar dan pak ik zijn hand. 'Jij zult misschien een hartaanval krijgen, of ik krijg kanker wanneer we eindelijk bij elkaar zijn, en ook al zeg je dit onder invloed van medicijnen, toch wil ik met je trouwen, Benjamin Harvard Wilson.'

Hij glimlacht lang zonder iets te zeggen, en de tranen lopen over zijn wangen. Ook ik huil weer.

'Ook al zouden we alleen maar dit moment hebben, zouden we daar niet gelukkig mee zijn?', zegt Ben. 'We moeten niet met de angst leven voor wat uiteindelijk zou kunnen gebeuren. De ouderdom komt nu eenmaal met gebreken. Maar we hebben het heden. En we hebben de eeuwigheid wanneer het leven echt begint.

'Jij hebt een behoorlijk stormpje overleefd.'

'Het is iets wat ik nooit meer zal vergeten.'

GETIJDENPOST

TEGENSTREVER VAN VERANDERING GEARRESTEERD

Mevrouw Hilda Crow is afgelopen week gearresteerd en heeft ingestemd met een interview door hoofdredacteur Rob McGee van de *Getijdenpost*. 'Ik zal de beschuldigingen aanvechten. Ik heb alleen maar gedaan wat iedere goede burger van Harper's Bay zou moeten doen', aldus mevrouw Crow.

Openbaar aanklager Roberts heeft gezegd dat mevrouw Crow vijf tot zeven jaar gevangenisstraf kan krijgen.

HERSTEL NA ZWARE STORM

De inwoners van Harper's Bay hebben de schade geïnventariseerd die de orkaan van maandag heeft aangericht. Omgevallen bomen hebben diverse wegen versperd en bovengrondse elektriciteitsleidingen vernield, waardoor honderden mensen enkele dagen zonder stroom hebben gezeten.

Claire

❦

Mijn auto loopt prachtig soepel, en geen hikje of stotter herinnert nog aan de avond waarop hij me in de steek liet. Ik werk aan het verhaal over Sophia, met haar hulp zelfs. Het tijdschrift in New York wil een kladversie zien om de voortgang te kunnen peilen. Mijn broer wordt zeer waarschijnlijk volgende week vrijgelaten.

En toch vraag ik me af waarom God alles niet volkomen duidelijk maakt. Daar ga ik weer. Terug naar de oude vragen en tobberijen. Je zou denken dat je op een bepaald moment een zodanig geloofsniveau bereikt dat dergelijke terugvallen niet meer voorkomen. Ik probeer het.

Toen ik laatst langs het park reed, zag ik een vader en zoon frisbeeën met hun hond. Het duurde even voordat ik doorhad wie het waren. Ik had hen sinds de begrafenis van mijn vriendin Carrie niet meer gezien. Het beeld van die twee, zonder de vrouw en moeder die erbij zou zijn geweest als ze niet zo jong aan een vreselijke ziekte was overleden, deed me weer aan Carries laatste woorden voor mij denken.

Ik denk dat ik nu iets beter begrijp dat het in het leven meer om het geloof, de liefde en het zoeken van ons ware tehuis moet gaan.

En dus heb ik mijn auto ingepakt om een paar dagen langs de kust te gaan rijden. Een paar dagen die me misschien een perspectief geven ... een richting ... iets.

Impulsief besluit ik eerst door Rooftop Road te rijden, waar ik voor het huis van Griffin stop. Ik kijk naar het geamuseerde gezicht van de metalen superheld die de rood-zwarte wereldbol vasthoudt, en loop naar de veranda. Griffin doet open op het moment dat ik mijn hand hef om aan te kloppen. Hij is in zijn werkkleding – een verschoten overall en een lashelm met masker dat hij nu omhoog heeft staan.

'Hoi', zegt hij. 'Ik was net even naar binnen om een glas water te drinken toen ik je zag aankomen.' Dan herinnert hij zich kennelijk dat hij een helm op heeft, die hij snel afdoet, zodat zijn haar overal op zijn hoofd overeind staat. Ik glimlach, en hij geneert zich een beetje.

'Ik ga een paar dagen de stad uit en kwam even langs om ... om gedag te zeggen, dus.'

'O.' Hij kijkt naar de auto, waarin heel wat meer is ingeladen dan ik voor een paar dagen nodig zal hebben: koffer, laptop, boeken, tijdschriften, eten en water, voor het geval ik ergens vastloop. 'Wat ga je dan doen?'

'Een soort kleine pelgrimstocht', zeg ik met een grijns. Ik kijk naar de haal over zijn gezicht en bedenk dat hij er een litteken aan zal overhouden. Die nacht in de storm heeft ons beiden veranderd, dichter bij elkaar gebracht, maar ik weet nog niet precies wat dat betekent. 'Ik rijd naar het zuiden, naar de stad, om een paar mogelijkheden op een rij te zetten. Ik weet het eigenlijk nog niet.'

Hij knikt en vraagt naar Conner.

'Hij komt waarschijnlijk volgende week vrij. Hij zal zijn intrek wel nemen in de kleine bungalow achter het huis van mijn ouders.'

'Die oude uitvindersstudio van je vader?'

'Precies.'

'Nou, ik ben hier waarschijnlijk aan beelden aan het werk, als je me zou willen of moeten spreken.'

We horen gekraak, een kreun en een langer gekraak. Onze ogen draaien naar de grote superheld in de voortuin. En in slow motion, zo lijkt het, zien we de grote globe in de handen van de metalen man heen en weer wiebelen. We staan erbij en staan als aan de grond genageld. Het is alsof hij tot leven is gekomen en voorzichtig, heel voorzichtig de wereld in zijn handen neemt en loslaat.

Boven op mijn auto.

Griffin kijkt verbijsterd, geschokt, vol ongeloof, en mijn gezicht zal niet veel anders uitdrukken. We rennen de trap af en langs de glimlachende reus naar mijn auto. De aardbol heeft zich lekker op mijn motorkap geïnstalleerd.

'Ik was al bang dat de storm die lassen beschadigd zou hebben. Ik wilde het vanavond controleren', zegt Griffin ontzet. 'Die superheld was een van mijn eerste projecten, toen ik nog niet zo'n geweldige lasser was.'

We staren naar de auto, de aardbol, naar elkaar en weer naar de auto. En plotseling barsten we in lachen uit.

'Dat heb je met opzet gedaan', zeg ik.

'Ik zou willen dat het zo was, maar ik had het niet zo perfect kunnen plannen.'

'Ik heb mijn teken uit de hemel gekregen.'

We lachen nog harder.

Er komen buren naar buiten lopen om te kijken wat er aan de hand is, en ik sla dubbel van het lachen totdat het pijn doet.

Gods wegen zijn soms werkelijk ondoorgrondelijk.

Soms onthult Hij ze stukje bij beetje, over een lange tijd, en soms ook is zijn aanwijzing ronduit bizar, maar wel direct en overduidelijk.

Ik denk dat ik weer gestrand ben.

GETIJDENPOST

RAADSEL SCHIPBREUK NA HONDERD JAAR OPGELOST

Na bijna honderd jaar zijn de raadsels omtrent het lot van de Josephine eindelijk opgelost.

De *Getijdenpost* heeft, in samenwerking met de wetenschappers van het *Geschiedeniskanaal*, ontdekt wat de oorzaak is geweest van de fatale schipbreuk tijdens de stormnacht. Vondsten van de zeebodem, getuigenissen van overlevenden, onthullingen uit de memoires van Josephine Vanderook en het scheepslogboek ven Eduard Vanderook, alsmede brieven die met toestemming van de voormalige museumconservatrice Hilda Crow zijn gebruikt, vormen het omvangrijke materiaal voor de reconstructie van de ondergang van het schip, waarbij 62 mensen de dood vonden.

Op de avond van 17 november 1905 voer het schip van San Francisco naar het noorden, op koers naar Seattle. Het was overbeladen met een illegale lading goud, toen het in de storm terechtkwam. Een mogelijk meningsverschil tussen de scheepsbouwer Eduard Vanderook en de kapitein van het schip kan de aanleiding zijn geweest voor de fatale poging om Harper's Bay te bereiken, waar het schip voor Orion Point op de rotsen is gelopen. Onder de redders uit de stad was de jonge Doc Harper, die zich het goud later heeft toegeëigend.

Amanda Rivans, woordvoerster van het *Geschiedeniskanaal*, verklaarde: 'Hoewel we onze bevindingen gewoonlijk geheim houden, was hier sprake van een unieke situatie, waarin we bijzonder aangenaam met de lokale bevolking hebben samengewerkt. Het hele verhaal met al onze bevindingen zal volgend jaar in de herfst worden uitgezonden.'

Sophia

Ze zijn weer op bezoek geweest. Sinds de nieuwe brug open is, komt Claire een paar keer per week, soms samen met Griffin, haar ouders of haar broer en Alisia; dat hangt van de dag af. Ik raak gewend aan gezelschap, vind het leuk dat ze komen en geniet ervan gastvrij te zijn.

'Wie zou dat ooit hebben gedacht?', zegt Ben verbaasd. Ik heb hem nog meer verrast door met hem naar de bioscoop te gaan, ook al hebben we dat nog maar twee keer gedaan.

Vandaag maken we onze wandeling langs de zee. Claire wijst de zeesterren in de getijdenpoelen aan voor Alisia; daarna hoor ik haar iets vertellen over een schipbreuk en de vrouw die lang geleden op deze zelfde rotsen werd gevonden.

Ben pakt mijn hand, zoals altijd bezorgd over het ruige terrein. Hij glimlacht terwijl hij de gouden ring aan mijn vinger ronddraait. De laatste tijd zoekt hij ook weer bloemen en plukt hij de blaadjes één voor één af totdat hij eindigt met 'ze houdt van mij'.

Ik denk vaak na over de levens die vóór mij kwamen en die na mij zullen volgen. Ik vraag me af wat ik nalaat, of mijn gebeden en mijn woorden genoeg zijn geweest, of ook maar één persoon zal willen weten wie ik ben. We zijn eigenlijk niet bedoeld voor deze aarde. Ons dossier wordt elders geschreven en duizend keren opnieuw verteld. Misschien maken we allemaal wel deel uit van alle verhalen, als kleine partikels. Alle levens die uiteindelijk aan het licht komen door het vertellen.

Uit verdriet, besprenkeld met tranen, groeit iets van grote schoonheid, als een zouttuin. Dat is wat ik achterlaat. Een oogst voor hen die hun weg naar mijn leven vinden, zoals ik de weg naar hun leven heb gevonden.

'Dat is voor hen', fluister ik wanneer Alisia een bijna perfecte zeeschelp omhooghoudt. 'Dit is voor jou.'

Dankbetuigingen

Mijn dank gaat uit naar vele mensen: mijn kinderen, ouders, familie en vrienden. Ik hoop dat jullie weten hoezeer ik jullie allemaal liefheb en waardeer. Janet Kobobel Grant, al tien jaar lang vertrouw ik op jou als fantastische agente en vriendin. Dank aan Natalie Hanemann, mijn uitstekende begeleidster bij dit project, en aan Ami McConnell en Allen Arnold, mijn redacteur en mijn uitgever. Jullie hebben me meer steun gegeven, meer geduld getoond en me meer aangemoedigd dan dankbare woorden kunnen uitdrukken.